GUIDE
DES VÉGÉTAUX D'ORNEMENT
POUR LE QUÉBEC

Tome III

D1045670

Les arbustes

GUIDE
DES VÉGÉTAUX D'ORNEMENT POUR LE QUÉBEC

Tome III

Les arbustes

texte et photographies
Bertrand Dumont
Consultant en horticulture environnementale

préface
Pierre Bourque

ÉDITIONS
BROQUET INC

418, chemin des Frênes, L'Acadie, Qc, J2Y 1J1
Tél. : (514) 357-9626 Fax : (514) 357-9625

Données de catalogage avant publication (Canada)

Dumont Bertrand

    Guide des végétaux d'ornement pour le Québec

    Comprend des références bibliographiques et des index.

    Sommaire: t. 1. Conifères et arbustes à feuilles persistantes -
t. 2. Les arbres feuillus - t. 3. Les arbustes.

    ISBN 2-89000-325-6 (v. 3)

    1. Plantes d'ornement - Québec (Province). 2. Horticulture
d'ornement - Québec (Province). 3. Arbres d'ornement - Québec
(Province). I. titre.

SB407.3.C3D84 1987   635.9   C86-096094-3

Réimpression 1 er trimestre 1995
Copyright Ottawa 1992
Éditions Marcel Broquet Inc.
Dépôt légal - Bibliothèque nationale du Québec
1er trimestre 1992

ISBN 2-89000-325-6

À ma mère

«*Attiré par les riants objets qui m'entourent, je les considère, je les contemple, je les compare, j'apprends enfin à les classer, et me voilà tout d'un coup aussi botaniste qu'a besoin de l'être celui qui ne veut étudier la nature que pour trouver sans cesse de nouvelles raisons de l'aimer.*»

Jean-Jacques Rousseau

TABLE DES MATIÈRES

PRÉFACE

Le succès des publications de Bertrand Dumont sur l'éventail des plantes ornementales disponibles pour le Québec est symptomatique de l'engouement de nos concitoyens pour l'horticulture et l'environnement.

Il est pourtant tout près de nous, le temps où les revues et livres français et américains servaient de référence à nos passionnés de la nature comme à nos architectes paysagistes.

La contribution de Bertrand Dumont comme vulgarisateur scientifique dans le domaine de l'horticulture ornementale est remarquable. Doté d'une solide formation académique, passionné par les plantes, et possédant des antennes très ramifiées au sein des intervenants majeurs de l'horticulture québécoise, Bertrand Dumont a réussi ce défi emballant de servir de catalyseur entre le public de plus en plus averti et exigeant, et les professionnels. Avec méthode et détermination, il nous livre à chaque année ou à chaque deux ans un nouveau chapitre de ce qui deviendra sûrement l'Encyclopédie des plantes cultivées du Québec.

Le tome qu'il nous présente aujourd'hui porte sur la personnalité complexe et diversifiée des arbustes ornementaux. Sujet difficile, s'il en est un, lorsqu'on considère le rôle utilitaire et souvent secondaire auquel l'on conviait traditionnellement les arbustes dans nos aménagements. Et pourtant, tout contribue à faire de ces plantes méconnues les vedettes de nos jardins, en commençant par l'exiguïté de nos terrains et la tendance à la naturalisation dans nos aménagements paysagers.

Plantes d'ici ou d'aillleurs, améliorées par l'homme ou issues de semis, les arbustes offrent une gamme impressionnante de textures, de formes, de floraison, de feuillage et de fructification. Ils sont au rendez-vous de l'hiver avec leurs baies éclatantes ou leurs rameaux vifs. Ils annoncent le printemps dès les premiers rayons du soleil d'avril tout en prolongeant les plaisirs d'automne par leur floraison tardive. Mais, c'est au printemps et en été qu'ils atteignent leur splendeur en rivalisant d'audace et de coquetterie avec les fleurs annuelles ou vivaces et leurs grands frères, les arbres.

Les arbustes sont aussi particulièrement bien adaptés à nos conditions climatiques. Leur culture en contenant facilite leur manipulation et un usage du printemps à l'automne, tandis que la protection nivale leur confère une rusticité surprenante.

Bertrand Dumont est un homme de terrain; des centaines de fois, je l'ai vu arpenter le Jardin botanique, *notant au fil des saisons et des floraisons, tel arbre ou tel arbuste. Éducateur-né, il n'hésite pas à transmettre ses connaissances et sa passion pour l'horticulture à des milliers d'amoureux de la nature.*

Je souhaite à ce dernier-né de Bertrand Dumont le même succès qu'aux tomes précédents et assure celui-ci de l'amitié et du soutien de ses nombreux amis horticulteurs.

Pierre Bourque
Directeur
Jardin botanique de Montréal

INTRODUCTION

Il n'est plus besoin de rappeler aujourd'hui le grand intérêt des Québécois et des Québécoises pour les jardins et l'horticulture. Les centaines de professionnels qui y oeuvrent chaque jour le savent bien. Il existe même maintenant une revue spécialisée *Fleurs, Plantes et Jardins*, qui répond à la soif d'information de milliers de jardiniers amateurs. Mais l'horticulture québécoise ne s'est pas développée toute seule. Il a fallu le travail acharné de plusieurs, et leurs efforts conjugués portent aujourd'hui leurs fruits.

Cependant, au travers tout ce développement, une institution s'est particulièrement distinguée : le Jardin botanique de Montréal. En effet, après les Floralies internationales de 1980, le Jardin botanique de Montréal a mis sur pied un programme de développement exemplaire. Bien que les réalisations soient nombreuses je ne citerai que le *Jardin japonais* et cette merveille qu'est le *Jardin chinois*.

Ce développement s'est fait grâce à la volonté d'un homme, son directeur Pierre Bourque, mais aussi par le fantastique travail de tous les horticulteurs, horticultrices et botanistes qui y oeuvrent chaque jour. C'est à eux que je voudrais dire un grand merci. Sans eux, ce livre n'aurait peut-être jamais existé.

Je fréquente ce jardin hebdomadairement durant la belle saison depuis près de dix ans. Je peux vous assurer qu'il n'a jamais été aussi beau qu'au cours de ces dernières années, grâce à toutes les acquisitions qui ont été faites. Il faut absolument noter la remarquable volonté d'excellence de ces horticulteurs et horticultrices qui ne comptent que sur des enveloppes budgétaires de plus en plus restreintes pour subvenir à son entretien.

Montréal, et le Québec, ont toujours été considérés comme une terre difficile pour l'horticulture. Et pourtant nous possédons un des plus beaux jardins botaniques au monde. Je ne peux qu'espérer que chacun, et notamment mes collègues professionnels en usent et en abusent Le Jardin botanique de Montréal est certainement le plus grand livre horticole jamais écrit au Québec. Plus nous en tournerons les pages, plus il sera vivant.

B. Dumont

NOTES CONCERNANT LES PHOTOGRAPHIES

Sauf indication contraire, les photographies ont toutes été réalisées par l'auteur. À part quelques très rares exceptions, celles-ci ont été prises au Québec. La plupart ont été faites au Jardin botanique de Montréal, et les autres, au Parc floral de l'Île Notre-Dame à Montréal, au Jardin de Jean-Pierre à Ste-Christine, au jardin Van Den Hende à Sainte-Foy et au Parc Marie Victorin à Kingsey Falls.

AVERTISSEMENT AUX LECTEURS

Ce guide ne constitue pas la présentation des «meilleurs» arbustes que l'on peut cultiver au Québec. En fait, il s'agit de présenter le maximum d'arbustes offrant un potentiel intéressant pour l'aménagement de nos jardins. D'un bout à l'autre du Québec, les conditions climatiques, pédologiques et écologiques sont différentes, les objectifs de chaque jardinier et de chaque horticulteur sont différents, les styles de jardin que l'on peut créer sont très variés.

C'est pourqoi il me semble important de présenter un choix maximum de végétaux, même s'il existe des professionnels qui jugent que certains de ces végétaux ne sont pas «performants». Chez les végéatux, les avantages et les inconvénients ont des éléments très relatifs.

REMERCIEMENTS

Sans aide, il m'aurait été impossible de réaliser seul ce projet. Je tiens donc à remercier tous mes ami(e)s qui m'ont soutenu durant ce long processus, et principalement ma conjointe Lise pour sa patience. Je tiens à témoigner ma gratitude à tous ceux et à toutes celles qui m'ont aidé et conseillé.

Il existe cependant deux personnes que je veux remercier particulièrement. Ce sont Jean-Pierre et Claire Devoyault, de la pépinière *Au jardin de Jean-Pierre*, de Sainte-Christine, Qc. Grâce à leur amour des végétaux et à leur magnifique jardin d'essai et de présentation, j'ai pu réaliser de nombreuses photographies. Nos discussions horticoles, bien que parfois très animées, ont toujours été teintées d'une grande amitié.

De plus, je tiens aussi à remercier certaines personnes en particulier:
* M. Marcel Broquet mon éditeur pour sa confiance et ses encouragements.
* Céline Arseneault et Normand Fleury, du Jardin botanique de Montréal pour certaines photographies.
* M. Larry Sherk et M. Tom Whitcher de la pépinière Sheridan pour m'avoir fourni certaines photographies.
* Mme Claude Richer-Leclerc d'Agriculture Canada pour ces précieux conseils.
* M. Bruneau Felteau de la Pépinière l'Avenir.
* Mme Monique Dumas-Quesnel et M. Claude Lemieux de W.H. Perron et Cie Ltée.

Je tiens enfin à remercier M. Pierre Bourque, Directeur du Jardin botanique de Montréal qui a accepté, malgré les nombreuses responsabilité qu'il assume, de rédiger la préface de ce volume. M. Pierre Bourque est certainement une des figures les plus marquantes de l'horticulture québécoise, et c'est un honneur pour moi qu'il ait acquiescé à ma demande.

COMMENT UTILISER CE GUIDE

Cet ouvrage est classifié selon l'ordre alphabétique des NOMS LATINS. Pour écrire ces noms, j'ai utilisé la nomenclature de l'Association française de normalisation (AFNOR) ainsi que Naamlijst van Houtige Gewassen de H.J. van de Laar, édité à partir de la nomenclature internationale.

Pour bien se comprendre, les horticulteurs utilisent les noms latins. Cette habitude permet une normalisation qui profite en fait aux amateurs en leur assurant ainsi qu'ils achètent la bonne plante. Il existe parfois entre une espèce et son cultivar de type nain une différence de dimension de 4 à 5 fois.

- Le genre est écrit avec une majuscule, en caractère gras et en italique. Ex. : *Hydrangea*
- L'espèce, elle, commence par une minuscule, quelle que soit son origine. Elle est aussi écrite en caractère gras et en italique. Ex. : *Hydrangea arborescens*.
- Le signe x écrit en caractère romain signifie que la plante est un hybride. Ex. : *Magnolia* x *soulangiana*
- Lorsqu'il s'agit d'une variété botanique, c'est-à-dire une variété que l'on retrouve à l'état spontané dans la nature, le nom de celle-ci commence par une minuscule et est écrit en caractère gras et en italique. Ex. : *Weigela florida venusta*.
- Si, par contre, il s'agit d'une variété horticole que l'on appelle aussi cultivar, c'est-à-dire une plante dont les caractères ont été modifiés par l'homme, chaque mot la désignant est écrit en caractère romain, commence par une majuscule et est placé entre guillemets simples. Ex. : *Hydrangea arborescens* «Annabelle».

À côté du nom latin, on retrouve parfois le sigle C.O.P.F. qui signifie Canadian Ornemental Plant Foundation, appellation traduite en français par F.C.P.O. ou Fondation canadienne des plantes ornementales. Cette fondation a pour but de protéger les producteurs de nouvelles plantes en enregistrant les caractéristiques de celles-ci, et de veiller à ce que le créateur reçoive des redevances de tous ceux qui multiplient la nouvelle plante à des fins commerciales.

L'astérisque (*) placé avant le nom latin signifie que cette plante est indigène au Québec. On peut donc l'observer à l'état naturel dans nos forêts.

Il arrive aussi parfois, qu'à côté du nom latin, on en retrouve un autre, entre parenthèse. C'est un synonyme de la plante. Il faut savoir que la botanique est une science en évolution constante ou que plusieurs auteurs botanistes lui ont parfois donné des noms différents. Le synonyme doit permettre de se référer à d'anciens ouvrages le cas échéant.

Puis viennent les NOMS COMMUNS, ou USUELS.

Les noms communs français sont écrits en majuscules. J'ai essayé de noter en premier lieu le nom commun québécois le plus utilisé. Suivent les autres noms québécois et français.

Pour permettre, si nécessaire, de faire la correspondance avec des ouvrages écrits en d'autres langues, je cite les noms canadiens, américains ou anglais généralement utilisés en Amérique du Nord.

$$* * *$$

Après la dénomination de la plante on trouve les indications sur sa RUSTICITÉ.

Mais qu'est-ce que la rusticité?

La rusticité d'une plante est sa capacité de résister aux intempéries, notamment aux conditions hivernales. Actuellement, il y a plusieurs classifications pour la rusticité. J'ai retenu les deux suivantes :

A : ZQ : Zone québécoise de rusticité ou zone d'adaptation pour l'horticulture au Québec.

En 1980, H. Bernard, J. Landry, L.-P. Roy et F. Oemichen ont établi des «zones d'adaptation pour l'horticulture ornementale» dans les différentes régions du Québec en considérant les facteurs suivants :

1) Facteurs climatiques :
   - Degré-jour
   - Épaisseur de la couverture de neige
   - Vélocité des vents
   - Minimum extrême en hiver
   - Durée de la période de croissance
   - Gelées hâtives
   - Potentialités de micro-climats

2) Facteurs physiographiques :
   - Positionnement géographique
   - Élévation
   - Type de relief

3) Facteurs pédologiques :
La pédologie est la science qui étudie la nature du sol et son rapport avec le climat et la végétation.

Après avoir fait la synthèse de tous ces éléments, ils ont établi huit zones différentes. Pour connaître l'étendue de chaque zone, consultez la carte à la fin du présent ouvrage.

Pour faciliter la lecture de chaque fiche, j'ai attribué une lettre à chaque zone.

A : Côte-Nord
B : Abitibi
C : Bas-Saint-Laurent, Baie des Chaleurs, Charlevoix
D: Témiscamingue
E : Laurentides
F : Québec et Estrie (Cantons de l'Est)
G : Montréal et Outaouais

En consultant la carte délimitant les différentes zones, on peut constater qu'il n'y a aucune indication pour certaines parties du territoire. En établissant des comparaisons entre les plantes déjà bien connues et les plantes que l'on souhaite introduire, on pourra connaître la capacité d'adaptation de ces plantes. Comme on peut le noter, certaines lettres sont accompagnées du signe -, d'autres pas. Cela correspond aux données suivantes :

Lettre non accompagnée du signe - :
• Plantes cultivées avec succès dans la zone.
• Plantes utilisées avec succès dans la zone ou sur la culture desquelles on possède des renseignements pertinents.
• Plantes peu connues, aux caractéristiques semblables aux deux premiers groupes.
• Plantes indigènes qui se trouvent dans la zone et sur la culture desquelles on possède des renseignements pertinents.

Lettre accompagnée du signe - :
• Plantes connues qui ne font pas partie de la liste précédente mais qui devraient être théoriquement adaptables.
• Plantes peu connues qui, théoriquement, devraient être adaptables.

* Mise en garde :
À l'intérieur des huit zones décrites, on peu retrouver des micro-climats plus ou moins favorables. On utilisera donc ces

données avec discernement. Dans tous les cas, on tiendra compte des expériences existantes et on s'adressera à un horticulteur local pour confirmer ces renseignements.

B) ZC : Zone canadienne de rusticité ou zone de rusticité pour les plantes.
Ces zones ont été établies par C.-E. Ouellette et L.C. Sherk d'Agriculture Canada, pour tout le territoire canadien. Ils ont considéré les éléments suivants :
- Température minimale en hiver
- Durée de la période de gel
- Pluies d'été
- Ensevelissement sous la neige
- Vent

Cette recherche a donné naissance à la classification bien connue que je cite ici. Dans le cas qui nous intéresse, les zones s'échelonnent de 1 à 5 et sont divisées en deux sections. On distingue les sections a et b, la section b étant la plus tempérée. Quand un chiffre n'est pas suivi d'une lettre, il indique forcément la zone la plus froide, soit la zone a (Ex. : 4:4a).

* Mise en garde : même que pour ZQ.

* * *

Chaque fiche est accompagnée d'une DESCRIPTION.
En premier lieu on indique :
H : hauteur de la plante à l'âge adulte.
L : largeur à la même période.
Par la suite, on décrit simplement la plante en s'attardant sur les éléments décoratifs. On indique en dernier lieu le rythme de croissance qui, toutefois, peut varier d'une région à l'autre, selon le climat et la composition du sol.

* * *

Vient ensuite l'énumération des EXIGENCES.
À chaque lettre correspondent les principales exigences de la plante, ce qu'elle requiert pour bien pousser.

E : EXPOSITION
   On indique ici si la plante croît au soleil, à la mi-ombre ou à l'ombre.

S : SOL
   On donne une indication sur la qualité du sol dont la plante a

besoin pour pousser de façon idéale. Dans certains cas, il est possible d'amender le sol pour fournir à la plante les éléments dont elle a besoin. Il reste toutefois qu'il est souvent plus facile d'adapter la plante au sol que l'on possède que le contraire. Les études récentes ont montré qu'il existait une relation entre l'écologie de la plante et sa résistance à divers problèmes d'ordre phytosanitaire.

H : HUMIDITÉ

Humidité du sol : on signale ici la résistance de la plante aux conditions extrêmes (sécheresse, excès d'eau) et on précise si le sol doit être ou non bien drainé.

Humidité atmosphérique : on indique les besoins de la plante quant au degré d'humidité de l'atmosphère.

R : RUSTICITÉ ET RÉSISTANCE

Dans cette rubrique, on indique le niveau de rusticité de la plante. Le cas échéant, on indique si celle-ci doit bénéficier d'une protection hivernale ou d'un couvert de neige.

• *La protection hivernale des arbustes à feuilles caduques* :
La protection des arbustes à feuilles caduques se fait après la chute des feuilles. Soit au environ du mois d'octobre.
Cette opération consiste à attacher les branches entre elles à l'aide d'une corde. On évite ainsi que la souche n'éclate sous le poids de la neige.
Après la fonte des neiges, les cordes peuvent être enlevées.
Quand les plantes deviennent adultes cette protection devient inutile.

• *La protection hivernale des arbustes à feuilles persistantes* :
Les arbustes à feuillage persistant sont sensibles au froid. Il est nécessaire d'installer la protection aux environs du mois d'octobre. Cette opération consiste à entourer la plante d'une clôture à neige dans laquelle on a fixé une toile de jute. Cette protection est nécessaire les 2 ou 3 premières années. Par la suite, elle devient inutile.
Il est aussi recommandé de faire une petite butte de terre à la base de la plante.
Une accumulation de neige est toujours bénéfique pour ce type d'arbuste.

Dans cette rubrique, on indique aussi la résistance de la plante à certains facteurs comme la pollution ou le sel des routes.

P : PLANTATION

Dans cette rubrique, des informations sont données sur la facilité ou la difficulté de plantation et de transplantation. Il faut savoir que les difficultés de transplantation sont souvent un facteur limitant le développement de certaines espèces.

Depuis quelques années, on a vu apparaître sur le marché des PLANTES EN CONTENANT. Cette nouvelle technique de production représente plusieurs avantages.

Les plantes en contenant peuvent être plantées depuis la fin des gelées du printemps jusqu'aux premières gelées de l'hiver. Il n'y a pas donc pas «d'urgence» à planter au printemps. Il est donc possible de magasiner hors des temps très occupés de l'année.

L'utilisation des plantes en contenant doit suivre quelques normes. En premier lieu, les plantes doivent être bien racinées, c'est-à-dire que la motte doit se tenir quand on la dépote. On doit toutefois voir de la terre et des racines. Si on voit seulement des racines, la plante peut avoir du mal à reprendre.

Avant la plantation, la terre du contenant doit être bien arrosée. Au moment de la plantation, il faut couper les racines pour favoriser l'émission, ce qui facilite la reprise.

Durant les quelques jours qui suivent la plantation, il faut bien veiller aux arrosages car les plantes cultivées en contenant ont tendance à sécher un peu plus rapidement que les autres.

Avec une transplantation adéquate, le taux de réussite des plantes cultivées en contenant est de 100%. Période de plantation plus longue et taux de réussite plus élevé sont donc les principaux avantages des plantes en contenant.

T : TAILLE

Des données élémentaires sont fournies sur la taille de chaque plante décrite.

•*Taille des arbustes à feuilles caduques* :

Il est très important de choisir la bonne époque pour la taille des arbustes à fleurs.

- Les arbustes qui fleurissent au printemps (de mars à mi-juin) se taillent juste après la floraison.
- Ceux qui fleurissent durant l'été et l'automne se taillent tôt au printemps.

Ne taillez jamais à l'automne car vous détruisez les fleurs des arbustes à floraison printanière et vous affaiblissez les arbustes à floraison estivale.

Le bois mort ou gelé peut être supprimé, en tout temps, de

mars à octobre.

Pour les arbustes à floraison estivale, on s'assure, durant l'été, d'une seconde floraison de moindre importance, en coupant, à l'aide d'un sécateur, les fleurs fanées.

Quelques arbustes, même s'ils fleurissent, sont décoratifs par leur feuillage. Ils se taillent du début du printemps à la mi-août.

Technique:
- Àl'aide d'outils bien aiguisés, taillez de un tiers à la moitié des pousses.
- Supprimez les branches qui s'entrecroisent.
- Coupez les vieilles branches de la base pour rajeunir la souche.
- Conservez la forme naturelle de la plante et évitez les tailles abusives en boule ou en carré.

• *Taille des arbuste à feuilles persistantes* :
Ces arbustes se taillent peu. Une fois les risques de gels passés, pratiquez une taille de nettoyage en supprimant les parties endommagées par l'hiver.
Évitez de tailler après la floraison car la plupart de ces plantes ont des fruits décoratifs.
Cette taille doit respecter la forme naturelle de la plante.

NOTE : Au Québec, on a tendance à trop tailler pour réduire le volume des plantes. Il faut savoir organiser nos plantations pour obtenir des sujets qui correspondent le plus exactement possible à nos besoins. Il est toujours plus agréable d'admirer son aménagement que d'y travailler sans cesse.

D : DISPONIBILITÉ
Tous les centres de jardin et toutes les pépinières proposent un choix différent quand aux disponibilités des végétaux. Certaines plantes sont cultivées en grand nombre, alors que d'autres sont plus rares. Cette rubrique indique au lecteur si la disponibilité de la plante décrite est excellente, bonne, assez bonne ou rare.

* * *

La dernière rubrique énumère les UTILISATIONS possibles de la plante décrite.
En premier lieu, on indique en quoi la plante est intéressante. Est-ce par sa forme, son feuillage, ses fleurs, ses fruits, etc? Par

21

la suite, on indique les utilisations possibles. Celles-ci ne sont pas restrictives. On pourra, bien sûr, exploiter différemment la plante dans la limite de ses possibilités.

Il nous semble utile d'apporter quelques précisions sur les types d'utilisation.

En isolé, une plante est placée seule, elle se dégage au-dessus du gazon ou de plantes couvre-sol.

En association, la plante se trouve plantée avec d'autres arbustes de caractères différents.

En groupe, des végétaux d'une même espèce sont plantés en groupe de 3, 5, 7, 9 ou plus.

Pour la naturalisation, les plantes sont implantées de manière à ce qu'elles «reprennent leur droit» et qu'elles poussent par elles-mêmes avec le minimum d'entretien.

Comme couvre-sol, on utilise les végétaux bas et rampants sur de plus ou moins grandes étendues en remplacement du gazon le plus souvent.

Les végétaux peuvent aussi être plantés en haies, et taillés de façon géométrique : en haie libre, c'est-à-dire plantés en ligne, mais laissés dans leur forme naturelle, ou en écran qui n'est en fait qu'une haie de grande dimension, taillée ou non taillée.

Abelia* x *grandiflora

ABÉLIA GRANDIFLORA - Abélia vernissée
Abelia - Glossy Abelia

ZQ: G
ZC: 5b

DESCRIPTION: H: 0,80 m   L: 1,20 m
Arbuste au port étalé et diffus. Les tiges, d'abord éri-
gées, deviennent arquées avec l'âge.
Feuilles caduques sous nos climats, ovales, pointues au
bout. Le feuillage, d'un beau vert foncé luisant, prend
une belle teinte pourpre bronzé à l'automne.
Boutons floraux roses donnant des fleurs rose délavé
ou blanc rosé en juillet août.
Fruits sous forme d'akènes.
Racines nombreuses et fines.
Croissance moyenne à lente.

EXIGENCES: E: Préfère le soleil, mais s'accomode d'une situation
légèrement ombragée.
S: Un sol riche, un peu acide lui convient bien.
H: Un terrain frais favorise la croissance.
R: Peu rustique, il doit être planté en situation proté-
gée.
P: Plantation facile.
T: Tailler court au printemps car cette plante a ten-
dance à geler. Transplantation en pot.
D: Peu disponible.

UTILISATIONS: Utilisé pour sa floraison dans les massifs. On associe
généralement cette plante aux conifères ou aux plantes
à feuillage persistant.

23

Acanthopanax sieboldianus
ACANTHOPANAX DE SIEDOLD
Fiveleaf Aralia

ZQ: F- / G
ZC: 5

DESCRIPTION: H. :2 m   L: 2m
Arbuste au port érigé, devenant arrondi avec l'âge.
Branches brunes portant quelques épines.
Feuilles palmées, à 5 folioles qui sont obovales. dentées, pointues et vert brillant.
Fin juin apparition de petites fleurs insignifiantes.
Fruits sous forme de baies noires.
Racines traçantes qui produisent de nombreux rejets.
Croissance moyenne.

EXIGENCES: E: Résiste aussi bien au plein soleil qu'à l'ombre.
S: Peu exigeant, préfère les sols qui se réchauffent facilement.
H: Demande un sol bien drainé, mais résiste à la sécheresse.
R: Rusticité peu élevée. Résistant à la pollution.
P: Sa transplantation est très facile.
T: Totalement inutile.
D: Plus ou moins facile à se procurer.

UTILISATIONS: Plante intéressante, à utiliser en massif parfois même en isolé. Convient très bien pour former des haies à l'ombre.

24

Acer ginnala

ÉRABLE DE L'AMOUR
Amur Maple

ZQ: A / B/ C/ D / E / F / G
ZC: 2b

DESCRIPTION: H: 5 m   L: 4 m
Gros arbuste ou petit arbre vigoureux, large, de forme sphérique avec un port érigé.
Feuilles à trois lobes, vert foncé luisant dessus, vert pâle dessous. Ses feuilles prennent une belle teinte rouge orangé brillant à l'automne.
Fleurs blanchâtres, abondantes et odorantes en mai.
Fructification sous forme de samares rouges, persistant longtemps.
Enracinement traçant.
Croissance moyenne à rapide.

EXIGENCES: E: Il préfère le soleil, mais il s'adapte très bien aux situations ombragées.
S: Supporte les sols sablonneux.
H: Peu exigeant, ne craint pas les endroits secs.
R: Plante très rustique qui s'adapte bien aux conditions difficiles. Supporte la pollution des villes.
P: Facile.
T: Supporte bien la taille.
D: Très facile à se procurer.

UTILISATIONS: S'emploie pour la beauté de son feuillage aussi bien en groupe qu'en isolé. Excellente plante de haie.

Acer ginnala 'Flamme'
ÉRABLE DE L'AMOUR FLAMME
Flamme Amur Maple

ZQ: A / B/ C/ D / E / F / G
ZC: 2b

DESCRIPTION: H: 5 m   L: 4 m
Gros arbuste vigoureux, au port érigé, de forme sphérique, large.
Feuilles trilobées, vert foncé luisant dessus et vert pâle dessous. Tôt à l'automne, ses feuilles prennent une belle teinte rouge orangé brillant, écarlate plus prononcé que chez l'espèce.
Fleurs blanchâtres, abondantes et odorantes en mai.
Fructification sous forme de samares, rouges.
Enracinement traçant.
Croissance moyenne à rapide.

EXIGENCES: E: S'il préfère le soleil, il peut très bien s'adapter aux situations ombragées.
S: S'adapte à tous les sols, même sablonneux.
H: Sans exigence particulière, il ne craint pas les endroits secs.
R: Cette plante très rustique s'adapte aux conditions les plus difficiles. Supporte la pollution des villes.
P: Plantation facile.
T: Supporte bien la taille.
D: Plus ou moins facile à se procurer.

UTILISATIONS: Cet arbuste est principalement utilisé pour sa coloration automnale. On peut en faire des haies ou des écrans, ou encore l'utiliser comme plante de fond dans les massifs.

Acer griseum

ÉRABLE GRISEUM
Paperback Maple

ZQ: F- / G
ZC: 5

DESCRIPTION: H: 4 m   L: 2 m
Gros arbuste à la forme arrondie. Branches brunes dont l'écorce s'enlève en lambeaux qui s'enroulent sur eux-mêmes. La couleur peut varier, mais on y observe le plus souvent les nuances de brun cannelle.
Feuilles composées de 3 folioles, elliptiques, pointues au bout et grossièrement dentées. Bleu gris sur le dessus, glauques dessous, les feuilles prennent une belle couleur rouge orange à l'automne.
Floraison en grappe donnant des fruits en forme d'aile.
Racines traçantes.
Croissance lente.

EXIGENCES: E: Doit être planté au plein soleil.
S: S'adapte facilement à tous les sols.
H: Le sol doit être frais mais bien drainé.
R: Plante peu rustique, elle doit être plantée en situation abritée.
P: Transplantation plus ou moins facile.
T: Taille presque inutile.
D: Plutôt rare en pépinière.

UTILISATIONS: Très belle plante à utiliser en isolé. Très intéressante par son écorce en hiver. Convient dans un aménagement misant sur la couleur du feuillage automnal.

Acer japonicum 'Aconitifolium' - (*Acer japonicum* 'Laciniatum')
ÉRABLE DU JAPON À FEUILLES DÉCOUPÉES
Fullmoon Maple

ZQ: G
ZC: 5b

DESCRIPTION: H: 1,25 m   L: 1,25 m
Arbuste au port arrondi, assez dense. Branches brunes, légèrement fissurées, portant de jeunes pousses rougeâtres et lisses.
Feuilles caduques, simples, découpées en 9 à 11 lobes profonds. Feuillage vert foncé, prenant une belle teinte rougeâtre à l'automne.
Fleurs pourpres, en corymbes, apparaissant avant les feuilles.
Fruits sous forme de samares.
Racines plutôt traçantes.
Croissance lente.

EXIGENCES: E: Demande le plein soleil, mais supporte une ombre légère.
S: Demande un sol acide, riche en matière organique, car il ne supporte pas du tout le calcaire.
H: Un terrain restant constamment frais lui est indispensable car il craint les endroits secs.
R: Peu rustique, doit être planté dans un endroit abrité.
P: Transplantation assez facile.
T: Elle consiste surtout à couper, à la fin de l'hiver, les branches qui ont gelé.
D: Assez facile à se procurer.

UTILISATIONS: Intéressante par ses feuilles et par son port, c'est principalement en isolé que l'on utilise cette plante. Il est aussi possible de l'utiliser en massif ou en association.

Acer japonicum 'Aurem'
ÉRABLE DU JAPON DORÉ
Gold Fullmoon Maple

ZQ: G
ZC: 5b

DESCRIPTION: H: 1,25 m   L: 1,25 m
Arbuste au port arrondi, assez dense.
Branches brunes, avec de légères fissures, qui portent de jeunes pousses rougeâtres et lisses.
Feuilles caduques, simples, découpées en 9 à 11 lobes profonds. Feuillage jaune d'or durant toute la belle saison. À l'automne, il prend une belle teinte rougeâtre.
Fleurs pourpres, en corymbes, apparaissant avant les feuilles.
Fruits sous forme de samares.
Racines plutôt traçantes.
Croissance plutôt lente.

EXIGENCES: E: Supporte une ombre légère mais demande le plein soleil.
S: Ne supportant pas du tout le calcaire, il demande un sol acide, riche en matière organique.
H: Un terrain restant constamment frais lui est indispensable, car il craint les endroits secs.
R: À cause de sa faible rusticité, il doit être planté dans un endroit abrité.
P: Transplantation assez facile.
T: Supporte bien la taille qui intervient au printemps.
D: Assez facile à se procurer.

UTILISATIONS: C'est en isolé que cette plante doit être utilisée. Intéressante par la couleur de son feuillage.

Acer negundo 'Flamingo'
ÉRABLE À GIGUÈRE FLAMINGO -
Érable negundo Flamingo
Flamingo Boxelder

ZQ: D- / E / F / G
ZC: 4b

DESCRIPTION: H: 2 m   L: 1,50 m
Gros arbuste au port érigé, ovale et diffus. Jeunes branches verdâtres devenant brunes avec l'âge.
Feuilles caduques, vert tendre, marginées de rose pâle quand elles sont jeunes, puis tournant au blanc crème par la suite. Toutefois, les jeunes pousses sont marginées de rose pâle durant toute la saison.
Fleurs verdâtres donnant de nombreux fruits sous forme de samares.
Racines puissantes, superficielles et très nombreuses.
Croissance rapide à moyenne

EXIGENCES: E: Doit être absolument planté au plein soleil pour donner toute sa couleur.
S: S'adapte à toutes les conditions, même les plus difficiles.
H: Préfère les terrains humides, mais résiste bien à la sécheresse.
R: Moyennement rustique, les extrémités des branches ont tendance à geler.
P: Transplantation facile à racines nues.
T: Tailler au printemps pour favoriser l'apparition de jeunes pousses colorées.
D: Bonne disponibilité.

UTILISATIONS: Très intéressant par la couleur de son feuillage; peut être utilisé en isolé ou en association dans les massifs.

Acer palmatum

ÉRABLE DU JAPON - Érable palmé
Japanese Maple

ZQ: G
ZC: 5b

DESCRIPTION: H: 1,50 m   L: 2,50 m
Arbuste au port arrondi, large et dense.
Branches et rameaux rougeâtres à rouge vif.
Feuilles caduques, simples en forme de lance ayant de 5 à 9 lobes; ovales, pointues au bout, doublement dentées. Feuillage caduc, vert, devenant rouge carmin à l'automne.
Fleurs en corymbes, rougeâtres, tôt au printemps, avant les feuilles.
Fruits rares en forme d'ailes.
Racines plutôt traçantes.
Croissance lente.

EXIGENCES: E: Supporte une ombre légère.
S: Éviter les sols calcaires. Préfère les sols acides, riches en matière organique.
H: Un terrain frais et une situation ou l'humidité atmosphérique est élevée lui sont favorables.
R: Peu résistant, doit être planté en situation protégée.
P: Facile à transplanter.
T: Doit subir une taille de nettoyage au printemps. Supporte bien la taille.
D: Plutôt rare en pépinière.

UTILISATIONS: Magnifique plante à utiliser en isolé, elle peut aussi l'être en association dans les massifs. Excellente plante pour faire des bonsaïs.

Acer palmatum 'Atropurpureum'
ÉRABLE DU JAPON À FEUILLES POURPRES
Bloodleaf Japanese Maple

ZQ: G
ZC: 5b

DESCRIPTION: H: 1,50 m   L: 2,00 m
Arbuste aux branches érigées, au port arrondi, légèrement diffus.
Feuilles à 5 lobes, rouge clair au printemps, prenant une teinte plus foncée durant l'été.
Croissance lente.

EXIGENCES: D: Facile à se procurer.

UTILISATIONS: Excellente plante à feuillage rouge, on l'utilise en association dans les massifs.

Acer palmatum 'Bloodgood'
ÉRABLE DU JAPON BLOODGOOD
Bloodgood Japanese Maple

ZQ: G
ZC: 5b

DESCRIPTION: H: 2 m   L: 1,50 m
Arbuste au port érigé, de forme ovale.
Feuilles composées de 5 à 7 lobes, légèrement dentées.
Jeunes pousses rouge sang, devenant rouge foncé et prenant une couleur pourpre très foncée à l'automne.
Croissance lente

EXIGENCES: D: Bonne disponibilité.

UTILISATIONS: Principalement en isolé.

Acer palmatum 'Butterfly'
ÉRABLE DU JAPON BUTTERFLY
Butterfly Japanese Maple

ZQ: G
ZC: 5b

DESCRIPTION: H: 1,50 m   L: 1,50 m
Arbuste érigé, au port arrondi, diffus.
Les jeunes pousses vertes sont lignées de blanc crème et de rose. Par la suite elles deviennent panachées de blanc.
Croissance lente.

EXIGENCES: D: Plutôt rare en centre de jardin.

UTILISATIONS: Très intéressant par son feuillage, il faut l'utiliser en isolé dans les endroits abrités.

Acer palmatum 'Crimson Queen'
ÉRABLE DU JAPON CRIMSON QUEEN
Crimson Queen Japanese Maple

ZQ: G
ZC: 5b

DESCRIPTION: H: 1 m   L: 2 m
Arbuste bas, au port arrondi, formant un petit monticule.
Feuilles très découpées, rouge poupre foncé toute la saison, devenant plus foncées à l'automne.
Croissance lente.

EXIGENCES: D: Bonne disponibilité.

UTILISATIONS: Intéressant par son feuillage, peut être utilisée en association dans les massifs où dans les rocailles.

Acer palmatum 'Dissectum'
ÉRABLE DU JAPON À FEUILLES DÉCOUPÉES
Cut-leaf Japanese Maple - Threadleaf Japanese Maple

ZQ: G
ZC: 5b

DESCRIPTION: H: 1,50 m   L: 1,00 m
Plante érigée, de forme ovale, diffuse aux branches parfois légèrement contournées.
Feuilles très découpées, donnant un aspect léger au feuillage. Vert clair au printemps, celui-ci devient vert plus foncé en été et prend une belle teinte rouge orangé à l'automne.
Croissance lente.

EXIGENCES: D: Bonne disponibilité en centre de jardin.

UTILISATIONS: Plante intéressante par son feuillage découpé, c'est une excellente plante de rocaille que l'on peut utiliser en isolé.

Acer palmatum 'Dissectum Garnet'
ÉRABLE DU JAPON GARNET
Garnet Japanese Maple

ZQ: G
ZC: 5b

DESCRIPTION: H: 1,50 m   L: 1,50 m
Arbuste au port arrondi, compact. Branches plus ou moins tordues.
Feuilles découpées, pourpre très foncé durant toute la saison.
Croissance lente.

EXIGENCES: D: Parfois difficile à se procurer.

UTILISATIONS: Pour sa forme et son feuillage, on l'utilise en isolé.

Acer palmatum 'Heptalobum'
ÉRABLE DU JAPON AUX FEUILLES À SEPT LOBES
Seven-lobed Leaved Japanese Maple

ZQ: E- / F- / G
ZC: 5b

DESCRIPTION: H: 2,50 m   L: 2,50 m
Le plus gros des érables du Japon avec son port érigé et sa forme arrondie. Tiges érigées s'étalant avec l'âge. Les jeunes pousses sont d'un vert léger avec des reflets orangés.
Feuilles à 7 lobes, vert clair, tournant au rouge orangé à l'automne.
Fleurs rouges au printemps.
Fruits petits, rouge verdâtre.
Croissance moyenne.

EXIGENCES: D: Trop rare malgré sa bonne rusticité.

UTILISATIONS: Très utile en association dans les massifs. Très intéressant par sa rusticité.

Acer palmatum 'Inaba Shidare'
ÉRABLE DU JAPON INABE SHIDARE
Inabe Shidare Japanese Maple

ZQ: G
ZC: 5b

DESCRIPTION: H: 0,90 m   L: 2,00 m
Arbuste au port plus ou moins étalé, formant un monticule avec l'âge. Branches arquées, retombant sur le sol.
Feuilles découpées rouge pourpre, devenant plus foncées en été.
Croissance lente à moyenne.

EXIGENCES D: Bonne disponibilité.

UTILISATIONS: Par sa forme et la couleur de son feuillage c'est une excellente plante pour les rocailles ou pour être placée en isolé.

Acer palmatum 'Ornatum'
ÉRABLE DU JAPON ORNATUM
Ornatum Japanese Maple

ZQ: G
ZC: 5b

DESCRIPTION: H: 1,00 m   L: 2,00 m
Arbuste au port arrondi, devenant plus large que haut.
Branches arquées.
Feuilles découpées, pourpres au printemps, prenant une
couleur plus bronze verdâtre durant l'été.
Croissance lente.

EXIGENCES: D: Assez bonne disponibilité.

UTILISATIONS: C'est une excellente plante pour les rocailles, mais aussi pour être placée en isolé.

Acer pennsylvanicum

ÉRABLE DE PENNSYLVANIE - Bois d'orignal -
Bois barré - Érable jaspé
Striped Maple - Moosewood

ZQ: B- / C- / D / E /F / G
ZC: 3

DESCRIPTION: H: 7 m   L: 4,5 m
Petit arbre ou grand arbuste au port élancé, possédant souvent plusieurs troncs.
Écorce lisse, verte, striée verticalement de blanc, très décorative, surtout en hiver.
Feuilles caduques, simples, trilobées, dessous duveteux devenant glabre, dessus vert tendre. Feuillage de texture légère, et d'un beau coloris jaune à l'automne.
Floraison en grappe, jaune verdâtre, au printemps.
Fruits ailés, rouges puis tournant au brun par la suite.
Racines traçantes et fibreuses.
Croissance lente.

EXIGENCES: E: Peut pousser au plein soleil, mais préfère les situations mi-ombragées à ombragées.
S: Un sol acide, riche et humifère.
H: Réclame un terrain frais, mais bien drainé.
R: Plante indigène au Québec, elle est très rustique.
P: Se transplante plus ou moins facilement.
T: Inutile.
D: Plutôt difficile à se procurer.

UTILISATIONS: Plante idéale pour la naturalisation, elle aura sa place dans tous les jardins décoratifs en hiver car son écorce est très décorative. Peut être utilisée en isolé.

41

Acer spicatum

ÉRABLE À ÉPIS - Plaine bâtarde
Mountain Maple

ZQ: A / B / C / D / E / F / G
ZC: 2

DESCRIPTION: H: 7 m   L: 4 m
Arbuste à la forme arrondie, diffus.
Branches à l'écorce brunâtre à grisâtre portant des ra-
meaux poilus grisâtres.
Feuilles caduques, simples, découpées en 3 lobes allon-
gées. Chaque lobe est ovale, pointu à son extrémité et
découpé irrégulièrement. Feuillage vert jaunâtre foncé
devenant jaune et rouge à l'automne.
Fleurs réunies en épis érigés, de couleur jaune verdâtre,
apparaissant au mois de juin.
Fruits sous forme de samares, rougeâtres, devenant
bruns à maturité.
Racines traçantes.
Croissance lente à moyenne.

EXIGENCES: E: Préfère la mi-ombre.
S: Demande un sol acide, car il craint le calcaire.
H: Un sol humide, toujours frais lui convient.
R: Très rustique, il s'adapte à tous les milieux, sauf
s'ils sont pollués.
P: Transplantation en motte.
T: Peu utilisée.
D: Disponibilité restreinte.

UTILISATIONS: Plante des petits espaces, on l'utilise généralement en
association. C'est aussi une excellente plante pour la
naturalisation.

Acer tataricum

ÉRABLE DE TARTARIE
Tartarian Maple

ZQ: A / B / C / D / E / F / G
ZC: 4

DESCRIPTION: H: 4 m   L: 4 m

Arbuste de forme arrondie, devenant plus ou moins large. Branches brun rougeâtre.

Feuilles en forme de coeur, doublement dentées, plus ou moins lobées. Feuillage vert moyen à vert foncé prenant des teintes de jaune, de rouge et de brun rouge tôt à l'automne.

Fleurs blanchâtres en épis dressés en mai-juin.

Fruits nombreux, rouges, sous forme de samares ailées dès le mois d'août.

Racines traçantes et fibreuses.

Croissance moyenne à lente.

EXIGENCES: E: Le plein soleil ou une ombre légère lui sont favorables.

S: Peu exigeant.

H: Supporte bien la sécheresse.

R: Bonne rusticité.

P: Transplanter en motte.

T: Supporte très bien la taille.

D: Se retrouve parfois en pépinière.

UTILISATIONS: Parfois utilisée en isolé, cette plante s'associe bien avec d'autres végétaux dans les massifs. Intéressante pour son coloris automnal et sa fructification.

Aesculus parviflora

MARRONNIER À PETITES FLEURS - Pavier blanc
Bottlebrush Buckeye

ZQ: A- / B- / C- / D- / E- / F- / G
ZC: 5

DESCRIPTION: H: 4 m   L: 5 m
Gros arbuste formant un buisson large qui drageonne facilement. Tiges érigées, brunes, portant de nombreuses lenticelles.
Feuillage dense, de texture grossière, vert clair devenant jaune à l'automne. Feuilles composées aux folioles elliptiques.
Petites fleurs blanches aux longues étamines, réunies en panicules dressés. Floraison en juillet-août.
Fruits sous forme de marrons allongés, bruns.
Racines bien ramifiées, descendant profondément dans le sol.
Croissance lente.

EXIGENCES: E: Supporte le plein soleil, mais préfère la mi-ombre.
S: S'adapte aux sols pauvres, mais préfère un sol acide et assez riche en humus.
H: Doit être planté dans un sol humide mais bien drainé, car il craint la sécheresse.
R: Peu rustique, il a tendance à geler facilement. Toutefois, lors de graves gelées, il peut geler complètement. Il repoussera alors par drageonnage. Éviter de les planter en situation trop venteuses.
P: Plantation plutôt difficile.
T: Peut subir sans dommage une taille de rabattage.
D: Disponible en pépinière.

UTILISATIONS: Son port et sa période de floraison en font un arbre intéressant à planter dans les jardins. Utilisation en isolé, mais aussi en association.

Alnus crispa

AULNE CRISPÉ - Aulne vert - Aune vert
Green Alder

ZQ: A / B / C / D / E / F/ G
ZC: 1

DESCRIPTION: H: 3 m   L: 1,5 m
Arbuste au port érigé. Les jeunes rameaux glabres deviennent avec l'âge des branches à l'écorce écailleuse.
Feuilles ovales à arrondies, visqueuses à l'aspect froissé. Feuillage vert, aromatique quand il est jeune.
Fleurs en chatons pendants, tôt au printemps, avant les feuilles.
Fruits sous forme de cônes.
Racines traçantes, voire envahissantes qui portent des nodosités qui fixent l'azote.
Croissance rapide.

EXIGENCES: E: Demande absolument le plein soleil.
S: Supporte tous les sols, même s'il sont pauvres.
H: Il affectionne particulièrement les terrains humides, voire inondés.
R: Très rustique, convient aux endroits les plus difficiles.
P: Transplantation très facile.
T: Peu utilisée.
D: Facile à se procurer.

UTILISATIONS: Excellente plante pour la naturalisation des milieux humides. Dans les régions nordiques c'est une plante intéressante pour l'aménagement des jardins.

Alnus incana

AULNE BLANC
White Alder - Grey Alder

ZQ: D- / E / F / G
ZC: 4

DESCRIPTION: H: 12 m   L: 8 m
Gros arbuste de forme ovoïde, irrégulière et produisant des rejets. Écorce lisse et gris clair. Branches gris brun portant des rameaux recouverts de duvet.
Feuilles caduques, simples, larges, ovales, dentées, et dont l'extrémité est pointue et la base arrondie. Les nervures sont très apparentes. Feuilles vertes dessus et grisâtres dessous.
Fleurs en chatons pendants, rougeâtres à pourpres, tôt au printemps, bien avant les feuilles.
Fruits en forme de cônes bruns, persistant tout l'hiver.
Racines traçantes et nombreuses.
Pousse rapide.

EXIGENCES: E: Bien que préférant le plein soleil, il supporte aussi une ombre légère.
S: Supporte tous les sols, même s'ils sont calcaires.
H: Un sol humide, même très humide lui convient parfaitement. Toutefois, il s'accommode d'une sécheresse passagère.
P: Transplantation très facile.
R: Bonne rusticité.
T: Tailler en hiver ou tôt au printemps.
D: Assez disponible.

UTILISATIONS: Pour la naturalisation dans les endroits humides.

Alnus rugosa

AULNE RUGUEUX -Vergne -Verne -Aune rugueux
Hazel Alder - Speckled Alder

ZQ: A / B / C / D / E / F / G
ZC: 1

DESCRIPTION: H: 6 m   L: 5 m
Gros arbuste au port rond et diffus et dont plusieurs branches partent du sol. Écorce lisse brun rouge à brun foncé portant des lenticelles.
Feuilles en forme d'ellipse, doublement dentées. Les veines sont proéminentes, la face inférieure est blanchâtre alors que le dessus est vert foncé.
Fleurs en chatons pendants avant les feuilles.
Fruits sous forme de cônes persistant longtemps.
Racines nombreuses, traçantes et superficielles.
Croissance moyenne à rapide.

EXIGENCES: E: Demande absolument le plein soleil pour bien pousser.
S: S'adapte à tous les sols, même s'ils sont pauvres.
H: Même s'il résiste à la sécheresse, il faut le planter dans un terrain très humide, de préférence inondé une partie de l'année.
R: Très rustique, il résiste mal à la pollution.
P: Transplantation très facile.
T: Peu utilisée.
D: Assez facile à se procurer en pépinière.

UTILISATIONS: Idéal pour les endroits très humides. Très utile pour la naturalisation.

Amelanchier alnifolia

AMÉLANCHIER DE SASKATOON -
Amélanchier à feuilles d'aune
Saskatoon Serviceberry

ZQ: A / B / C / D / E / F / G
ZC: 4

DESCRIPTION:
H: 4 m   L: 3 m
Arbuste à troncs multiples drageonnants, au port érigé, diffus. Écorce grise, couverte de petits points noirs. Branches courtes portant, au printemps, de jeunes pousses recouvertes de poils.
Feuilles arrondies, ovales, vert foncé prenant une coloration automnale jaune orange.
Fleurs hâtives, blanc crème en grappes.
Fruits sous forme de baies, pourpre noirâtre, pruineuses, juteuses et comestibles.
Racines superficielles.
Croissance moyenne.

EXIGENCES:
E: Le plein soleil ou une ombre légère lui conviennent.
S: Préfère un sol neutre mais supporte les sols acides.
H: Demande un sol frais et bien drainé. Supporte une sécheresse passagère.
R: Bonne rusticité.
P: Plantation doit être faite avec soin, car elle peut être problématique.
T: Supporte la taille qui intervient après la floraison.
D: Facile à se procurer.

UTILISATIONS:
En association dans les massifs; pour confectionner des haies ou des écrans; utile pour la naturalisation.

Amelanchier alnifolia 'Regent'
AMÉLANCHIER REGENT
Regent Serviceberry

ZQ: A / B / C / D / E / F / G
ZC: 4

DESCRIPTION: H: 1,25 m   L: 1,50 m
Plante compacte, ovale, s'élargissant avec l'âge.
Écorce des branches grise.
Feuillage d'un beau vert tournant au rouge orangé à
l'automne.
Grandes fleurs blanches.
Fruits pourpre foncé, sucrés, assez gros.
Croissance moyenne.

EXIGENCES: D: Assez facile à se procurer.

UTILISATIONS: Intéressante par sa forme, on l'utilise en premier rang
des massifs.

Amelanchier alnifolia 'Smoky'
AMÉLANCHIER SMOKY
Smoky Serviceberry

ZQ: A / B / C / D / E / F / G
ZC: 4

DESCRIPTION: H: 4 m   L: 5 m
Gros arbuste au port arrondi, large et diffus.
Feuillage vert foncé prenant une belle teinte jaune
orangé à l'automne.
Fleurs blanches, nombreuses au printemps.
Gros fruits sucrés.
Croissance moyenne.

EXIGENCES: D: Assez peu disponible.

UTILISATIONS: Intéressant par sa fructification abondante; excellente
plante pour les jardins d'oiseaux.

Amelanchier canadensis
 AMÉLANCHIER DU CANADA
 Shadblow- Shadblow Serviceberry Downy
 Serviceberry - Juneberry

ZQ: A- / B / C / D / E / F / G
ZC: 2b

DESCRIPTION: H: 6 m   L: 3 m
 Gros arbuste aux branches érigées et port étroit. Tronc à écorce grise.
 Feuilles, gris argent recouvertes de petits poils, devenant vert foncé, puis jaune orangé à l'automne. Feuillage dense et d'aspect léger.
 Floraison blanche de courte durée mais spectaculaire, tôt au printemps, avant les feuilles.
 Fruits pourpres très décoratifs durant l'été, et appréciés des oiseaux.
 Racines superficielles.
 Croissance plutôt rapide.

EXIGENCES: E: Le plein soleil et la mi-ombre lui conviennent.
 S: S'adapte à tous les sols, sauf s'ils sont calcaires.
 H: Demande un sol légèrement humide et bien drainé.
 R: Très rustique, mais est sensible à la pollution.
 P: Assez facile à transplanter.
 T: Supporte la taille qui se fait après la floraison.
 D: Disponible dans toutes les pépinières.

UTILISATIONS: Intéressant par sa floraison, sa fructification et sa couleur automnale, il est utilisé surtout en isolé, mais aussi en massif, en haie libre ou pour la naturalisation.

Amelanchier canadensis 'Ballerina'
AMÉLANCHIER BALLERINA
Ballerina Downy

ZQ: A- / B / C / D / E / F / G
ZC: 2b

DESCRIPTION: H: 5 m   L: 2 m
Arbuste compact, étroit, aux branches dressées. Tronc à écorce grise.
Feuilles, gris argent recouvertes de petits poils, devenant vert foncé, puis jaune orangé à l'automne. Feuillage dense et d'aspect léger.
Floraison blanche de grande dimension, de courte durée mais spectaculaire, tôt au printemps, avant les feuilles, ce qui le différencie de l'espèce.
Fruits pourpres très décoratifs durant l'été, et appréciés des oiseaux.
Racines superficielles.
Croissance plutôt rapide.

EXIGENCES: E: Le plein soleil et la mi-ombre lui conviennent parfaitement.
S: S'adapte à tous les sols, sauf s'ils sont calcaires.
H: Demande un sol légèrement humide et bien drainé.
R: Très rustique, mais est sensible à la pollution.
P: Assez facile à transplanter.
T: Supporte la taille qui se fait après la floraison.
D: Rare en pépinière.

UTILISATIONS: Utilisé de préférence en isolé, cette plante est surtout intéressante par sa floraison. On peut aussi l'utiliser en massif, en haie libre ou pour la naturalisation.

Amelanchier* x *grandiflora (*Amelanchier lamarckii*)
AMÉLANCHIER À GRANDES FLEURS
Apple Serviceberry

ZQ: D- / E- / F / G
ZC: 4

DESCRIPTION: H: 7 m   L: 5 m
Gros arbuste, parfois petit arbre au port arrondi.
Écorce grise, décorative.
Feuilles d'abord pourpres et recouvertes de duvet; ca-
duques, simples, dentées, en forme d'ellipse, arrondies
à la base et vert brillant. Belle coloration à l'automne.
Grandes fleurs réunies en grappes et légèrement tein-
tées de rose.
Fruits noir violet attirant les oiseaux.
Racines superficielles.
Croissance plutôt rapide.

EXIGENCES: E: Supporte la mi-ombre.
S: Préfère les sols fertiles.
H: Un sol hunide et bien drainé lui convient parfaite-
ment.
R: Bonne rusticité.
P: Transplantation plutôt facile.
T: Si cela est utile, elle s'effectue après la floraison.
D: Bonne disponibilité.

UTILISATIONS: Surtout utilisé en isolé, parfois en association pour son
feuillage et sa coloration automnale.

Amelanchier laevis

AMÉLANCHIER GLABRE
Alleghany Serviceberry

ZQ: A- / B- / C / D / E / F / G
ZC: 3b

DESCRIPTION: H: 8 m   L: 5 m
Gros arbuste de forme ronde à ovoïde.
Écorce grisâtre, portant des branches érigées, légèrement tordues.
Feuilles caduques, simples, obovales, rougeâtres au printemps, bleu grisâtre en été et rouge orangé à l'automne.
Nombreuses petites fleurs regroupées en grappes érigées blanches, avant les feuilles.
Fruits sous forme de baies rouges, puis pourpre foncé en juin.
Racines fibreuses superficielles.
Croissance moyenne.

EXIGENCES: E: Aime le soleil mais supporte aussi bien l'ombre.
S: Préfère un sol légèrement acide.
H: Demande un terrain frais mais bien drainé.
R: Bonne rusticité, mais sensible à la pollution.
P: Bonne reprise à la transplantation.
T: Supporte la taille qui se fait après la floraison.
D: Très bonne disponibilité.

UTILISATIONS: Utilisé principalement en isolé, c'est une plante idéale pour les petits jardins. Peut aussi être utilisé en association dans les massifs. D'intérêt ornemental pour ses fleurs, sa fructification et sa coloration automnale.

Amelanchier ovalis (*Amelanchier rotundifolia*)
AMÉLANCHIER DES BOIS
Garden Serviceberry

ZQ: F- / G
ZC: 5

DESCRIPTION: H: 2 m   L: 1,25 m
Plante au port dressé et étroit. Très branchue, elle drageonne abondamment. Écorce grisâtre. Les jeunes
pousses recouvertes de duvet donnent naissance à des
feuilles entières, ovales, finement dentées, arrondies
aux deux bouts et vertes.
Floraison blanche en grappes érigées au printemps.
Fruits d'abord saumon, devenant bleu foncé par la suite. Ses petits fruits attirent les oiseaux.
Racines superficielles.
Croissance moyenne.

EXIGENCES: E: Demande le plein soleil.
S: Préfère les sols plutôt calcaires.
H: Un sol frais et bien drainé favorise sa croissance.
R: Peu rustique, il doit être planté dans une situation
abritée.
P: Bonne reprise de transplantation.
T: Tailler après la floraison.
D: Rare en pépinière.

UTILISATIONS: S'utilise principalement en association. C'est un amélanchier intéressant pour les petits jardins.

Amorpha canescens

AMORPHA BLANCHÂTRE
Leadplant - Leadplant Amorpha

ZQ: E / F / G
ZC: 3

DESCRIPTION: H: 0,80 m   L: 0,80 m
Arbuste au port globulaire, lâche et ouvert.
Écorce lisse, grisâtre. Branches anguleuses, légèrement duveteuses.
Feuilles composées de petites folioles ovales donnant une texture très fine à la plante. Feuillage gris argent au printemps devenant gris vert durant l'été.
Fleurs en épis érigés, bleu foncé avec des étamines orangées.
Fruits en forme de gousses, persistant longtemps en hiver.
Racines superficielles, drageonnantes.
Croissance moyenne.

EXIGENCES: E: Réclame une situation ensoleillée.
S: Plante de sols plutôt calcaires, il supporte cependant bien les sols sablonneux et pauvres.
H: Les endroits secs doivent lui être réservés.
R: Bonne rusticité.
P: Se transplante facilement.
T: Tailler court au printemps pour aider la floraison.
D: Peu disponible.

UTILISATIONS: Bonne plante pour les rocailles et en premier rang des massifs. Intéressante par son feuillage et sa floraison.

Amorpha fruticosa - (*Amorpha pubescens*)
FAUX INDIGO - Indigo bâtard
False Indigo - Indigobush Amorpha

ZQ: C- / D- / E- / F- / G
ZC: 3

DESCRIPTION: H: 3m   L: 2 m
Arbuste assez gros au port irrégulier. Les rameaux érigés, dont le bout des tiges retombent légèrement vers le bas, forment une pyramide renversée. Écorce grise devenant brune avec l'âge.
Feuilles caduques, composées, donnant une texture dense et légère au feuillage, qui est vert clair en été et jaunâtre à l'automne.
Fleurs en épis dressés, pourpre bleuté, à partir de la mi-juin.
Fruits en forme de gousses, persistant en hiver.
Racines fibreuses, superficielles, drageonnant parfois.
Croissance moyenne.

EXIGENCES: E: Le plein soleil lui est indispensable.
S: Peu exigeant, il s'adapte aux sols pauvres légèrement acides ou calcaires.
H: Indifférent à la sécheresse ou à l'inondation.
R: Très rustique.
P: Se transplante très facilement.
T: Tailler court au printemps afin de fournir de jeunes rameaux florifères.
D: Peu disponible.

UTILISATIONS: Très utile dans les endroits difficiles, en association avec d'autres arbustes pour sa belle floraison.

* *Andromeda polifolia*

ANDROMÈDE
Andromeda - Bog Rosemary

ZQ: A / B / C / D / E / F- / G
ZC: 2

DESCRIPTION: H: 0,60 m L: 0,60 m
Petit arbrisseau à tiges rampantes d'où partent des rameaux dressés.
Feuilles persistantes et épaisses, oblongues, vert luisant dessus, glauques dessous.
Fleurs en forme de petits grelots blanc rosé, regroupées par 4 ou 8, en ombelles, en mai-juin.
Fruits en petites boules noirâtre glauque, au début de l'automne.
Racines superficielles.
Croissance lente.

EXIGENCES: E: Indifféremment en plein soleil ou à la mi-ombre.
S: Requiert un sol très acide.
H: Préfère un terrain frais même inondé et une atmosphère très humide. Craint la sécheresse.
R: Plante très rustique résistante au sel.
T: Transplantation plus ou moins facile.
T: Pas de taille à pratiquer.
D: Bonne disponibilité.

UTILISATIONS: Convient aux plates-bandes regroupant les plantes acidophiles. Peut aussi être utilisé dans une rocaille située dans un endroit frais et humide. Sa forme, ses fleurs et ses feuilles sont ses principaux attraits.

Aralia elata

ARALIE DU JAPON - Angélique en arbre du Japon - Aralie élevée
Japanese Angelica Tree

ZC: 4b

DESCRIPTION: H: 6 m   L: 2 m
Gros arbuste ou petit arbre au port large et étendu, formant une cime ronde. Les branches fortes et peu ramifiées portent de grosses épines. Grandes feuilles composées, vert, foncé dessus, plus pâle dessous. Feuillage peu dense à texture grossière. Fleurs blanches en panicules larges, de 30 à 60 cm de hauteur, à fin été, suivies de fruits noirs globuleux. Racines traçantes et drageonnantes pouvant devenir envahissantes. Croissance moyenne à lente.

EXIGENCES: E: Préfère le plein soleil à la condition qu'il ne soit pas trop chaud. Supporte une ombre légère.
S: Demande un sol riche, léger au pH neutre.
H: Aime les sols frais, mais supporte les sols secs.
R: Peu rustique, il doit être planté dans une situation abritée des vents d'hiver.
P: Transplantation plutôt facile.
T: Peu utilisée, sauf pour le nettoyage après un hiver rigoureux.
D: Assez disponible en pépinière.

UTILISATIONS: Utilisée surtout en isolé ou comme plante vedette dans les massifs pour sa forme, son feuillage et sa floraison. Très épineux; à déconseiller là où il y a des enfants.

Arctostaphylos uva-ursi
RAISIN D'OURS
Common Bearberry

ZQ: A / B / C / D / E / F / G
ZC: 2

DESCRIPTION: H: 0,10 m   L: 0,70 m
Arbuste rampant, aux tiges étalées s'enracinant au contact du sol.
Feuilles persistantes, coriaces, entières, arrondies au bout, vert lustré sur les deux côtés. Ce feuillage de texture fine prend une couleur vert rougeâtre à pourpre pendant l'hiver.
Très petites fleurs blanches réunies en bouquets au printemps.
Fruits lisses, sous forme de baies comestibles rouge écarlate.
Racines traçantes se marcottant naturellement.
Croissance lente.

EXIGENCES: E: Convient aussi bien au plein soleil qu'à l'ombre.
S: Préfère les sols pauvres et rocheux, mais peut s'adapter aux sols fertiles et humifères. Un sol acide lui est toutefois indispensable.
H: Supporte les endroits secs.
R: Très rustique.
P: Transplantation parfois aléatoire.
T: Rarement utilisée.
D: Très disponible.

UTILISATIONS: C'est un excellent couvre-sol, notamment dans les endroits où le sol est acide. Convient à la naturalisation des lisières et des espaces rocheux.

Arctostaphylos uva-ursi 'Vancouver Jade' C.O.P.F.
RAISIN D'OURS VANCOUVER JADE
Vancouver Jade Bearberry

ZQ: A / B / C / D / E / F / G
ZC: 2

DESCRIPTION: H: 0,10 m   L: 0,50 m
Arbuste rampant, aux tiges étalées parfois arquées, donnant à la plante l'aspect d'un petit monticule. Les tiges ont tendances à s'enraciner au contact du sol.
Feuilles persistantes, petites coriaces, entières, arrondies au bout, vert clair. Ce feuillage de texture fine prend une couleur vert rougeâtre à pourpre pendant l'hiver.
Très petites fleurs blanches réunies en bouquets au printemps.
Fruits lisses, sous forme de baies rouge écarlate, comestibles.
Racines traçantes se marcottant naturellement.
Croissance lente.

EXIGENCES: E: Convient aussi bien au plein soleil qu'à l'ombre.
S: Préfère les sols pauvres et rocheux, mais peut s'adapter aux sols fertiles et humifères. Un sol acide lui est toutefois indispensable.
H: Supporte les endroits secs.
R: Très rustique.
P: Transplantation parfois aléatoire.
T: Rarement utilisée.
D: Peu disponible puisque c'est une nouvelle variété.

UTILISATIONS: C'est un excellent couvre-sol, notamment dans les endroits où le sol est acide. Convient à la naturalisation des lisières et des espaces rocheux.

Aronia arbutifolia
ARONIE À FEUILLES D'ARBOUSIER
Red Chokeberry

ZQ: C- / E- / F- / G
ZC: 4b

DESCRIPTION: H: 2 m   L: 1,5 m
Arbuste drageonnant au port ovoïde, érigé quand il est jeune, mais dont les branches extérieures retombent en forme d'arche.
Feuilles caduques, entières, ovales et dentées, recouvertes d'un duvet grisâtre sur le revers; vert foncé tournant au rouge à l'automne. Feuillage dense.
Fleurs réunies en corymbes, d'abord blanches devenant rosées au début du printemps.
Fruits rouges sous forme de petites poires, apparaissant en septembre-octobre et persistant en hiver. Fruits comestibles attirant certains oiseaux.
Racines fibreuses, traçantes et drageonnantes.
Pousse lente.

EXIGENCES: E: Croît aussi bien au plein soleil qu'à la mi-ombre.
S: S'adapte à tous les sols.
H: Préfère un terrain humide et frais, mais bien drainé.
R: Rustique.
P: Se transplante facilement.
T: Pratiquer après la floraison, si nécessaire.
D: Assez disponible.

UTILISATIONS: S'utilise en association dans les massifs, aussi bien pour la décoration que pour la naturalisation. Attire les oiseaux. Intéressant pour sa coloration automnale.

Aronia arbutifolia 'Brilliant' - (*Aronia arbutifolia* 'Brilliantissima')
ARONIE BRILLIANT
Brilliant Red Chokeberry

ZQ: F- / G
ZC: 5

DESCRIPTION: H: 2 m   L: 1,5 m
Arbuste drageonnant au port ovoïde, érigé quand il est jeune, mais dont les branches extérieures retombent en forme d'arches.
Feuilles caduques, entières, lustrées, cirées, ovales et dentées recouvertes de duvet grisâtre sur le revers; vert foncé tournant au rouge brillant à l'automne, et persistant longtemps. Feuillage dense.
Fleurs nombreuses réunies en corymbes, d'abord blanches devenant rosées au début du printemps.
Fruits rouges lustrés sous forme de petites poires, apparaissant en septembre-octobre et persistant en hiver.
Fruits comestibles attirant certains oiseaux.
Racines fibreuses, traçantes et drageonnantes.
Pousse moyenne.

EXIGENCES: E: Croît aussi bien au plein soleil qu'à la mi-ombre.
S: S'adapte facilement à tous les sols.
H: Préfère un terrain humide et frais, mais bien drainé.
R: Rustique.
P: Se transplante facilement.
T: Pratiquer après la floraison, si nécessaire.
D: Assez disponible.

UTILISATIONS: En association dans les massifs. Convient aux jardins d'automne; attire les oiseaux.

Aronia melanocarpa - (*Aronia nigra*)

ARONIE NOIRE - Aronie naine

Black Chokeberry

ZQ: C- / E- / F- / G

ZC: 4

DESCRIPTION: H: 1,50 m   L: 1,50 m

Arbuste drageonnant, au port globulaire et diffus. Branches érigées. Feuilles en ellipses, légèrement pointues au bout et dentées. Feuillage vert foncé, lustré dessus, pâle en dessous, devenant rouge à l'automne. Fleurs blanches nombreuses réunies en corymbes, à la fin du printemps. Fruits sous forme de baies noires, brillantes, apparaissant en septembre. Racines fines, drageonnantes, fibreuses et superficielles. Croissance lente.

EXIGENCES: E: Demande le plein soleil mais supporte une ombre légère.

S: S'adapte à tous les types de sols.

H: Demande un sol frais mais supporte la sécheresse.

R: Rustique.

P: Transplantation facile.

T: Peu utilisée.

D: Assez peu disponible.

UTILISATIONS: Plante à utiliser en association ou pour la naturalisation. Attire les oiseaux.

Aronia prunifolia - (*Aronia floribunda*)
ARONIA À FEUILLES DE PRUNIER
Purplefruit Chokeberry

ZQ: C-/ E- / F- / G
ZC: 4

DESCRIPTION: H: 3 m   L: 1,50 m
Arbuste érigé au port ovoïde puis globulaire.
Branches érigées au rameaux s'étalant avec l'âge.
Feuilles caduques, simples, ovales, lustrées, vert rougeâtre au printemps, devenant vert foncé en été pour tourner au rouge à l'automne.
Fleurs blanches en forme d'étoiles réunies en ombelles vers la mi-mai.
Fruits en forme de baies pourpre noirâtre, lustrées, comestibles et persistant longtemps sur la plante. Ils attirent certains oiseaux.
Racines fibreuses et superficielles.
Croissance lente.

EXIGENCES: E: Soleil et mi-ombre lui conviennent.
S: Préfère un sol légèrement acide, plutôt sablonneux.
H: Indifférent.
R: Rustique.
P: Bonne transplantation.
T: Peu utilisée.
D: Peu disponible.

UTILISATIONS: En association, pour la naturalisation ou pour attirer les oiseaux.

Betula pendula 'Trost's Dwarf'
(*Betula pendula* 'Dissectum Trost's Dwarf')

> BOULEAU NAIN À FEUILLES DÉCOUPÉES
> Bouleau nain Trost's Dwarf
> Trost's Dwarf Birch

ZQ: A / B / C / D / E / F / G
ZC: 3

DESCRIPTION: H: 1 m   L: 1,50 m
Arbuste nain, d'aspect élégant, au port érigé, portant des branches verdâtres, s'arquant avec l'âge.
Feuilles très découpées, vert clair donnant de la légèreté à la plante.
Fleurs et fruits non observés.
Racines peu nombreuses, étalées.
Croissance lente.

EXIGENCES: E: Demande le plein soleil.
S: S'adapte à tous les sols, mais préfère les sols sablonneux au pH neutre.
H: Demande un sol bien drainé, plutôt sec.
R: Bonne rusticité.
P: Transplantation en pot indispensable.
T: Peu utilisée. Si nécessaire, elle doit être faite à l'automne.
D: Bonne disponibilité.

UTILISATIONS: Plante présentant un grand intérêt pour sa forme et son feuillage, on l'utilise en isolé, mais surtout dans les rocailles.

Betula pumila

BOULEAU NAIN AMÉRICAIN
American Dwarf Birch

ZQ: A- / B- / C- / D- / E- / F- / G
ZC: 2

DESCRIPTION: H: 2 m   L: 3 m
Arbuste au port arrondi, diffus, peu dense. Branches d'abord érigées, retombant légèrement aux extrémités. Feuilles caduques, simples, rondes, dentées grossièrement. Feuillage vert clair au printemps devenant vert durant l'été pour finalement prendre une teinte jaune à l'hiver.
Fleurs sous forme de chatons jaunâtres tôt au printemps.
Fruits sous forme de cônes bruns.
Racines fibreuses, étalées, peu nombreuses.
Croissance moyenne.

EXIGENCES: E: Doit absolument être planté au plein soleil.
S: Préfère les sols légers, légèrement acides.
H: Demande un sol frais, supporte les inondations.
R: Bonne rusticité.
P: Transplantation difficile.
T: Peu utilisée.
D: Plutôt rare.

UTILISATIONS: Excellente plante de fond dans les plates-bandes. S'adapte facilement aux conditions les plus difficiles.

Buddleia alternifolia
BUDDLÉIA À FEUILLES ALTERNES
Alternate-leaf Butterflybush

ZQ: F- / G
ZC: 5

DESCRIPTION: H: 1,50 m   L: 2 m
Arbuste au port lâche dont les nombreuses ramifications, plus ou moins pendantes, partent en tous sens. Branches d'abord grises, devenant brun clair par la suite.
Feuilles caduques, entières, en forme de lances étroites; vert foncé mat sur le dessus, plutôt bleutées au-dessous.
Petites fleurs lilas pourpre réunies en grappes au début de l'été. Ces fleurs sont légèrement odorantes.
Racines pivotantes, peu nombreuses.
Croissance rapide.

EXIGENCES: E: Préfère le soleil.
S: Un sol léger et un peu calcaire lui convient bien.
H: Demande un sol plutôt sec.
R: Peu rustique.
P: Transplanter en contenant pour une bonne reprise.
T: Rabattre la plante à 10-15 cm du sol à tous les printemps pour favoriser la floraison.
D: Plutôt rare.

UTILISATIONS: Intéressante par sa forme et sa floraison, cette plante est surtout utilisée en association dans les massifs.

Buddleia davidii

ARBRE AUX PAPILLONS - Buddléia du Père David
Butterflybush - Summer Lilac

ZQ: A / B / C / D / E / F / G
ZC: 5b

DESCRIPTION:
H: 2 m   L: 2,50 m
Arbuste au port arrondi, aux branches érigées mais aux rameaux étalés poussant vigoureusement.
Feuilles en forme de lances, pointues au bout et légèrement dentées. Vertes dessous, elles sont duveteuses et blanches en dessous.
Petites fleurs réunies en grappes pointues dressées, parfois légèrement recourbées. Lilas pâle au milieu de l'été; très parfumées, elles attirent les papillons.
Fruits sans intérêt.
Racines pivotantes, peu nombreuses.
Croissance rapide.

EXIGENCES:
E: Réclame absolument le plein soleil.
S: Demande un sol fertile, mais supporte très bien les sols pauvres.
H: Un terrain bien drainé, voire sec lui est favorable car il craint les excès d'humidité.
R: Si les tiges sont peu rustiques, la souche quant à elle l'est.
P: Transplantation en contenant pour une bonne reprise.
T: Pour qu'ils fleurissent, il faut rabattre les buddleias tôt à chaque printemps.
D: Bonne disponibilité.

UTILISATIONS: Excellente plante parfumée pour jardins et encroits secs. Attire les papillons. On l'utilise en isolé, ou en association dans les massifs.

Buddleia davidii 'Charming'
ARBRE AUX PAPILLONS CHARMING
Charming Butterflybush

ZQ: F- / G
ZC: 5b

DESCRIPTION: H: 2 m   L: 2 m
Arbuste au port plus dressé que l'espèce.
Longues fleurs rose lilas.

Buddleia davidii 'Fascinating' - (*Buddleia davidii* 'Fascination')
ARBRE AUX PAPILLONS FASCINATION
Fascination Butterflybush

ZQ: F- / G
ZC: 5b

DESCRIPTION: H: 2 m   L: 2,5 m
Arbuste très vigoureux.
Très longs panicules de couleur rose lilas vif.

'Charming'

'Fascinating'

Buddleia davidii 'Petite Plume'
ARBRE AUX PAPILLONS PETITE PLUME
Petite Plume Butterflybush

ZQ: F- / G
ZC: 5b

DESCRIPTION: H: 0,90 m   L: 0,90 m
Floraison sous forme de nombreuses petites panicules pourpres. Très florifère.

Buddleia davidii 'White Bouquet'
ARBRES AUX PAPILLONS WHITE BOUQUET
White Bouquet Butterflybush

ZQ: F- / G
ZC: 5b

DESCRIPTION: H: 2 m   L: 2 m
Fleurs en grappes, blanc pur, très parfumées.

'Petite Plume'   'White Bouquet'

Buxus microphylla koreana 'Pin Cushion'
BUIS DE CORÉE PINCUSHION
Pincushion Korean Boxwood

ZQ: A- / B- / C- / D- / E- / F / G
ZC: 5

DESCRIPTION: H: 0,50 m   L: 0,50 m
Petit arbuste persistant, nain, au port naturel globulaire très régulier.
Feuillage dense fait de feuilles plutôt petites, vert foncé.
Floraison sans intérêt.
Racines nombreuses.
Croissance lente.

EXIGENCES: E: S'accommode aussi bien du plein soleil que de l'ombre.
S: Requiert un sol riche.
H: Une terre bien drainée et une humidité atmosphérique élevée lui sont favorables.
R: Peu rustique, on doit le planter dans un endroit abrité des vents dominants et le protéger en hiver.
P: Transplanter en pot.
T: Supporte très bien la taille qui intervient au printemps.
D: Très disponible.

UTILISATIONS: Très utile comme haie basse. Utiliser dans les rocailles et en association dans les massifs pour sa forme.

Buxus microphylla koreana 'Tall Boy'
BUIS DE CORÉE TALL BOY
Tall Boy Korean Boxwood

ZQ: A- / B- / C- / D- / E- / F / G
ZC: 5

DESCRIPTION: H: 1 m   L: 0,60 m
Arbrisseau au port dressé ressemblant à une petite colonne.
Feuillage vert foncé prenant une teinte bronzée en hiver. Les feuilles, persistantes, sont plutôt petites et leurs bords sont parfois enroulés.
Racines nombreuses.
Croissance moyenne.

EXIGENCES: E: Croît aussi bien en plein soleil qu'à l'ombre.
S: Un sol riche est préférable.
H: Un sol bien drainé et une atmosphère humide lui sont favorables.
R: Peu rustique, il doit être protégé en hiver.
P: Une transplantation en pot est préférable.
T: Supporte très bien la taille qui se fait au printemps.
D: Très disponible.

UTILISATIONS: Peut être utilisé pour sa forme comme haie basse ou encore comme arbrisseau taillé de façon géométrique.

Buxus microphylla koreana 'Winter Beauty'
BUIS DE CORÉE WINTER BEAUTY
Winter Beauty Korean Boxwood

ZQ: A- / B- / C- / D- / E- / F / G
ZC: 5

DESCRIPTION: H: 1 m   L: 1 m
Arbrisseau compact devenant aussi haut que large.
Feuillage vert foncé, persistant, tournant parfois au
bronze durant les hivers froids. Les feuilles sont peti-
tes.
Racines nombreuses.
Croissance lente.

EXIGENCES: E: Indifféremment au soleil où à l'ombre.
S: Prospère bien dans un sol riche.
H: Un sol bien drainé et une atmosphère humide lui
sont favorables.
R: Peu rustique, il doit être protégé en hiver.
P: Une transplantation en pot est préférable.
T: Supporte très bien la taille qui se fait au printemps.
D: Très disponible.

UTILISATIONS: Excellente plante pour confectionner des haies basses.
Elle peut aussi entrer dans la composition des massifs
d'arbustes et de rocailles. Utilisation possible en isolé.

Buxus x 'Medad'

BUIS MEDAD
Medad Boxwood

ZQ: G
ZC: 5

DESCRIPTION: H: 0,60 m   L: 0,60 m
Arbrisseau de forme lâche.
Feuillage vert foncé, persistant. Les feuilles sont assez grosses.
Racines nombreuses.
Croissance lente.

EXIGENCES: E: Très résistant à l'ombre.
S: Prospère dans un sol riche.
H: Un sol bien drainé lui est favorable.
R: Peu rustique, il doit être protégé en hiver.
P: Demande une transplantation en pot.
T: Supporte très bien la taille qui se fait au printemps.
D: Plus ou moins disponible.

UTILISATIONS: C'est une excellente plante pour les endroits ombragés.
Intéressant par sa forme.

Buxus x *sheridan* 'Green Gem' C.O.P.F.
BUIS GREEN GEM
Green Gem Boxwood

ZQ: G
ZC: 5b

DESCRIPTION: H: 0,75 m   L: 0,75 m
Plante au port naturellement arrondi.
Le bois des tiges est dur et grisâtre.
Le feuillage dense est vert à longueur d'année et composé de petites feuilles persistantes.
Fleurs peu voyantes, en petits globes, au printemps.
Racines nombreuses.
Croissance lente.

EXIGENCES: E: S'accommode aussi bien du plein soleil que de l'ombre.
S: Peu exigeant; s'adapte à tous les sols, même pauvres.
H: Préfère un sol bien drainé car il craint les excès d'humidité. Une atmosphère humide lui est favorable.
R: Peu rustique, il doit être protégé durant l'hiver. Un couvert de neige améliore sa rusticité.
P: Transplanter en pot.
T: La taille, presque inutile; si nécessaire, elle se fera au printemps.
D: Bonne disponibilité.

UTILISATIONS: Peut être utilisé avec intérêt pour sa forme, dans une rocaille, dans un massif en mélange avec d'autres plantes ou encore dans un aménagement au dessin plutôt classique.

Buxus x **sheridan** 'Green Mound'
BUIS GREEN MOUND
Green Mound Boxwood

ZQ: G
ZC: 5b

DESCRIPTION: H: 1 m   L: 0,75 m
Petit arbuste semi-érigé au port plus ou moins globulaire.
Feuillage vert foncé à longueur d'année. Feuilles petites et persistantes.
Fleurs printanières sans intérêt.
Racines nombreuses.
Croissance lente.

EXIGENCES: E: S'adapte aussi bien au plein soleil qu'à l'ombre.
S: Peu exigeant; préfère un sol léger.
H: Un sol bien drainé et une atmosphère humide lui sont favorables.
R: Peu rustique, il doit être protégé durant l'hiver. Un couvert de neige améliore sa rusticité.
P: Une transplantation en pot lui est préférable.
T: Supporte très bien la taille qui se fait généralement au printemps.
D: Bonne disponibilité.

UTILISATIONS: Excellente plante pour confectionner des haies basses. Comme elle supporte bien la taille, on peut l'utiliser pour toutes autres formes d'aménagements.

Buxus x **sheridan** 'Green Mountain'
BUIS GREEN MOUNTAIN
Green Mountain Boxwood

ZQ: G
ZC: 5b

DESCRIPTION: H: 1,25 m   L: 1 m
Petit arbuste érigé au port pyramidal.
Feuillage dense vert foncé à longueur d'année, fait de feuilles persistantes plutôt petites.
Fleurs sans intérêt.
Racines nombreuses.
Croissance moyenne.

EXIGENCES: E: S'adapte aussi bien au plein soleil qu'à l'ombre.
S: Peu exigeant; s'accommode de tous les sols, même s'ils sont pauvres.
H: Préfère un terre bien drainée et une atmosphère humide.
R: Peu rustique; doit être protégé en hiver. Un couvert de neige améliore sa rusticité.
P: Transplanter en pot.
T: Supporte très bien la taille qui s'exécute au printemps.
D: Bonne disponibilité.

UTILISATIONS: Bonne plante que l'on peut utiliser en association dans les massifs. Convient bien aux aménagements classiques et aux cimetières.

Photo : Pépinière Sheridan

Callicarpa bodinieri giraldii
CALLICARPA DE GIRALD
Girald Bodinieri Beautyberry

ZQ: G
ZC: 5b

DESCRIPTION: H: 1,50 m   L: 0,70 m
Arbuste dressé.
Rameaux fins, velus et gris clair.
Feuilles en forme de lances, ovales, pointues au bout et nervurées. Vert foncé dessus, plus pâle dessous, elles sont recouvertes de duvet sur les deux faces. À l'automne le feuillage prend une belle couleur jaune avec des reflets violacés.
Petites fleurs lilas réunies en grappes, apparaissant à la fin de l'été; plutôt rares.
Fruits rares, sous forme de baies violettes, luisantes.
Croissance moyenne.

EXIGENCES: E: Même s'il demande le plein soleil, il peut supporter une ombre légère.
S: Préfère un sol fertile. Éviter les sols calcaires.
H: Un sol frais et bien drainé lui est favorable, car il craint les périodes de sécheresse.
R: Peu rustique, il doit absolument être planté dans un endroit protégé.
P: Transplantation assez facile.
T: Supporte bien la taille qui se fait tôt au printemps. Peut nécessiter un rabattage au printemps.
D: Peu disponible.

UTILISATIONS: Utile dans l'aménagement des massifs, c'est une plante interressante par son feuillage et par sa forme.

Callicarpa dichotoma

CALLICARPA DICHOTOMA
Purple Beautyberry

ZQ: F- / G
ZC: 5b

DESCRIPTION: H: 1,50 m   L: 1 m
Arbuste dressé, au port buissonnant, de forme arrondie, diffuse. Rameaux fins, velus et gris clair. Feuilles caduques, ovales, nervurées, vert moyen. Le feuillage est léger, décoratif et, à l'automne, il prend une belle couleur jaune avec des reflets violacés. Fleurs bleutées réunies en grappes, apparaissant en juin-juillet. Fruits bleu violet sous forme de baies, persistant longtemps. Croissance moyenne.

EXIGENCES: E: Demande le plein soleil, mais supporte une ombre légère.
S: S'adapte bien à tous les sols à l'exception des sols calcaires.
H: Un sol frais et bien drainé lui est favorable, car il craint les périodes de sécheresse.
R: Peu rustique, il doit absolument être planté dans un endroit protégé.
P: Transplantation facile.
T: Supporte bien la taille qui se fait tôt au printemps.
D: Peu disponible.

UTILISATIONS: Intéressant par sa floraison et sa fructification tardive, il convient à l'aménagement des massifs.

Calluna vulgaris et *Erica carnea*
BRUYÈRE COMMUNE et BRUYÈRE D'HIVER
Scotch Heather & Sping Heath

ZQ: A- / B- / C- / D- / E- / F- / G
ZC: 5b

DESCRIPTION: H: variable L: variable
Les bruyères sont des plantes basses, couvre-sol. Il en existe de très nombreuses variétés aux couleurs de feuillage et de fleurs différentes. Les fleurs sont généralement roses à pourpres, parfois blanches. Les bruyères communes fleurissent en été alors que les bruyères d'hiver fleurissent au printemps. Plantes de culture particulière, elles feront, dans l'avenir, le sujet d'une description plus approfondie. Racines fines et nombreuses. Croissance très lente à lente.

EXIGENCES: E: Il est préférable de planter en situation légèrement ombragée, notamment sous les arbres.
S: Planter absolument en sol acide, sableux, et organique.
H: Demande un sol frais mais bien drainé.
R: Peu rustique, elles doivent être plantées en milieu abrité.
P: Transplantation en pot.
T: Consiste à supprimer les fleurs fanées.
D: De plus en plus disponible.

UTILISATIONS: Plantes de sol acide on les associe le plus souvent avec les rhododendrons et les azalées ainsi qu'avec toutes les autres plantes de sol acide.

Calycanthus fertilis
CALYCANTHUS FERTILIS
Pale Sweetshrub

ZQ: G
ZC: 5b

DESCRIPTION: H: 2 m   L: 2 m
Arbuste au port érigé de forme arrondie et diffuse.
Branches vert grisâtre.
Feuillage dense, vert foncé. Feuilles luisantes, ovales, pointues au bout.
Fleurs pourpre verdâtre à brun rougeâtre foncé, légèrement odoriférantes, en juin juillet.
Fruits en capsules.
Racines traçantes et superficielles.
Croissance lente.

EXIGENCES: E: Demande le plein soleil.
S: Un sol léger, fertile et non calcaire lui est favorable.
H: La terre où il est planté doit être bien drainé.
R: Plante peu rustique, elle doit être plantée dans un endroit abrité, et protégée en hiver.
P: Transplantation facile.
T: Peu utile, elle intervient tôt au printemps. Il faut surtout pratiquer une taille de nettoyage.
D: Plutôt rare en centre de jardinage.

UTILISATIONS: Cette plante, intéressante par sa floraison odorante convient bien à l'association dans les massifs.

Calycanthus floridus

ARBRE POMPADOUR - Arbre aux anémones
Common Sweetshrub - Carolina Allspice

ZQ: G
ZC: 5b

DESCRIPTION: H: 2 m   L: 2 m
Arbuste au port rigide, de forme arrondie, plutôt régulière.
Rameaux dressés, vert grisâtre.
Feuillage caduque, dense. Feuilles ovales, vert luisant dessus et duveteux en dessous. Ses feuilles sont aromatiques lorsqu'elles sont froissées.
Fleurs brun rougeâtre foncé, odoriférantes en mai-juin.
Fruits en forme de capsules brunes en septembre.
Racines traçantes superficielles.
Croissance lente.

EXIGENCES: E: Demande le plein soleil, mais supporte l'ombre
S: Un sol léger, profond, fertile et non calcaire est favorable à sa croissance.
H: La terre doit être légèrement humide, mais bien drainée.
R: Plante peu rustique, elle doit être plantée dans un endroit abrité, et protégée en hiver.
P: Transplantation facile.
T: Peu utile, sauf une taille de nettoyage au printemps.
D: Assez disponible dans les pépinières.

UTILISATIONS: Plante intéressante par l'odeur qu'elle dégage, on l'utilise principalement en association avec d'autres végétaux dans les massifs.

Caragana arborescens
POIS DE SIBÉRIE - Caraganier de Sibérie
Siberian Peashrub

ZQ: A / B / C / D / E / F / G
ZC: 2

DESCRIPTION: H: 5 m   L: 2 m
Arbuste au port dressé, ouvert au sommet, en forme de pyramide renversée.
Branches et rameaux de couleur vert jaunâtre.
Feuillage léger, fait de feuilles caduques, composées de petites folioles arrondies, vert clair.
Fleurs ressemblant à celles d'un pois, jaune pâle en mai-juin.
Fruits en forme de gousses pendantes restant sur l'arbre.
Racines fibreuses, peu nombreuses.
Croissance rapide à moyenne.

EXIGENCES: E: Le plein soleil lui est indispensable.
S: S'adapte bien à tous les sols, qu'ils soient sablonneux ou calcaires.
H: Préfère un sol plutôt sec. Très bonne résistance à la sécheresse.
R: Très rustique, il résiste bien à la pollution.
P: Se transplante facilement.
T: Pour préserver les fleurs, la taille doit se faire après la floraison. Supporte une taille sévère.
D: Disponible dans tous les centres de jardinage et les pépinières.

UTILISATIONS: S'utilise en haie libre ou taillée, ou encore en association dans les massifs d'arbustes.

Caragana arborescens 'Lorbergii'
CARAGANA LORBERGII - Caragana de Lorberg
Cut Leaf Peashrub

ZQ: A / B / C / D / E / F / G
ZC: 2

DESCRIPTION: H: 2,50 m   L: 2,50 m
Arbuste aux branches érigées qui portent des rameaux retombant, ce qui donne un aspect gracieux à la plante.
Écorce vert jaunâtre
Feuilles caduques, composées, aux folioles très découpées. Le feuillage, vert pâle a une texture très légère.
Floraison jaune, abondante, en mai-juin.
Fruits peu nombreux sous forme de gousses.
Racines fibreuses, peu nombreuses.
Croissance rapide.

EXIGENCES: E: Demande absolument le plein soleil pour bien croître.
S: S'adapte bien à tous les sols, qu'ils soient sablonneux ou calcaire.
H: Préfère un sol plutôt sec. Très bonne résistance à la sécheresse.
R: Très rustique, il résiste bien à la pollution.
P: Se transplante facilement.
T: Pour préserver les fleurs, la taille doit se faire après celle-ci. Supporte une taille sévère.
D: Disponible dans tous les centres de jardinage et les pépinières.

UTILISATIONS: Intéressante par son port et sa texture, cette plante peut être utilisée en isolé ou en association dans les massifs. Son utilisation en haie libre est aussi possible.

Caragana arborescens 'Walker'
CARAGANA WALKER - Caragana à feuilles de fougère
Walker's Weeping Peashrub

ZQ: A / B / C / D / E / F / G
ZC: 2

DESCRIPTION: H: 0,50 m   L: 2,50 m
Arbuste couvre-sol aux branches d'abord relevées, s'étalant sur le sol, donnant ainsi à la plante l'aspect d'un monticule.
Écorce vert jaunâtre.
Feuilles caduques, composées, aux folioles étroites, ressemblant à des feuilles de fougère. Le feuillage est donc très léger, vert clair.
Floraison jaune, abondante, en mai-juin.
Fruits peu nombreux sous forme de gousses.
Racines fibreuses, peu nombreuses.
Croissance lente.

EXIGENCES: E: Si le plein soleil lui est profitable, il résiste aussi à la mi-ombre
S: S'adapte bien à tous les sols, même s'ils sont calcaires. Préfère toutefois les sols fertiles et profonds.
H: Supporte les sols plutôt secs, mais préfère les endroits humides.
R: Très rustique, il résiste bien à la pollution.
P: Transplantation facile.
T: Pour préserver les fleurs, la taille doit se faire après la floraison. Supporte bien la taille.
D: Assez peu disponible dans les centres de jardinage et les pépinières.

UTILISATIONS: Intéressante par son port et sa texture, cette plante peut être utilisée comme couvre-sol, notamment en association dans les massifs. Peut aussi être utilisée dans les rocailles.

Caragana aurantiaca

CARAGANA ORANGÉ
Dwarf Peashrub - Dwarf Salt Tree - Pygmy Peashrub

ZQ: A / B / C / D / E / F / G
ZC: 2

DESCRIPTION: H: 1 m   L: 0,80 m
Arbuste buissonnant, au port dégagé, peu ramifié. Branches érigées, légèrement arquées au bout, portant de petites épines. Jeunes pousses rouge brun devenant gris foncé avec l'âge. Feuilles vert grisâtre foncé, composées, aux folioles en forme de lances plutôt étroites. Fleurs jaune orangé vers la fin juin. Fruits en gousses apparaissant en août-septembre. Nombreuses petites racines. Croissance lente.

EXIGENCES: E: Demande le plein soleil, mais supporte une ombre légère.
S: Préfère les sols sains et fertiles; mais surtout, il résiste bien au calcaire.
H: Les endroits secs lui conviennent parfaitement.
R: Très rustique, il peut être planté dans les endroits les plus difficiles.
P: Transplantation facile.
T: Pas utilisée.
D: Souvent confondu avec Caragana pymaea dont il est légèrement différent, l'un est souvent vendu pour l'autre et vice-versa. Assez peu disponible.

UTILISATIONS: Utilisé en massif, dans les rocailles, les bacs de plantations, ou encore pour confectionner de petites haies.

Caragana frutex 'Globosa'
CARAGANA FRUTESCENT GLOBE
Globe Peashrub - Russian Peashrub
Globe Russian Peashrub

ZQ: A / B / C / D / E / F / G
ZC: 2

DESCRIPTION: H: 0,60 m   L: 0,60 m
Arbuste branchu et touffu, au port dense globulaire et compact.
Feuilles composées, vert bleuté mat, donnant un feuillage dense.
Fleurs peu nombreuses, jaune vif en mai-juin.
Fruits en gousses peu nombreuses.
Racines fines et nombreuses.
Croissance lente.

EXIGENCES: E: Demande une exposition ensoleillée.
S: Pas d'exigence particulière.
H: Préfère un sol plutôt sec. Résiste très bien à la sécheresse.
R: Très rustique.
P: Se transplante facilement.
T: Pas utile.
D: Plutôt rare en centre de jardinage.

UTILISATIONS: Plante idéale pour former des haies basses, elle peut aussi entrer dans la composition de jardins à caractère formel.

*Carpinus caroliniana - (*Carpinus americana*)

CHARME DE CAROLINE - Charme d'Amérique -
Bois dur - Bois de fer
American Hornbeam - Blue Beech

ZQ: C- / D- / E- / G
ZC: 3

DESCRIPTION: H: 8 m   L: 8 m
Gros arbuste arrondi, large,au port plus ou moins régulier. Grosses branches parfois tordues, aux extrémités légèrement retombantes. Bois dur portant une écorce gris
bleu, lisse avec cependant de légères rides.
Feuilles simples, ovales, allongées et au contour denté.
Le feuillage, à la texture moyenne, de couleur vert
glauque en été prend de beaux coloris orange foncé,
éclatant à l'automne.
Fleurs vert jaunâtre sous forme de chatons, suivies de
fruits sous forme d'akènes ailés.
Grosses racines pivotantes.
Croissance lente.

EXIGENCES: E: S'accommode de toutes les situations, mêmes celles
qui ne sont que partiellement éclairées.
S: Demande un sol profond, riche et légèrement acide.
H: Supporte la sécheresse mais préfère les terrains hu-
mides. Difficile à transplanter.
R: Bonne rusticité. Sensible à la pollution.
T: Supporte plus ou moins bien la taille.
P: Transplantation difficile
D: Malheureusement peu disponible.

UTILISATIONS: Arbuste intéressant pour son écorce et la beauté de sa
coloration automnale. Plante indigène, elle est particulièrement appréciée pour la naturalisation.

Caryopteris x ***clandonensis*** 'Heavenly Blue'
CARYOPTÉRIS BLUE MIST
Bluebeard - Blue Spiraea - Blue Mist Shrub

ZQ: G
ZC: 5b

DESCRIPTION: H: 0,60 m   L: 0,60 m
Arbuste aux tiges herbacées sous nos climats, de forme arrondie et diffuse. Branches érigées, de couleur grisâtre, retombant à leurs extrémités.
Feuilles caduques, simples, entières en forme de lances et dentées;vertes dessus, argentées dessous.
Cymes de fleurs tubulaires bleu poudre, à la fin de l'été. Feuilles, tiges et fleurs, légèrement parfumées.
Fruits gris brun, à l'automne.
Racines fines et nombreuses.
Croissance annuelle rapide, mais ne se développe pas beaucoup car il gèle souvent.

EXIGENCES: E: Exige le plein soleil pour bien fleurir.
S: S'adapte à tous les sols, même pauvres et légèrement calcaires; éviter. les sols trop riches.
H: Un terrain bien drainé lui convient.
R: Peu rustique; planter dans un endroit où la neige accumulée peut servir de protection.
P: Transplantaion plutôt facile.
T: Pour obtenir une belle floraison et parce que cette plante gèle, il faut la rabattre à 10 cm du sol à chaque printemps.
D: Bonne disponibilité.

UTILISATIONS: Cette plante, parfois vendue et cultivée comme une plante vivace, est utilisée en groupe dans les massifs. Elle est particulièrement intéressante par sa belle floraison bleue de fin de saison.

Cephalanthus occidentalis

BOIS BOUTON - Bois noir - Céphalante d'Occident
Common Buttonbush - Buttonbush - Honeyballs

ZQ: F / G
ZC: 4

DESCRIPTION: H: 2 m   L: 4 m

Arbuste au port arrondi, largement ouvert.
Branches érigées et étalées, légèrement arquées avec l'âge. Écorce gris-brun, s'enlevant en plaques.
Feuilles caduques, simples, réunies par 3 sur les tiges. En forme de lances, pointues au bout. Dessus d'un beau vert lustré; le dessous, plus clair, est parfois duveteux. Feuillage tardif, de texture moyenne.
Fleurs blanc crème, petites, réunies en capitules en forme de boule, qui éclosent en juillet-août. Les leurs attirent les abeilles.
Fruits en akènes persistant en hiver.
Racines superficielles, nombreuses et fibreuses.
Croissance moyenne.

EXIGENCES: E: Très tolérant à l'ombre, il prospère bien au plein soleil.
S: Peu exigeant
H: Il faut absolument éviter les endroits secs. Les terrains humides, voire même inondés lui sont favorable.
R: Bonne rusticité.
P: Il se transplante bien.
T: Tailler tôt au printemps si cela est nécessaire.
D: Peu disponible.

UTILISATIONS: Idéal pour les endroits secs, où on l'utilise pour la naturalisation. Intéressant par sa floraison, il trouve sa place près des ruisseaux ou des bassins.

Cercis canadensis

GAÎNIER DU CANADA
Eastern Redbud - Redbud

ZQ: G
ZC: 5b

DESCRIPTION: H: 6 m   L: 4 m

Gros arbuste ,de forme arrondie, irrégulière et large. Branches à écorce écailleuse, rougeâtre, et branches placées irrégulièrement, presque horizontalement. Feuilles caduques, ovales, larges, vert brillant sur le dessus. Feuillage de texture légère, jaune à l'automne. Boutons rouge pourpre, fleurs roses, teintées de pourpre à l'éclosion; regroupées par 4 ou 8 sur les tiges ,avant les feuilles à la fin d'avril. Les fruits en forme de gousses apparaissent en octobre. Racines peu ramifiées. Croissance lente.

EXIGENCES: E: Site ensoleillé, mais il s'adapte bien à la mi-ombre.

S: Demande un sol riche, profond, acide ou calcaire.

H: Préfère un sol humide qui doit être bien drainé car il faut éviter les excès d'humidité.

R: Cette plante doit être placée dans une situation abritée des vents dominants car elle est peu rustique. Sensible à la pollution.

P: Transplantattion plutôt difficile.

T: La taille est peu utilisée, mais si cela est nécessaire elle se fait après la floraison.

D: Bonne disponibilité.

UTILISATIONS: Très bel arbuste à fleurs que l'on plantera en isolé ou en petits groupes.

Chaenomeles japonica
COGNASSIER DU JAPON
Japanese Flowering Quince

ZQ: F- / G
ZC: 4b

DESCRIPTION: H: 1 m   L: 1 m
Petit arbuste épineux, étalé, à végétation compacte.
Rameaux érigés, divergeant, s'inclinant avec l'âge.
Feuillage caduque, vert luisant et dense. Feuilles simples, petites, oblongues.
Fleurs rouge foncé. La floraison est plus ou moins abondante suivant les situations et les années.
Fruits globuleux, jaunes légèrement teintés de rouge, odorants.
Croissance lente à moyenne.

EXIGENCES: E: Demande le plein soleil.
S: Préfère les terrains sablonneux, fertiles, plutôt secs. Éviter le calcaire.
H: Supporte assez bien la sécheresse.
R: Comme cette plante souffre de gélivures au printemps, il faut absolument la planter dans une situation abritée.
P: Bonne transplantation.
T: Une taille de nettoyage intervient au début du printemps. Pour réduire la croissance une seconde taille se fait après la floraison.
D: Bonne disponibilité.

UTILISATIONS: Utile dans les rocailles, elle a aussi sa place en association dans les massifs d'arbustes à fleurs.

Chaenomeles japonica 'Sargentii'
COGNASSIER DE SARGENT
Sargent Japanese Flowering Quince

ZQ: F- / G
ZC: 4b

DESCRIPTION: H: 0,50 m L: 1,25 m
Petit arbuste rampant, à végétation compacte.
Feuillage caduque, vert luisant et dense. Feuilles simples, petites, oblongues.
Fleurs rose saumon à orange, simples.
Fruits globuleux, jaunes légèrement teintés de rouge, odorants.
Croissance moyenne.

EXIGENCES: E: Demande le plein soleil.
S: Préfère les terrains sablonneux, fertiles. Éviter absolument le calcaire.
H: Supporte assez bien la sécheresse.
R: Cette plante souffre de gélivures au printemps. Il est préfèrable de la planter dans un endroit ou la neige s'accumule.
P: Bonne transplantation.
T: Une taille de nettoyage intervient au début du printemps. Pour réduire la croissance une seconde taille se fait après la floraison.
D: Assez bonne disponibilité.

UTILISATIONS: Utile dans les rocailles, on l'utitilse aussi en association dans les massifs d'arbustes pour sa floraison.

Chaenomeles speciosa *(Chaenomeles lagenaria)*
COGNASSIER SPECIOSA
Common Flowering Quince

ZQ: F- / G
ZC: 4b

DESCRIPTION: H: 1,25 m   L: 1 m
Arbuste au port semi-érigé.
Branches plus ou moins rampantes, épineuses.
Feuilles ovales, oblongues, dentées, pointues au bout.
Feuillage d'un beau vert foncé luisant, dense.
Fleurs rouges écarlates au printemps.
Fruits vert jaunâtre, parfois veinés de rouges, odorants.
Croissance moyenne à lente.

EXIGENCES: E: Demande le plein soleil, mais supporte une ombre légère.
S: Préfère une bonne terre à jardin, même s'il supporte tous les sols à part ceux qui sont calcaires.
H: Les endroits frais lui sont favorables.
R: Doit être planté dans un endroit abrité ou qui recoit beaucoup de neige en hiver.
P: Bonne transplantation.
T: Tailler au printemps pour supprimer les dégâts d'hiver ou juste après la floraison.
D: Dans la plupart des centres de jardinage.

UTILISATIONS: Dans les rocailles, et en mélange dans les massifs. Son intérêt principal est sa floraison.

Chaenomeles speciosa 'Nivalis'
            COGNASSIER NIVALIS
            Nivalis Flowering Quince
    ZC: 4b
DESCRIPTION: H: 1,25 m   L: 1 m
            Arbuste au port semi-érigé dont les jeunes pousses sont
            rougeâtres. Feuilles simples, oblongues, vert moyen
            luisant. Fleurs blanches, au bout des branches, au prin-
            temps. Fruits arrondis. Croissance moyenne.
EXIGENCES: D: Assez disponible.
UTILISATIONS: En association dans les massifs.

Chaenomeles speciosa 'Rubra Grandiflora'
            COGNASSIER ROUGE À GRANDES FLEURS
            Red Grandiflora Flowering Quince
    ZC: 4b
DESCRIPTION: H: 0,80 m   L: 1 m
            Arbuste au port étalé. Grandes fleurs rouges, écla-
            tantes, parfois semi-doubles. Croissance moyenne.
EXIGENCES: D: Assez bonne disponibilité.
UTILISATIONS: Utile dans l'ornementation des massifs.

Chaenomeles speciosa 'Toyo-Nishiki'
            COGNASSIER TOYO-NISHIKI
            Toyo Nishiki Flowering Quince
    ZC: 4b
DESCRIPTION: H: 1,20 m   L: 1 m
            Arbuste érigé et épineux. Feuilles vertes, très luisantes,
            oblongues et dentées. Floraison moyennement abon-
            dante, composée de fleurs roses et blanches, roses et
            rouges et rouges et blanches sur la même branche.
            Croissance lente à moyenne.
EXIGENCES: D: Bonne disponibilité.
UTILISATIONS: Dans les rocailles et les massifs

'Nivalis'

'Rubra Grandiflora'

'Toyo-Nishiki'

Chaenomeles x ***superba***
COGNASSIER SUPERBA
Common Flowering Quince

ZQ: F- / G
ZC: 4 b

DESCRIPTION: H: 1 m   L: 1,50 m
Arbuste au port arrondi, diffus de forme irrégulière car il gel facilement..
Branches érigées munies d'épines.
Feuilles alternes, simples, oblongues et pointues au bout. Feuillage lustré aux pousses rougeâtres donnant des feuilles vert foncé.
Fleurs caduques, simples, rouge sang, de grande dimension, tôt au printemps.
Fruits sous forme de petites pommes, vert jaunâtre, comestibles.
Croissance moyenne.

EXIGENCES: E: Demande le plein soleil.
S: Bien que peu exigeant il préfère un sol de bonne qualité.
H: Aime les terrains frais mais supporte une sécheresse passagère.
R: Planter en situations abritées ou dans un endroit où la neige s'accumule.
P: Transplantation assez facile.
T: Enlever les dégâts causés par l'hiver tôt au printemps. Par la suite, si cela est nécessaire tailler après la floraison.
D: Peu disponible, on lui préfère les cultivars.

UTILISATIONS: Principalement en association dans les massifs pour sa magnifique floraison.

'Crimson and Gold'

'Fire Dance'

'Pink Lady'

Chaenomeles x *superba* 'Crimson and Gold'
COGNASSIER CRIMSON AND GOLD
Crimson and Gold Flowering Quince

ZC: 4b

DESCRIPTION: H: 1 m   L: 1,50 m
Arbuste au port semi-étalé. Branches épineuses.
Grandes fleurs rouge foncé (cramoisies) avec les éta-mines jaunes. Floraison hâtive au printemps.
Fructification jaune. Croissance lente à moyenne.

EXIGENCES: D: Malheureusement assez peu disponible.

UTILISATIONS: En association dans les massifs.

Chaenomeles x *superba* 'Fire Dance'
COGNASSIER FIRE DANCE
Fire Dance Flowering Quince

ZC: 4b

DESCRIPTION: H: 0,90 m   L: 0,90 m
Arbuste buissonnant au port diffus.
Grandes fleurs rouge feu. Fruits jaunes en forme de pommes-poires. Croissance moyenne.

EXIGENCES: D: Assez bonne disponibilité.

UTILATIONS: On obtient son effet maximum en l'associant à d'autres arbustes dans les massifs.

Chaenomeles x *superba* 'Pink Lady'
COGNASSIER PINK LADY
Pink Lady Flowering Quince

ZC: 4b

DESCRIPTION: H: 0,90 m   L: 0,90 m
Arbuste au port rampant.
Branches légèrement arquées retombant aux extré-mités. Fleurs simples, rose foncé.
Fruits sous forme de poires. Croissance moyenne.

EXIGENCES: D: Bonne disponibilité.

UTILISATIONS: En association dans les massifs et dans les rocailles.

Chamaedaphne calyculata - (*Cassandra calyculata*)
CASSANDRE CALICULÉ - Faux bleuets
Chamaedaphne caliculé
Leatherleaf

ZQ: A / B / C / D / E / F / G
ZC: 2

DESCRIPTION: H: 1 m   L: 1 m
Arbuste érigé, au port arrondi asymétrique. Branches à écorce brun rouge à gris brun, avec bouts retombants.
Feuilles semi-persistantes, petites, oblongues, en forme de lances, pointues au bout. Feuillage de texture fine, de couleur vert foncé.
Petites fleurs blanches, réunies en grappes, tôt au printemps.
Fruits sans intérêt.
Racines fibreuses, nombreuses et superficielles, traçantes dans leur milieu naturel.
Croissance lente.

EXIGENCES: E: Demande le plein soleil pour bien prospérer.
S: Demande un sol acide et humifère. C'est une plante que l'on trouve habituellement dans les tourbières.
H: Le sol doit être constamment humide; il résiste aux inondations, et ne supporte pas la sécheresse.
P: Bonne reprise de transplantation.
R: Rustique, il résiste au sel et à la compaction du sol.
T: Inutile.
D: En pépinières spécialisées en plantes indigènes.

UTILISATIONS: Le *Chamaedaphne* a pour principale qualité de s'adapter aux sols humides les plus difficiles. Sa grande rusticité en fait une plante de choix pour la naturalisation et les aménagements en zones nordiques.

Chionanthus virginicus

ARBRE DE NEIGE - Chionanthe de Virginie -
Arbre à franges
White Fringe Tree - American Fringe Tree

ZQ: G
ZC: 5b

DESCRIPTION: H: 4 m   L: 4 m
Grand arbuste érigé, au port arrondi et à la cime plutôt étalée. Branches fortes et raides à écorce grise.
Feuillage caduc, moyennement dense, vert foncé qui prend une belle teinte jaune d'or à l'automne. Grandes feuilles opposées, entières, pointues au bout apparaissant tard.
Floraison blanche, assez abondante en juin. Les fleurs, légèrement parfumées, sont réunies en grappes pendantes, semblables à des franges.
Un plant femelle pourra éventuellement porter des fruits s'il est planté à proximité d'un plant mâle.
Racines profondes et peu nombreuses.
Croissance lente.

EXIGENCES: E: Aime l'ombre et la mi-ombre mais préfère le soleil à condition que le sol soit humide.
S: Peu importe la nature du sol pourvu qu'il soit acide.
H: Demande un endroit frais, bien drainé, surtout au printemps. Redoute les inondations et la sécheresse.
R: Demande absolument à être planté dans un endroit abrité, vu sa faible rusticité. Protection hivernale nécessaire. Supporte assez bien la pollution.
P: Transplantation difficile.
T: Peu utilisée, elle intervient juste après la floraison.
D: Peu disponible.

UTILISATIONS: Le côté spectaculaire de sa floraison en fait une plante à utiliser en isolé. Toutefois, elle peut aussi être plantée en association dans les massifs.

Clethra alnifolia

CLÈTHRE À FEUILLE D'AULNE
Sweet Pepperbush - Summersweet Clethra

ZQ: F / G
ZC: 4

DESCRIPTION: H: 1,20 m   L: 2 m
Arbuste touffu et érigé, au port ovale à arrondi, irrégulier. Branches érigées dont l'écorce s'enleve par plaques brun assez foncé.
Feuilles caduques, ovales, lisse sur les deux faces.
Feuillage dense, semblable à l'aulne, vert rougeâtre au printemps, puis vert foncé, et jaune orange à l'automne.
Fleurs réunies en épis dressés, très parfumées, blanches, de juillet à septembre.
Fruits en capsules brunes attirant certains oiseaux.
Racines traçantes, superficielles et latérales.
Croissance lente.

EXIGENCES: E: Pousse aussi bien au plein soleil qu'à l'ombre, mais préfère une ombre légère.
S: Peu difficile, il demande cependant un sol acide.
H: Les endroits humides et bien drainés favorisent la croissance. Craint la sécheresse.
R: Bonne rusticité, il est cependant préférable de le planter dans un endroit abrité.
P: Transplantation difficile.
T: Elle s'effectue tôt au printemps.
D: Bonne disponibilité.

UTILISATIONS: Convient aux endroits ombragés et aux sols acides, comme sous les conifères. On l'emploie généralement dans le premier rang des massifs d'arbustes.

Clethra alnifolia 'Pink Spire'
CLÈTHRE PINK SPIRES
Pink Spires Sweet Pepperbush

ZQ: F / G
ZC: 4

DESCRIPTION: H: 1 m   L: 1 m
Ressemble au précédent, mais les fleurs, réunies en épis dressés, très parfumées, sont roses en bouton et rose pâle quand elles sont ouvertes. Contrairement à *Clethra alnifolia* 'Rosea', la couleur persiste durant toute la floraison.
Croissance lente.

EXIGENCES: D: Bonne disponibilité.

UTILISATIONS: Convient à toutes les plates-bandes de sol acide. Intéressant par sa floraison.

Clethra alnifolia 'Rosea'
CLÈTHRE ROSE
Pink Sweet Pepperbush

ZQ: F / G
ZC: 4

DESCRIPTION: H: 1 m   L: 1 m
Arbuste touffu et érigé, au port ovale à arrondi, irrégulier.
Feuillage vert foncé, lustré en été, et jaune orangé à l'automne.
Fleurs réunies en épis dressés, très parfumées, de août à septembre. Les boutons floraux sont roses et donnent des fleurs roses qui deviennent ensuite rose délavé et même parfois blanches.
Croissance lente.

EXIGENCES: D: Bonne disponibilité.

UTILISATIONS: Très belle plante à fleurs, à utiliser en association dans les massifs.

Colutea arborescens

BAGUENAUDIER COMMUN - Faux-Séné
Common Bladder-senna

ZQ: E- / F- / G
ZC: 5

DESCRIPTION: H: 2 m   L: 2 m
Arbuste buissonnant, au port arrondi, irrégulier.
Rameaux érigés.
Feuilles composées de 9 à 13 folioles, petites et ellip-
tiques. Feuillage de texture moyenne, vert clair durant
la saison.
Fleurs jaunes, réunies en grappes au milieu de l'été.
Fruits en forme de grosses gousses remplies d'air, très
décoratives, persistant en hiver.
Racines profondes peu ramifiées.
Croissance rapide à moyenne.

EXIGENCES: E: Convient au plein soleil.
S: S'adapte à tous les sols.
H: Préfère les endroits secs, il faut donc éviter les en-
droits inondés.
R: Peu rustique.
P: Transplantation difficile, surtout pour les gros
sujets.
T: Tôt au printemps, pratiquer une taille de rabattage,
ce qui favorise une nouvelle floraison.
D: Peu disponible

UTILISATIONS: Utile dans les situations difficiles; s'intégre facilement
dans un aménagement décoratif d'hiver, grâce à sa
fructification.

Comptonia peregrina
COMPTONIE VOYAGEUSE
Sweetfern

ZQ: A / B / C / D / E / F / G
ZC: 2

DESCRIPTION: H:1 m   L: 1,50 m
Arbuste aux branches érigées, formant une plante ronde, au contour plus ou moins régulier.
Jeunes branches vert jaune, poilues, devenant brunes et glabres par la suite.
Feuilles caduques, simples, allongées, étroites, très découpées. Le feuillage, de texture moyennement fine, vert foncé lustré, ressemble au feuillage de certaines fougères; aromatique, il dégage une odeur de miel.
Fleurs sous forme de chatons verdâtres au début du printemps.
Fruits sous forme de noix sans intérêt décoratif.
Racines superficielles, drageonnantes, fixant l'azote.
Croissance moyenne à lente.

EXIGENCES
E: Prospère aussi bien au plein soleil qu'à la mi-ombre.
S: S'adapte à tous les sols pauvres en autant qu'ils ne soient pas calcaires, car il affectionne les sols acides et tourbeux.
H: Supporte aussi bien la sécheresse que les inondations.
R: Rustique.
P: Difficile à transplanter.
T: Peu utile
D: Les pépinières spécialisées dans les plantes indigènes.

UTILISATIONS: Idéale pour la naturalisation, elle convient bien aux terrains acides à la lisière des sous bois. Intéressante par la forme de ses feuilles.

Cornus alba - (*Cornus tartarica*)

CORNOUILLER BLANC - Cornouiller de Tartarie
Tartarian Dogwood - Redbarked Dogwood

ZQ: A / B / C / D / E / F / G
ZC: 2

DESCRIPTION: H: 2 m   L: 2 m

Arbuste aux branches érigées quand il est jeune, devenant arqué avec l'âge. Port diffus, ouvert, irrégulier. Branches vert rougeâtre l'été, mais rouge clair en hiver. Feuilles caduques, simples, ovales, pointues au bout, vert foncé dessus et glauques dessous. Le feuillage, vert jaunâtre au printemps, devient plus foncé par la suite pour prendre une coloration rougeâtre à l'automne.

Fleurs sans intérêt, donnant des fruits sous forme de baies blanches ou bleutées.

Racines fibreuses plutôt nombreuses.

Croissance rapide.

EXIGENCES: E: Demande le plein soleil, mais supporte une ombre légère.
S: S'adapte à tous les sols.
H: Un sol frais mais bien drainé est l'idéal.
R: Très rustique.
P: Transplantation assez facile.
T: Supporte bien la taille.
D: Assez bonne disponibilité.

UTILISATIONS: Intéressant pour la couleur automnale de son bois et par ses fruits qui attirent les oiseaux. Il est utilisé principalement en association dans les massifs.

Cornus alba 'Elegantissima' - (*Cornus alba* 'Argenteo-marginata')

CORNOUILLER ARGENTÉ - Cornouiller panaché
Silver Leaf Dogwood - Silveredge Dogwood

ZQ: A / B / C / D / E / F / G
ZC: 2

DESCRIPTION: H: 2 m   L: 1,50 m
Les pépinières offrent différentes formes de Cornouiller argenté sous le nom *Cornus alba* 'Elegantissima'. Le vrai nom de ce cultivar est *Cornus alba* 'Argenteo-marginata', mais au Québec, nous conservons cv 'Elegantissima' comme premier nom.
Arbuste buissonnant, large, aux rameaux dressés, rouge sang quand ils sont jeunes, rouge plus foncé avec l'âge.
Feuilles caduques, vertes, largement bordées de blanc crème devenant rouge carmin à l'automne.
Fleurs en corymbes, blanc verdâtre, fin mai et en juin.
Fruits bleus.
Racines nombreuses et drageonnantes.
Croissance rapide.

EXIGENCES: E: Supporte la mi-ombre, toutefois sa coloration sera moins prononcée.
S: Préfère un sol léger, sec et légèrement calcaire.
H: Résiste bien à la sécheresse.
R: Bonne rusticité, il arrive cependant que le bout des branches gèle durant l'hiver.
P: Transplantation assez facile.
T: Supporte très bien la taille qui se fait au printemps.
D: Disponible dans tous les centres de jardinage.

UTILISATIONS: Très utile en association dans les massifs ou en groupe pour son feuillage coloré.. On peut toutefois dire que c'est un arbuste sur-utilisé.

Cornus alba 'Gouchaultii'
CORNOUILLER DE GOUCHAULT
Mottled Tartarian Dogwood

ZQ: A / B / C / D / E / F / G
ZC: 2

DESCRIPTION: H: 2 m   L: 1,50 m
Arbuste buissonnant aux rameaux dressés.
Feuilles vertes panachées de blanc jaune avec des taches roses au printemps, jaune verdâtre par la suite.
Croissance rapide

EXIGENCES: D: Bonne disponibilité.

UTILISATIONS: Utilisé en association ou en groupe pour son feuillage.

Cornus alba 'Kesselringii'
CORNOUILLER DE KESSELRING
Kesselring Dogwood

ZQ: A / B / C / D / E / F / G
ZC: 2

DESCRIPTION: H: 2 m   L: 2 m
Arbuste aux branches érigées, de forme plus ou moins arrondie.
Branches pourpre foncé quand elles sont jeunes, devenant brun foncé par la suite.
Feuilles vert foncé, rouge poupre à l'automne.
Fruits rouges en été.
Croissance moyenne

EXIGENCES: D: Assez bonne disponibilité.

UTILISATIONS: Intéressant pour la couleur de ses branches, il est utilisé en association dans les massifs.

'Gouchaultii'   'Kesselringii'

Cornus alba 'Sibirica' - (*Cornus alba* 'Korall')
CORNOUILLER DE SIBÉRIE
Siberian Dogwood - Coral Dogwood

ZQ: A / B / C / D / E / F / G
ZC: 2

DESCRIPTION: H: 2,50 m   L: 2,50 m
Arbuste aux rameaux dressés et vigoureux.
Très décoratif par son bois rouge corail en hiver.
Feuillage dense, caduque, vert foncé.
Croissance rapide.

EXIGENCES: D: Bonne disponibilité.

UTILISATIONS: En association ou en isolé, son plus bel effet étant donné en hiver, lorsque son bois rouge corail contraste
avec la blancheur de la neige.

Cornus alba 'Sibirica Variegata'
CORNOUILLER DE SIBÉRIE PANACHÉ
Silveredge Siberian Dogwood - Silveredge Coral Dogwood

ZQ: A / B / C / D / E / F / G
ZC: 2

DESCRIPTION: H: 2,50 m   L: 2,50 m
Arbuste aux rameaux dressés et vigoureux. L'écorce des rameaux est rouge corail en hiver. Feuilles larges, gris-vert avec une petite marge blanche. À l'automne le feuillage prend une teinte rouge carmin. Croissance rapide

EXIGENCES: D: Nouvellement introduit, donc assez peu disponible.

UTILISATIONS: En association ou en isolé. Intéressant par son bois rouge corail et la couleur automnale de son feuillage.

Cornus alba 'Spaethii'
CORNOUILLER DE SPAETH
Yellowedge Dogwood - Spaeth Dogwood

ZQ: A / B / C / D / E / F / G
ZC: 2

DESCRIPTION: H: 1,80 m   L: 1 m
Arbuste compact aux rameaux plutôt étalés, rouge écarlate.
Feuilles d'abord bronzées, puis largement bordées de jaune d'or.
Croissance moyenne.

EXIGENCES: D: Bonne disponibilité.

UTILISATIONS: À utiliser pour la couleur de son feuillage en association dans les massifs ou en isolé.

'Sibirica Variegata'   'Spaethii'

Cornus alternifolia

CORNOUILLER À FEUILLES ALTERNES -
Cornouiller alternifolié
Pagoda Dogwood - Alternate-leaved Dogwood

ZQ: B- / C / D / E / F / G
ZC: 3b

DESCRIPTION: H: 5 m   L: 5 m
Gros arbuste érigé, au port ovoïde, irrégulier. Branches horizontales s'étalant en étage. Jeunes tiges pourpres devenant marron pourpre avec l'âge.
Feuilles caduques, alternes, ovales, nervurées, vert foncé dessus, glauques dessous. Le feuillage est peu dense, les jeunes pousses sont gris argent alors que la coloration automnale est pourpre foncé.
Fleurs blanches décoratives, réunies en corymbes au milieu du printemps.
Fruits globuleux bleu noirâtre.
Racines nombreuses, étalées et fibreuses.
Croissance lente à moyenne.

EXIGENCES: E: Préfère l'ombre et la mi-ombre mais supporte bien le soleil.
S: Une terre riche, plutôt acide facilite sa croissance.
H: Préfère les endroits où le sol et l'atmosphère sont humides.
R: Bonne rusticité, mais est sensible à la pollution.
P: Se transplante facilement.
T: La taille doit être légère, pour éviter de détruire les fruits après la floraison.
D: Disponible dans les centres de jardinage importants.

UTILISATIONS: Plante utilisée principalement en isolé à cause de sa forme caractéristique. Intéressant par la structure de ses branches qui lui confère tout son caractère durant l'hiver et pour ses fruits qui attirent de nombreux oiseaux. Peut aussi être utilisé pour la naturalisation.

Cornus amomum

CORNOUILLER AMOMUM - Cornouiller soyeux
Silky Dogwood

ZQ: E- / F / G
ZC: 4a

DESCRIPTION: H: 2 m   L: 2 m
Plante aux branches nombreuses, au port arrondi, ouvert avec l'âge. Branches et rameaux brun pourpre, d'abord érigées devenant arquées par la suite.
Feuilles ovales, pointues au bout, vert foncé dessus, le revers étant recouvert de poils roussâtres le long des nervures.
Fleurs jaunâtres, réunies en cymes, à la fin du printemps.
Fruits sous forme de baies bleu pâle.
Racines fibreuses et étalées.
Croissance moyenne.

EXIGENCES: E: Demande le plein soleil pour bien croître.
S: Peu exigeant.
H: Préfère les endroits frais, humides mais sans excès.
R: Assez rustique, mais est plus ou moins sensible à la pollution.
P: Se transplante facilement.
T: Peu utilisée. Si elle doit être pratiquée, elle se fait au printemps.
D: Plutôt rare en pépinière.

UTILISATIONS: Cette plante qui attire les oiseaux est idéale pour l'aménagement des bords de cours d'eau, pour la naturalisation ou en association dans les massifs.

Cornus canadensis

CORNOUILLER DU CANADA - Quatre-temps - Dwarf Cornel - Bunchberry Dogwood

ZQ: A-/ B / C / D / E / F / G
ZC: 2

DESCRIPTION: H: 0,20 m   L: 0,50 m
Considérée souvent comme fleur vivace, cette plante peut être traitée comme un arbuste car sa souche est ligneuse et qu'elle reste en place très longtemps.
Arbuste rampant, formant un tapis plus ou moins dense. Tiges à écorce ligneuse lisse, vert rougeâtre.
Feuilles simples, elliptiques, réunies en verticilles au sommet des tiges. Le feuillage, semi-persistant, vert rougeâtre au printemps, prend une couleur vert foncé durant l'été et tourne au rouge pourpre à l'automne.
Fleurs blanches, larges et solitaires, au printemps.
Fruits: baies rouges au début de l'automne.
Les racines sont des rhizomes très superficiels qui se propagent facilement.
Croissance lente.

EXIGENCES: E: Plante de sous-bois, il affectionne l'ombre et la mi-ombre, notamment sous les conifères.
S: Il doit absolument être planté dans un sol humifère, tourbeux, très acide pour bien croître.
H: Même s'il résiste à la sécheresse, il préfère les endroits humides et frais.
R: Très rustique, il résiste plutôt mal à la sécheresse.
P: Il se transplante difficilement.
T: Inutile.
D: Disponible dans la section plante vivace des centres de jardinage.

UTILISATIONS: Idéal comme plante couvre-sol notamment dans les endroits très humides et dans les sols acides. C'est un excellent choix pour compléter les massifs de rhododendrons, d'azalées et de plantes acidophiles.

Cornus mas

CORNOUILLER MÂLE
Cornelian Cherry Dogwood

ZQ: G
ZC: 5 b

DESCRIPTION: H: 6 m   L: 4 m
Gros arbuste aux branches multiples, au port évasé, de forme ronde à ovale.
Tronc à écorce brune s'exfoliant par plaques.
Feuilles caduques, simples, ovales, pointues au bout, vert foncé.
Fleurs petites, réunies en ombelles, jaunes, hâtives, apparaissant avant les feuilles.
Fruits sous forme de baies rouge vif en septembre-octobre.
Racines étalées.
Croissance moyenne.

EXIGENCES: E: Demande le plein soleil, mais peut aussi bien croître à la mi-ombre.
S: Peu exigeant, il préfère cependant un sol riche quand cela est possible.
H: Une terre fraîche et bien drainée lui convient.
R: Peu rustique, il doit être planté en milieu protégé.
P: Transplanter en pot ou en motte.
T: Doit être effectuée après la floraison, mais doit conserver au maximum les fruits.
D: Assez peu disponible.

UTILISATIONS: Principalement en association dans les massifs. Intéressant pour sa floraison et pour ses fruits qui attirent les oiseaux.

*Cornus racemosa - (*Cornus paniculata*)
CORNOUILLER À GRAPPES
Gray Dogwood

ZQ: A- / B- / C- / D- / E / F / G
ZC: 2b

DESCRIPTION: H: 2 m   L: 2 m
Gros arbuste au port érigé, de forme ovoïde et dra-geonnant abondamment.
Jeunes pousses rougeâtres devenant grises avec l'âge.
Feuilles simples, caduques en forme de lances, poin-tues au bout, gris vert en été, pourpres à l'automne.
Fleurs blanchâtres, réunies en panicules, en mai-juin.
Fruits sous forme de baies blanches qui attirent les oi-seaux vers le mois de septembre.
Racines fibreuses produisant de nombreux drageons.
Croissance moyenne.

EXIGENCES: E: Croît au plein soleil, mais supporte une ombre lé-gère.
S: Peu exigeant, s'accommode de tous les sols même s'ils sont légèrement calcaires.
H: Une terre fraîche et bien drainée lui convient bien.
R: Bonne rusticité.
P: Se transplante facilement.
T: Peu utile.
D: Peu disponible.

UTILISATIONS: Intéressant par son écorce et le fait que ses fruits atti-rent les oiseaux. Cet arbuste convient bien aux aména-gements d'hiver et à la naturalisation. Utile aussi en association dans les massifs.

Cornus rugosa

CORNOUILLER RUGUEUX -
Cornouiller à rameaux rugueux
Roundleaf Dogwood

ZQ: A- / B- / C- / D- / E- / F / G
ZC: 3

DESCRIPTION: H: 1,5 m   L: 2 m
Arbuste au port globulaire.
Jeunes rameaux vert clair, devenant grisâtres avec l'âge.
Feuilles caduques, simples, nervurées. Les jeunes pousses vert rougeâtre donnent naissance à des feuilles vertes qui tournent au rouge poupre à l'automne.
Fleurs blanches, réunies en corymbes, à la fin du printemps.
Fruits bleu pâle, en août septembre. Ceux-ci attirent de nombreux oiseaux.
Racines étalées et superficielles.
Croissance moyenne.

EXIGENCES: E: Supporte aussi bien l'ombre que le plein soleil.
S: Peu exigeant à condition que le sol ne soit pas trop acide.
H: Un sol frais, mais bien drainé lui est favorable.
R: Rustique. Plutôt sensible à la pollution.
P: Il se transplante plus ou moins facilement.
T: Rarement utilisée.
D: Peu disponible.

UTILISATIONS: Intéressant pour les jardins d'oiseaux et les jardins d'hiver. Utile aussi pour la naturalisation et en association dans les massifs.

Cornus sericea - (*Cornus stolonifera*)
CORNOUILLER STOLONIFÈRE - Cornouiller osier
Redosier Dogwood - American Dogwood

ZQ: A / B / C / D / E / F / G
ZC: 2

DESCRIPTION: H: 2 m   L: 3 m
Arbuste au port arrondi, plutôt étalé et produisant de nombreux stolons.
Rameaux plus ou moins arqués, portés par des branches érigées à l'écorce rouge poupre.
Feuilles caduques, simples, en forme de lances, vert foncé. Ce feuillage de texture moyenne prend une teinte bronze pourpre à l'automne.
Fleurs blanches, réunies en cymes, en mai-juin.
Fruits blancs sous forme de poires, qui attirent les oiseaux dès le mois de septembre.
Racines superficielles, se propageant en stolons et devenant parfois envahissantes.
Croissance rapide, voire même vigoureuse.

EXIGENCES: E: S'adapte à toutes les conditions, mais les situations ensoleillées lui sont plus favorables.
S: Peu exigeant, préfère cependant les sols légers et légèrement acides.
H: Les endroits humides lui sont bénéfiques, mais il résiste à des périodes d'inondation ou de sécheresse.
R: Très rustique.
P: Sa transplantation pose cependant des problèmes.
T: Peu utilisée, elle sert surtout à contrôler le développement.
D: Très bonne disponibilité.

UTILISATIONS: Plante qui attire les oiseaux, intéressante par la coloration de son feuillage à l'automne et la couleur de son bois en hiver. Il lui faut beaucoup d'espace pour se développer, mais il peut servir à fixer les sols. Utile en association et pour la naturalisation.

Cornus sericea 'Flaviramea'
CORNOUILLER JAUNE
Yellow-twig Dogwood

ZQ: A- / B- / C / D / E / F / G
ZC: 3

DESCRIPTION: H: 1,50 m   L: 2 m
Arbuste au port d'abord érigé, s'évasant ave l'âge.
Rameaux jaune verdâtre, très décoratifs.
Feuillage dense, vert foncé, légèrement luisant.
Fleurs blanc crème en mai -juin.
Fruits blancs en septembre-octobre.
Racines émettant des stolons.
Croissance moyenne.

EXIGENCES: E: Même s'il pousse bien à la mi-ombre, il préfère les
endroits ensoleillés. La couleur de ses branches est
alors plus prononcés.
S: Peu exigeant.
H: Supporte bien les endroits humides.
R: Rustique, il peut cependant subir quelques domma-
ges durant l'hiver.
P: Transplantation plus ou moins facile.
T: Pour obtenir de nombreux rameaux jaunes, il faut
tailler court au printemps.
D: Très bonne disponibilité.

UTILISATIONS: Très décoratif en hiver avec ses rameaux, on l'utilise
en association avec d'autres arbustes.

Cornus sericea 'Kelsey's Dwarf' - (*Cornus sericea* 'Kelseyi')
CORNOUILLER DE KELSEY
Kelsey Redosier Dogwood - Kelsey Dwarf Dogwood

ZQ: A- / B- / C- / D / E / F / G
ZC: 4

DESCRIPTION: H: 0,60 m   L: 0,60 m
Arbuste compact, au port arrondi, régulier.
Rameaux et branches dressés, rouge orangé, très décoratifs.
Feuillage dense, vert clair, légèrement luisant, prenant une belle coloration rouge pourpre à l'automne.
Racines étalées.
Croissance lente.

EXIGENCES: E: Il pousse aussi bien au soleil qu'à la mi-ombre.
S: Peu exigeant, il s'adapte à tous les sols.
H: Supporte bien les endroits humides.
R: Bonne rusticité.
P: Transplantation plus ou moins facile.
T: Taille inutile.
D: Assez bonne disponibilité.

UTILISATIONS: Très décoratif en hiver avec ses rameaux, il l'est aussi en été par sa forme. On l'utilise en association dans les premiers rangs des massifs ou comme haies basses.

Corylopsis spicata

CORYLOPSIS SPICATA
Spike Winterhazel

ZQ: G
ZC: 5b

DESCRIPTION: H: 1,75 m   L: 2 m
Arbuste au port étalé, arrondi, mais dont le dessus est plus ou moins aplati.
Branches flexibles et tortueuses. Les jeunes pousses sont d'abord grisâtres pour devenir gris brun foncé avec l'âge.
Feuilles caduques en forme de coeur, vert pâle sur le dessus et glauques dessous.
Fleurs jaunes, réunies en grappes pendantes, tôt au printemps, avant les feuilles. Ses fleurs sont odorantes.
Fruits sans importance.
Croissance lente.

EXIGENCES: E: Préfère la mi-ombre, mais supporte le soleil si le sol est humide.
S: Demande un sol acide et humifère. Craint les sols calcaires.
H: Une terre fraîche sans excès est favorable à la croissance.
R: Peu rustique, doit être implanté en situation abritée.
P: Reprise de plantation souvent longue et difficile.
T: Inutile.
D: Peu disponible.

UTILISATIONS: Intéressant par sa floraison très printanière, on l'utilise en association dans les massifs. Plante pour jardinier averti.

Corylus americana

NOISETIER AMERICAIN - Noisetier d'Amérique
American Hazel

ZQ: F- / G
ZC: 4

DESCRIPTION: H: 3 m   L: 1,50 m
Arbuste de forme arrondie, drageonnant.
Branches fortement érigées devenant étalées avec l'âge. Écorce gris brun.
Feuilles caduques, larges, ovales, dentées, en forme de coeur à la base, et avec des poils, dispersés sur le dessus, mais nombreux en dessous. Feuillage de texture moyenne, vert foncé, devenant jaune orange à l'automne.
Fleurs en chatons, tôt au printemps.
Fruits sous forme de noix comestibles en septembre-octobre.
Racines superficielles, fibreuses et drageonnantes.
Croissance moyenne à rapide.

EXIGENCES: E: Croît bien au plein soleil, mais supporte une ombre légère.
S: Peu exigeant, il préfère les sols neutres.
H: Une terre fraîche et bien drainée favorise la croissance.
R: Rustique.
P: Il se transplante facilement.
T: Supporte bien la taille.
D: Assez disponible.

UTILISATIONS: Arbuste auquel il faut réserver un bon espace. On peut l'utiliser pour former des brise-vents, pour la naturalisation ou en association dans les massifs d'arbustes de grandes dimensions.

Corylus avellana

NOISETIER COMMUN - Coudrier commun - Aveline
European Hazel

ZQ: E- / F- / G
ZC: 5

DESCRIPTION: H: 4 m   L: 1,50 m
Gros arbuste buissonnant formé de tiges multiples.
Nombreuses tiges flexibles, minces, à écorce grisâtre,
lisse et brillante.
Feuilles caduques, larges, arrondies, dentées, nervurées
et duveteuses sur les deux faces. Feuillage dense, vert
tendre devenant plus foncé en été et tournant au jaune à
l'automne.
Fleurs hâtives sous forme de chatons.
Fruits comestibles en septembre.
Racines peu nombreuses, plutôt profondes.
Croissance moyenne à rapide.

EXIGENCES: E: Supporte bien la mi-ombre.
S: Peu exigeant, il préfère un sol riche et un peu cal-
caire.
H: Une terre fraîche, sans excès d'humidité lui con-
vient.
R: Doit idéalement être planté en situation protégée.
P: Transplantation assez difficile.
T: Peu utilisée, elle est surtout pratiquée pour rajeunir
la souche.
D: Bonne disponibilité.

UTILISATIONS: Plante demandant beaucoup d'espace; on peut l'utiliser
pour former des écrans, ou en association dans les
grandes plates-bandes. Attire les oiseaux.

Corylus avellana 'Aurea'
NOISETIER DORÉ
Golden Leaved Hazel

ZQ: E- / F- / G
ZC: 5

DESCRIPTION: H: 1,5 m   L: 0,75 m
Sous nos climats, il prend la forme d'un petit arbuste au port érigé.
Feuilles rondes, jaune lime au printemps devenant verdâtres par la suite et plus ou moins jaunes à l'automne.
Croissance lente.

EXIGENCES: E: Préfère une exposition ensoleillée pour avoir une belle coloration.
T: Pour obtenir de belles nouvelles pousses, rabattre tous les deux ou trois ans.
D: Plutôt rare.

UTILISATIONS: Intéressant par la couleur de son feuillage, on l'utilise en association dans les massifs.

Corylus avellana 'Contorta'
NOISETIER CHINOIS - Noisetier contorté -
Noisetier européen à rameaux tortueux
Corkscrew Hazel

ZQ: E- / F- / G
ZC: 5

DESCRIPTION: H: 1,5 m   L: 1 m
Petit arbuste au port globulaire irrégulier et à l'aspect
tourmenté.
Rameaux gris, spiralés et tortueux.
Fleurs en chatons très décoratifs.
Croissance lente.

EXIGENCES: T: Aucune taille ne doit être pratiquée, sauf pour un
nettoyage.
D: Très bonne disponibilité.

UTILISATIONS: Intéressant en hiver grâce aux caractères dramatiques
de ses branches. À utiliser en isolé ou dans les rocailles.

Corylus maxima 'Purpurea' - (*Corylus maxima atropurpurea*)
NOISETIER POURPRE - Noisetier franc pourpre
Purple Giant Filbert - Purpleleaf Filbert

ZQ: F- / G
ZC: 5

DESCRIPTION: H: 4 m   L: 4 m
Gros arbuste au port érigé.
Bois brun foncé, jeunes pousses rouges.
Les jeunes feuilles sont rouge foncé à pourpres, puis
deviennent vert bronzé et vertes s'il fait trop chaud.
Fleurs pourpre rouge.
Fruits sous forme de noix rougeâtres.
Racines peu nombreuses.
Croissance moyenne.

EXIGENCES: E: Doit être au plein soleil pour conserver sa couleur.
S: Préfère un sol riche.
H: Demande un sol humide et bien drainé.
R: Doit être planté en situation abritée.
P: Transplantation parfois difficile.
T: Supporte bien la taille qui peut aller jusqu'au rabat-
tage pour le rajeunissement.
D: Bonne disponibilité dans les centres de jardinage.

UTILISATIONS: Arbuste de grand développement, son intérêt réside
dans son feuillage pourpre. Utiliser en isolé ou en
association.

Cotinus coggygria - (*Rhus cotinus*)

ARBRE À PERRUQUE - Fustet commun
Sumac fustet
Common Smoketree - Smokebush - Venetian Sumac

ZQ: C- / F- / G
ZC: 4b

DESCRIPTION: H: 4 m   L: 4 m
Gros arbuste aux branches obliques, formant un buisson arrondi, touffu et étalé.
Feuilles caduques, plutôt petites, ovales, gris vert et lisses. Feuillage dense, rouge pourpre à l'automne.
Fleurs jaunes, petites, insignifiantes. L'intérêt vient des pédicelles qui s'allongent en se garnissant de poils, donnant ainsi de longs panaches blancs, vaporeux, très décoratifs. La floraison a lieu en juin-juillet.
Fruits sans intérêt.
Racines fibreuses.
Croissance rapide.

EXIGENCES: E: Demande une situation ensoleillée.
S: Affectionne les terres légères, calcaires ou neutres. Supporte les terrains caillouteux.
H: Les sols plutôt secs lui sont favorables.
R: Moyennement rustique; si placé en un site trop venteux, le bout des branches a tendance à geler.
P: Transplanter en pot de préférence
T: Peu utilisée, et si nécessaire, après la floraison.
D: Assez bonne disponibilité.

UTILISATIONS: Intéressant par la forme et l'époque de sa floraison. À utiliser en isolé ou en contraste avec d'autres arbustes.

Cotinus coggygria purpureus
ARBRE À PERRUQUE POURPRE
Fustet pourpre - Sumac fustet pourpre
Purpleleaved Smoketree - Redleaved Smokebush

ZQ: C- / F- / G
ZC: 4b

DESCRIPTION: H: 4 m   L: 4 m
Arbuste aux branches obliques, formant un buisson touffu et étalé. Les jeunes pousses sont pourprées. Feuilles caduques, ovales, vertes, légèrement pourprées. Le feuillage dense devient pourpre à l'automne. Fleurs rose pourpre, petites et insignifiantes. L'intérêt réside dans les pédicelles qui s'allongent et se garnissent de poils pourpres formant de longs panaches vaporeux et très décoratifs. Floraison en juin-juillet. Fruits sans intérêt.
Racines fibreuses.
Croissance lente à moyenne.

EXIGENCES: E: Réclame le plein soleil.
S: Affectionne les terres légères, calcaires ou neutres. Supporte les terrains caillouteux.
H: Préfère un sol plutôt sec.
R: Si placé en un site trop venteux, le bout des branches a tendance à geler.
P: Transplanter en pot.
T: Peu utilisée; après la floraison si nécessaire.
D: Moyennement disponible.

UTILISATIONS: Intéressant par la forme, l'époque et la couleur de sa floraison. À utiliser en isolé ou en contraste avec d'autres arbustes.

Cotinus coggygria 'Royal Purple' - (*Cotinus coggygria* 'Royal Red')
ARBRE À PERRUQUE POURPRE ROYAL
Royal Purple Smoketree

ZQ: G
ZC: 5b

DESCRIPTION: H: 2,5 m   L: 1 m
Arbuste en forme de buisson arrondi, avec des rameaux plus ou moins clairsemés.
Feuillage moyennement dense. Feuilles ovales, pourpre rouge plutôt foncé qui deviennent rouge pourpre intense à l'automne.
Les inflorescences portent de longs poils violacés très foncés en juin-juillet.
Fruits sans intérêt.
Racines fibreuses.
Croissance moyenne.

EXIGENCES: E: Demande une situation ensoleillée.
S: Préfère les sols fertiles.
H: Ne craint pas la sécheresse sauf au début de la croissance.
R: Peu rustique, il doit être planté dans un endroit abrité ou être protégé en hiver.
P: Transplantation en pot.
T: Supporte bien la taille.
D: Très disponible

UTILISATIONS: Principalement en isolé, mais aussi en association dans les massifs pour la beauté de son feuillage.

Cotinus coggygria 'Rubrifolius' - (*Cotinus coggygria* 'Foliis Purpureis')
ARBRE À PERRUQUE ROUGE
Purple Smoketree

ZQ: G
ZC: 5b

DESCRIPTION: H: 2,5 m   L: 1 m
Arbuste en forme de buisson arrondi, avec des bran-ches dressées, s'inclinant avec l'âge. Les rameaux sont rouge poupre.
Feuillage peu dense. Feuilles ovales, rouge pourpre plutôt clair perdant sa coloration durant l'été.
Les inflorescences portent de longs poils roses en juin-juillet.
Fruits sans intérêt.
Racines fibreuses.
Croissance rapide.

EXIGENCES: E: Demande le plein soleil.
S: Préfère les sols fertiles et bien drainés.
H: Ne craint pas la sécheresse.
R: Plante peu rustique dont la base a tendance à geler tous les ans. En taillant court, on obtient de vigou-reux rameaux.
P: Transplantation assez facile.
T: Supporte bien la taille.
D: Assez disponible,

UTILISATIONS: Principalement en isolé, mais aussi en association dans les massifs. Intérêt principal, son feuillage.

Cotoneaster acutifolius - (*Cotoneaster pekinensis*) - (*Cotoneaster lucida*)
COTONÉASTER DE PÉKIN - Cotonéastre de Pékin - Cotonéaster à feuilles aigües
Peking Cotoneaster

ZQ: A / B / C / D / E / F / G
ZC: 2

DESCRIPTION: H: 2 m   L: 1 m
Arbuste buissonnant, au port dressé. Les rameaux sont grêles, duveteux et s'étalent avec l'âge.
Feuilles ovales, arrondies à la base, vert foncé, semi-lustré dessus, pâles et duveteuses en dessous. Le feuillage prend une belle teinte rouge orange à l'automne.
Petites fleurs rosées en mai-juin.
Fruits d'abord noirs devenant ensuite rouges, dès le mois de septembre.
Racines fibreuses.
Croissance rapide.

EXIGENCES: E: Demande le plein soleil.
S: Peu exigeant, il s'accommode bien des sols pauvres.
H: Il supporte aussi bien les sols humides que les sols secs.
R: Très rustique.
P: Se transplante très facilement à racines nues.
T: Supporte très bien la taille.
D: Très bonne.

UTILISATIONS: Généralement utilisé pour la confection des haies, il peut aussi être utilisé pour former de grandes masses de verdure. Attire les oiseaux.

Cotoneaster adpressus praecox - (*Cotoneaster praecox*)
COTONÉASTER RAMPANT PRÉCOCE
Early Creeping Cotoneaster

ZQ: E- / F- / G
ZC: 5

DESCRIPTION: H: 0,40 m   L: 1 m
Arbuste rampant aux branches arquées, courtes et rigides.
Petites feuilles ovales et ondulées sur les bords. Le feuillage, vert foncé luisant prend une belle couleur rouge à l'automne.
Fleurs roses en mai, donnant de gros fruits rouge orangé, écarlates, en août.
Racines peu développées.
Croissance lente.

EXIGENCES: E: Préfère le plein soleil.
S: Peu exigeant.
H: Demande un sol frais et bien drainé car il craint les excès d'eau.
R: Assez rustique, il doit cependant être protégé en hiver.
P: Transplanter en pot.
T: Seule une taille de nettoyage est pratiquée, sinon elle est inutile.
D: Bonne disponibilité.

UTILISATIONS: Très intéressant à utiliser dans les rocailles. Il peut aussi être utile comme couvre-sol. Intéressant par sa floraison et sa fructification.

Cotoneaster apiculatus
COTONÉASTER APICULATA
Cranberry Cotoneaster

ZQ: B- / C- / E- / F / G
ZC: 4b

DESCRIPTION: H: 1 m   L: 1,50 m
Arbuste au port rampant formant un tapis plat. Les branches, dirigées en tous sens, portent des pousses rougeâtres qui deviennent gris brun avec l'âge.
Petites feuilles vert foncé, ovales, luisantes et lisses, terminées par une pointe courte.
Fleurs solitaires, rosées.
Fruits globuleux rouge écarlate, à l'automne.
Racines peu développées.
Croissance lente.

EXIGENCES: E: Le plein soleil lui est favorable.
S: Peu exigeant.
H: Éviter les excès d'humidité en plantant dans un sol bien drainé.
R: Assez rustique.
P: Se transplante en pot.
T: Utilisée pour le nettoyage seulement.
D: Bonne disponibilité.

UTILISATIONS: Excellente plante de rocaille, on l'utilise aussi pour habiller les murs ou comme plante couvre-sol. Intéressant par sa forme, ses fleurs et ses fruits.

Cotoneaster apiculatus 'Tom Thumb'
COTONÉASTER TOM THUMB
Tom Thumb Cranberry Cotoneaster

ZQ: B- / C- / E- / F / G
ZC: 4b

DESCRIPTION: H: 0,50 m   L: 0,80 m
Arbuste couvre-sol au port très rampant. Branches courtes, d'abord érigées, puis s'étalant.
Très petites feuilles vert foncé, luisantes, ovales, terminées en pointe.
Fleurs solitaires, rosées.
Fruits globuleux rouge écarlate, à l'automne.
Racines peu développées.
Croissance lente.

EXIGENCES: E: Demande le plein soleil.
S: Peu exigeant.
H: Préfère les endroits bien drainés.
R: Assez rustique.
P: Se transplante en pot.
T: Inutile.
D: Nouveauté, assez bonne disponibilité.

UTILISATIONS: C'est une plante de rocaille surtout intéressante pour sa forme, ses fleurs et ses fruits.

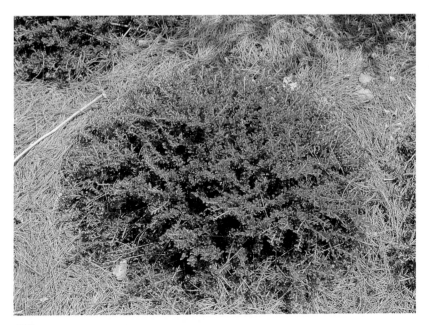

Cotoneaster dammeri
COTONÉASTER DE DAMMER
Bearberry Cotoneaster

ZQ: A- / B- / C- / D / E / F / G /
ZC: 3b

DESCRIPTION: H: 0,30 m   L: 2 m
Arbuste rampant dont les rameaux se marcottent naturellement.
Feuillage persistant, vert foncé brillant. Feuilles entières et obovales.
Fleurs solitaires blanches.
Fruits abondants sous forme de baies rouge vif.
Racines nombreuses.
Croissance moyenne.

EXIGENCES: E: Préfère le soleil
S: Peu exigeant, supporte bien les sols calcaires.
H: Même s'il préfère les sols frais, il n'est pas exigeant.
R: Bonne rusticité.
T: Transplantation en pot requise.
T: Utilisée pour contrôler le développement de la plante; sinon, elle est inutile.
D: Bonne disponibilité.

UTILISATIONS: C'est une bonne plante tapissante qui peut garnir les talus et recouvrir les murets. Intéressant par son port et par sa fructification. Attire les oiseaux.

Cotoneaster dammeri 'Coral Beauty'
COTONÉASTER CORAL BEAUTY
Coral Beauty Cotoneaster

ZQ: A- / B- / C- / D- / E / F / G /
ZC: 4

DESCRIPTION: H: 0,50 m   L: 2 m
Arbuste prostré aux nombreux rameaux courant sur le sol. Les jeunes pousses sont d'abord arquées puis rampantes.
Feuilles petites, obovales, d'un beau vert, tournant au jaune en hiver.
Fleurs blanches très nombreuses donnant naissance à une multitude de gros fruits rouge orangé à l'automne. À cette époque, les fruits rouge orangé et le feuillage jaune offrent un beau contraste.
Racines nombreuses.
Croissance plutôt lente.

EXIGENCES: E: Requiert des endroits ensoleillés.
S: Supporte tous les types de sols même s'ils sont calcaires.
H: Résiste à la sécheresse mais préfère les terrains frais.
R: Doit être planté de préférence dans des situations abritées.
P: Transplanter en pot.
T: Peut supporter une taille légère après la floraison.
D: Disponible.

UTILISATIONS: Excellente plante couvre-sol qui peut garnir les talus et les murets. Utile aussi dans les grandes rocailles ou les bordures. Plante intéressante par sa forme, sa floraison et sa fructification.

Cotoneaster dammeri 'Eichholz'
COTONÉASTER EICHHOLZ
Eichholz Cotoneaster

ZQ: A- / B- / C- / D- / E / F / G /
ZC: 4

DESCRIPTION: H: 0,25 m   L: 1,50 m
Arbuste couvre-sol dont les branches s'enracinent au contact du sol. Les branches sont brunes.
Feuilles allongées, plutôt petites, vert clair, lustrées.
Fleurs blanches très nombreuses donnant naissance à une multitude de gros fruits rouge carmin.
Racines nombreuses.
Croissance rapide.

EXIGENCES: E: Demande des endroits ensoleillés.
S: Supporte les sols calcaires.
H: Préfère les terrains frais mais résiste à la sécheresse.
R: Doit être planté de préférence dans des situations abritées.
P: Transplanter en pot.
T: Taille inutile
D: Disponible.

UTILISATIONS: Excellent couvre-sol qui épouse la forme du terrain sur lequel on le plante. Intéressant par son port et sa fructification.

Cotoneaster dammeri 'Lowfast'
COTONÉASTER LOWFAST
Lowfast Cotoneaster

ZQ: A- / B- / C- / D- / E / F / G /
ZC: 4

DESCRIPTION: H: 0,45 m   L: 2,50 m
Arbuste couvre-sol aux branches s'enracinant facilement.
Feuilles allongées, plutôt petites, vert foncé, plus ou moins lustrées.
Fleurs blanches très nombreuses.
À l'automne, gros fruits rouges.
Racines nombreuses.
Croissance rapide.

EXIGENCES: E: Réclame un endroit ensoleillé pour bien croître.
S: Supporte bien les sols calcaires.
H: Préfère les terrains frais mais résiste à la sécheresse.
R: Bonne rusticité.
T: Transplanter en pot.
T: Taille presque inutile; seulement pour contrôler le développement.
D: Assez peu disponible.

UTILISATIONS: Excellente plante couvre-sol qui est intéressante par son port et sa fructification.

Cotoneaster dammeri 'Skogholm' - (*Cotoneaster dammeri* 'Skogholmen')
COTONÉASTER SKOGHOLM
Skogholm Cotoneaster

ZQ: A- / B- / C- / D- / E / F / G /
ZC: 3b

DESCRIPTION: H: 0,40 m   L: 4 m
Arbuste prostré, très branchu aux longs rameaux rampants.
Feuillage dense, formé de petites feuilles ovales, vert foncé luisantes et persistantes.
Floraison blanche au printemps.
Fruits rouges en août-septembre. Les fruits sont moins nombreux que chez *Cotoneaster dammeri* 'Coral Beauty'.
Racines traçantes.
Croissance rapide et vigoureuse.

EXIGENCES: E: Une exposition ensoleillée lui est profitable.
S: S'accommode de tous les sols, même calcaires.
H: Résiste bien à la sécheresse, mais préfère un sol frais.
R: Bonne rusticité.
P: Transplantation en pot.
T: Supporte très bien la taille.
D: Très disponible.

UTILISATIONS: Utile dans les grandes rocailles ou en premier plan dans les massifs. On l'utilise beaucoup comme plante couvre-sol sur le dessus des murets et des talus. Très intéressant pour sa forme, ses fleurs et ses fruits.

Cotoneaster dielsianus
COTONÉASTER DE DIEL'S
Diel's Cotoneaster

ZQ: B- / C / D / E / F / G
ZC: 3

DESCRIPTION: H: 1,5 m   L: 1,5 m
Arbuste au port érigé, dont les branches longues et fines sont légèrement arquées.
Petites feuilles rondes à ovales, vert foncé dessus et recouvertes de duvet sur la face inférieure. Le feuillage tourne au rouge à l'automne.
Fleurs en petites grappes roses en juin.
Fruits sous forme de baies rouge écarlate en grand nombre. Très décoratives.
Racines nombreuses.
Croissance moyenne.

EXIGENCES: E: Préfère le plein soleil mais supporte une ombre légère.
S: Peu exigeant.
H: Peu exigeant.
R: Bonne rusticité.
P: Transplantation facile. Plantation en pot si possible.
T: Supporte la taille qui est le plus souvent inutile.
D: Peu disponible.

UTILISATIONS: Plante que l'on utilise en isolé mais aussi en association dans les massifs. Il peut aussi servir pour confectionner des haies non taillées. Intéressant par son port, ses fruits et sa couleur automnale.

Cotoneaster horizontalis
COTONÉASTER HORIZONTAL
Rockspray Cotoneaster - Rock Cotoneaster

ZQ: E- / F- / G
ZC: 5

DESCRIPTION: H: 0,30 m   L: 1,50 m
Plante base, rampante, formant un tapis plus ou moins plat.
Branches horizontales, typiques, portant des rameaux couverts de duvet.
Feuilles arrondies, vert foncé lustré dessus, glauques dessous. Feuillage d'automne pourpre.
Fleurs petites, roses en fin mai début juin.
Fruits nombreux, rouge vif à l'automne.
Enracinement clairsemé.
Croissance lente.

EXIGENCES: E: Demande le plein soleil.
S: Doit être planté en sol fertile, bien aéré, car il craint les sols compactés.
H: Les sols bien drainés sont préférables car il redoute les excès d'humidité.
R: Peu rustique, il doit être planté dans des endroits abrités.
P: Plantation en pot.
T: Supporte bien la taille.
D: Plutôt rare.

UTILISATIONS: Utile comme couvre-sol on le plante en association ou pour confectionner des masses. Intéressant par son port, ses fleurs, ses fruits et son feuillage à l'automne.

Cotoneaster horizontalis perpusillus
COTONÉASTER HORIZONTAL NAIN
Dwarf Rockspray Cotoneaster

ZQ: E- / F- / G
ZC: 5

DESCRIPTION: H: 0,15 m   L: 1,50 m
Plante rampante, formant un tapis plat. Branches horizontales nombreuses, plus petites, typiques, portant des rameaux couverts de duvet. Petites feuilles arrondies, vert foncé lustré dessus, glauques dessous. Feuillage d'automne pourpre. Fleurs petites, roses en fin mai début juin. Fruits nombreux, rouge vif à l'automne. Enracinement clairsemé. Croissance lente.

EXIGENCES: D: Plus ou moins rare.

UTILISATIONS: Utile principalement comme couvre-sol. On le plante aussi dans les rocailles. Intéressant par son port, ses fleurs, ses fruits et son feuillage à l'automne.

Cotoneaster horizontalis 'Robusta' - (*Cotoneaster horizontalis* 'Coralle')
COTONÉASTER ROBUSTA
Robusta Rockspray Cotoneaster

ZQ: E- / F- / G
ZC: 5

DESCRIPTION: H: 0,80 m   L: 1,50 m
Plante plus haute que l'espèce, au port érigé, arrondi, diffus.
Branches érigées et rameaux horizontaux.
Feuilles grandes, arrondies, vert foncé lustré dessus, glauques dessous. Feuillage d'automne d'un beau rouge intense.
Fleurs petites, roses, en fin mai début juin.
Fruits très nombreux, rouge clair à l'automne.
Enracinement clairsemé.
Croissance lente.

EXIGENCES: D: Rare.

UTILISATIONS: Utile en association dans les massifs ou pour confectionner des masses. Intéressant par son port, ses fleurs, ses fruits et son feuillage à l'automne.

Cotoneaster microphyllus cochleatus
COTONÉASTER ESCARGOT
Snail Cotoneaster

ZQ: G
ZC: 5b

DESCRIPTION: H: 0,30 m   L: 1 m
Petit arbuste rampant, compact.
Branches tourmentées.
Très petites feuilles ovales, vert très brillant dessus,
dont le bord est légèrement enroulé.
Fleurs solitaires, blanches en mai.
Fruits plus ou moins nombreux, globuleux, rouge écarlate.
Racines fines et nombreuses.
Croissance très lente.

EXIGENCES: E: Demande le plein soleil.
S: Doit être planté en sol fertile, bien aéré.
H: Redoute les excès d'humidité. Les sols bien drainés
lui sont donc préférables.
R: Très peu rustique, Planter dans des endroits où la
neige s'accumule.
P: Plantation en pot indispensable.
T: Inutile.
D: Plutôt rare.

UTILISATIONS: Plante très intéressante par sa forme et son feuillage.
Excellente plante de rocaille.

Cotoneaster salicifolius 'Gnom' - (*Cotoneaster salicifolius* 'Gnome')
COTONÉASTER À FEUILLES DE SAULE GNOM
Gnom Willowleaf Cotoneaster

ZQ:	E- / F- / G
ZC:	5b

DESCRIPTION: H: 0,20 m   L: 1,50 m
Arbuste nain, rampant dont les branches courent sur le sol et s'y enracinent.
Feuilles semi-persistantes, petites, oblongues, arrondies au deux bouts. Le feuillage est vert foncé mat.
Fleurs blanches, petites, réunies en corymbes au printemps.
Fruits sous forme de baies rouge clair en automne.
Enracinement peu développé.
Croissance lente.

EXIGENCES:
E: Le plein soleil lui est favorable.
S: Peu exigeant quant à la qualité du sol.
H: Demande un sol frais, bien drainé, sans excès d'humidité.
R: Doit être planté dans un endroit abrité.
P: Plantation en pot.
T: Inutile.
D: Peu disponible

UTILISATIONS: Excellente plante couvre-sol qui attire les oiseaux.

*Crataegus chrysocarpa - (*Crataegus rotundifolia*)
AUBÉPINE À FRUITS DORÉS
Crataegus chrysocarpa - Crataegus à feuilles rondes
Fireberry

ZQ: D / E / F / G
ZC: 3

DESCRIPTION: H: 3 m   L: 2 m
Gros arbuste au port érigé, portant de nombreuses bran-
ches. Jeunes rameaux velus portant de longues épines.
Feuilles caduques, ovales, larges, pointues au bout,
dentées, luisantes, vert foncé.
Nombreuses fleurs blanches réunies en inflorescence.
Fruits sous forme de baies rondes rouge vif à rouge
orange, sucrées.
Racines pivotantes, profondes.
Croissance lente.

EXIGENCES: E: Demande une exposition ensoleillée.
S: Peu exigeante, s'accorde des sols les plus pauvres.
H: Demande un terrain humide, même s'il supporte la
sécheresse passagère.
R: Très rustique.
P: Transplantation en pot.
T: Supporte très bien la taille qui se fait après la florai-
son.
D: Plutôt rare.

UTILISATIONS: Cette plante peut être utilisée pour confectionner des
haies ou des écrans, ou placée en association dans les
massifs. Intéressant par ses fleurs et sa fructification.

Crataegus crus-galli
AUBÉPINE ERGOT-DE-COQ - Épine
Cockspur Hawthorn

ZQ: A / B / C / D / E / F / G
ZC: 2b

DESCRIPTION: H: 8 m   L: 6 m
Gros arbuste de forme globulaire, à la cime plus ou moins diffuse. Écorce gris foncé, s'écaillant avec l'âge. Longues épines, rigides, plus ou moins courbées, sur les branches.
Les feuilles sont caduques, simples, ovales, larges et pointues au sommet. Le feuillage, vert foncé luisant l'été, prend une coloration automnale orange clair à rouge.
Fleurs réunies en corymbes, blanches, en mai-juin et dégageant une odeur que certains trouvent désagréable.
Fruits sous forme de baies rouges, apparaissant en août et persistant jusqu'en janvier.
Racines pivotantes.
Croissance lente.

EXIGENCES: E: Doit être planté dans un endroit ensoleillé.
S: S'adapte à tous les terrains même s'ils sont calcaires.
H: Préfère les terrains humides, sans excès et supporte la sécheresse.
R: Très rustique, il résiste bien à la pollution des villes.
P: Transplantation plus ou moins facile.
T: Supporte la taille qui se fait après la floraison.
D: Bonne disponibilité.

UTILISATIONS: Utile pour confectionner des haies défensives. Il faut cependant faire attention aux épines qui sont dangereuses. Attire un grand nombre d'oiseaux.

Cytisus x ***beanii*** 'Golden Carpet'
CYTISE GOLDEN CARPET
Golden Carpet Broom

ZQ: G
ZC: 5

DESCRIPTION: H: 0,20 m   L: 0,80 m
Arbuste au port prostré, presque rampant. Les branches sont d'abord montantes puis elles redescendent vers le sol. Les tiges sont vertes.
Feuilles caduques, petites, linéaires, vert moyen et recouvertes de duvet.
Fleurs jaune d'or, foncées, groupées par 3 au printemps.
Fruits sans intérêt.
Racines peu nombreuses.
Croissance lente à moyenne.

EXIGENCES: E: Demande le plein soleil.
S: Un sol sain, sableux, pas trop riche lui convient bien. Éviter les terrains calcaires.
H: Préfère les terrains bien drainés, plutôt secs.
R: Peu rustique, à planter en situation abritée.
P: Transplantation en pot.
T: Peu utile, elle intervient après la floraison lorsque nécessaire.
D: Plus ou moins disponible.

UTILISATIONS: Plante intéressante par sa floraison. Elle convient bien à l'aménagement des rocailles.

Cytisus decumbens - (*Cytisus prostratus*)
CYTISE PROSTRÉ
Prostrate Broom

ZQ: E / F / G
ZC: 2

DESCRIPTION: H: 0,15 m   L: 0,40 m
Arbuste rampant, aux rameaux verts et poilus.
Feuilles caduques, petites, simples, oblongues, au revers duveteux.
Fleurs jaune clair, groupées par 3, apparaissant au printemps avant les feuilles.
Fruits sous forme de gousses.
Racines peu nombreuses.
Croissance lente.

EXIGENCES: E: Une situation ensoleillée lui est profitable.
S: Affectionne les sols plutôt pauvres, sableux.
H: Préfère les endroits plutôt secs.
R: Bonne rusticité.
P: Se transplante en pot.
T: Intervient après la floraison si nécessaire.
D: Bonne disponibilité.

UTILISATIONS: C'est une excellente plante de rocaille utilisée pour sa floraison.

Cytisus x *kewensis*

CYTISE DE KEW
Kew Broom

ZQ: G
ZC: 5b

DESCRIPTION: H: 0,30 m L: 1 m
Arbuste au port prostré, bas, dont les tiges sont vertes.
Feuilles caduques, à trois petits folioles linéaires, vert moyen.
Fleurs blanc crème, groupées par 3, à la fin du printemps.
Fruits sans intérêt.
Racines peu nombreuses.
Croissance lente.

EXIGENCES: E: Une plantation en plein soleil est idéale.
S: Il faut éviter les terrains calcaires. Un sol sain, sableux, pas trop riche lui convient bien.
H: Préfère les terrains plutôt secs, bien drainés.
R: Il faut le planter en situation abritée car il est peu rustique.
P: Transplantation en pot.
T: Lorsque nécessaire, elle intervient généralement après la floraison, mais elle est peu utilisée.
D: Plus ou moins disponible.

UTILISATIONS: Convient bien à l'aménagement des rocailles. Plante intéressante par sa floraison.

Cytisus nigricans

CYTISE EN ÉPIS - Cytise noircissant
Spike Broom

ZQ: F / G
ZC: 3b

DESCRIPTION: H: 0,60 m   L: 0,40 m

Arbuste au port dressé, portant de nombreux rameaux grêles.
Feuilles à trois folioles, d'un beau vert sombre.
Fleurs apparaissant en juillet, sous forme de grappes érigées, jaune d'or. La floraison est odorante.
Fruits sous forme de gousses.
Racines peu nombreuses.
Croissance lente.

EXIGENCES:

E: Demande absolument le plein soleil.
S: Supporte les sols pauvres et pierreux.
H: Préfère les sols secs.
R: Plante plutôt rustique.
P: Transplantation plutôt difficile.
T: On doit rabattre la plante à la fin de chaque hiver pour obtenir une belle floraison.
D: Assez difficile à se procurer.

UTILISATIONS: Très utile dans les rocailles, ce sont sa forme et sa floraison qui en font une plante intéressante.

Cytisus* x *praecox

CYTISE PRÉCOCE
Warminster Broom

ZQ: G
ZC: 5b

DESCRIPTION: H: 1 m   L: 1,25 m
Arbuste aux branches érigées, arquées à leurs extrémités, donnant un aspect arrondi à la plante. Branches nombreuses portant des tiges gris vert.
Feuillage dense fait de petites feuilles lancéolées, gris bleu, recouvertes de poils fins.
Fleurs jaune clair, nombreuses, apparaissant au printemps.
Fruits sans intérêt.
Racines peu nombreuses.
Croissance lente à moyenne.

EXIGENCES: E: Demande le plein soleil.
S: Supporte très bien les sols pauvres à condition qu'ils ne soient pas calcaires.
H: Bonne résistance à la sécheresse.
R: Peu rustique, il doit être planté en situation abritée.
P: Transplantation plus ou moins facile.
T: S'exécute après la floraison, mais elle est généralement peu utilisée.
D: Bonne disponibilité.

UTILISATIONS: Plante intéressante par son port et par sa floraison. En association dans les massifs ou dans les rocailles.

Cytisus* x *praecox 'Allgold'
CYTISE PRÉCOCE ALLGOLD
Allgold Warminster Broom

ZQ: G
ZC: 5b

DESCRIPTION: H: 1 m   L: 1,25 m
Arbuste au port arrondi avec des branches érigées puis arquées. Branches nombreuses portant des tiges gris vert.
Feuilles petites, lancéolées, de couleur gris bleu, nombreuses, donnant un feuillage dense.
Fleurs jaune d'or, nombreuses, apparaissant au printemps.
Fruits sans intérêt.
Racines peu nombreuses.
Croissance lente à moyenne.

EXIGENCES: D: Assez bonne

UTILISATIONS: Plante utilisée en association dans les massifs ou dans les rocailles. Intéressante par son port et par sa floraison.

154

Cytisus x ***praecox*** 'Zeelandia'
CYTISE PRÉCOCE ZEELANDIA
Zeelandia Warminster Broom

ZQ: G
ZC: 5b

DESCRIPTION: H: 1 m L: 1 m
Arbuste aux branches arquées donnant une plante d'aspect arrondi. Les tiges sont gris vert.
Feuillage dense fait de petites feuilles lancéolées, gris bleu, recouvertes de poils fins.
Fleurs jaune crème, nombreuses, apparaissant à la fin du printemps et au début de l'été.
Fruits sans intérêt.
Racines peu nombreuses.
Croissance lente à moyenne.

EXIGENCES: D: Plutôt rare.

UTILISATIONS: Plante intéressante par son port et par sa floraison. À utiliser en association dans les massifs ou dans les rocailles.

Cytisus procumbens

CYTISE PROCUMBENS - Cytise rampant
Ground Broom

ZQ: E / F / G
ZC: 2b

DESCRIPTION:: H: 0,40 m   L: 1 m
Arbuste prostré, au port rampant. Les tiges vertes portent de jeunes pousses arquées recouvertes d'un léger duvet. Feuilles caduques, simples, oblongues, portant des poils sur les bords et en dessous. Fleurs jaune vif, en abondance. Fruits sans intérêt. Racines peu nombreuses. Croissance lente.

EXIGENCES: E: Demande le plein soleil.
S: Préfère un sol sableux et supporte un terrain pauvre.
H: Les sols secs lui sont favorables.
R: Bonne rusticité.
P: Tranplanter en pot.
T: S'effectue après la floraison.
D: Peu disponible.

UTILISATIONS: Excellente plante de rocaille, surtout intéressante par sa floraison.

Cytisus purpureus
CYTISE À FLEURS POURPRES
Purple Broom

ZQ:	G
ZC:	5b

DESCRIPTION: H: 0,50 m   L: 1 m
Arbuste buissonnant, aux rameaux longs, souples, étalés puis ascendants.
Feuilles vert foncé, à 3 folioles.
Nombreuses fleurs rose pourpre, solitaires sur les tiges, en mai-juin.
Fruits sans intérêt.
Racines peu nombreuses.
Croissance moyenne.

EXIGENCES: E: Préfère les situations légèrement ombragées.
S: Préfère les sols fertiles et acides.
H: Affectionne les endroits humides.
R: Peu rustique; à planter dans les endroits abrités.
P: Transplanter en pot pour une bonne reprise.
T: Tailler après la floraison.
D: Assez disponible

UTILISATIONS: Idéal pour les rocailles; il peut aussi être utilisé comme plante couvre-sol. Particulièrement intéressant pour sa floraison.

Daphne* x *burkwoodii

DAPHNÉ DE BURKWOOD
Burkwood's Daphne

ZQ: E- / F- / G
ZC: 5

DESCRIPTION: H: 0,80 m   L: 0,70 m
Arbuste touffu au port arrondi, et branches érigées, gris vert.
Feuilles semi-persistantes, oblongues, étroites, vert foncé, devenant légèrement jaune à l'automne.
Floraison abondante, très odorante en fin juin. Les fleurs, réunies en corymbes, sont d'abord blanches, puis teintées de rose quand elles s'épanouissent.
Fruits rouge orange.
Racines fines et nombreuses.
Croissance lente.

EXIGENCES: E: Préfère une ombre légère mais supporte un ombrage plus prononcé ou le plein soleil.
S: Nécessite un sol fertile et sain, plutôt humifère, légèrement acide pour bien croître.
H: Aime l'humidité, mais en redoute les excès.
R: Rustique dans sa zone.
P: Transplantation en pot.
T: Non requise.
D: Bonne disponibilité.

UTILISATIONS: Plante ayant une floraison spectaculaire. On l'utilise aussi bien dans les rocailles que dans les premiers rangs des massifs.

Daphne* x *burkwoodii 'Carol Mackie'
DAPHNÉ DE BURKWOOD CAROL MACKIE
Carol Mackie Daphne

ZC: 5

DESCRIPTION: H: 0,80 m   L: 0,70 m
Arbuste touffu au port arrondi et branches érigées.
Feuilles semi-persistantes, oblongues, étroites, vert foncé avec une bordure jaune.
Floraison odorante, blanc rosé, en fin juin.
Fruits rouge orange.
Racines fines et nombreuses.
Croissance lente.

EXIGENCES: D: Assez bonne.

UTILISATIONS: Plante particulièrement intéressante par son feuillage bordé de jaune, utilisée dans les rocailles et dans les premiers rangs des massifs.

Daphne x **burkwoodii** 'Silveredge' - (**Daphne** x **burkwoodii** 'Variegata')
DAPHNÉ DE BURKWOOD PANACHÉ
Silveredge Daphne

ZC: 5

DESCRIPTION: H: 0,80 m   L: 0,70 m
Arbuste touffu au port arrondi, et branches érigées, gris vert.
Feuilles semi-persistantes, oblongues, étroites, vert foncé bordées de blanc crème.
Floraison odorante, blanc rosé, en fin juin.
Fruits rouge orange.
Racines fines et nombreuses.
Croissance lente.

EXIGENCES: D: Bonne.

UTILISATIONS: Plante ayant une floraison spectaculaire et un feuillage panaché; elle est utilisée dans les rocailles et dans les premiers rangs des massifs.

Daphne* x *burkwoodii 'Somerset'
DAPHNÉ DE BURKWOOD SOMERSET
Somerset Daphne

ZC: 5

DESCRIPTION: H: 1 m   L: 1,5 m
Arbuste touffu au port arrondi, et branches dressées, gris vert.
Feuilles plutôt persistantes, oblongues, étroites, vert très foncé.
Floraison abondante, très odorante en fin juin. Les fleurs, réunies en corymbes, sont rose mauve, plus foncées que chez *Daphne x burkwoodii*. Parfois de nouvelles fleurs apparaissent à l'automne.
Fruits rouge orange.
Racines fines et nombreuses.
Croissance lente.

EXIGENCES: D: Plus ou moins bonne.

UTILISATIONS: Belle plante à fleurs, utilisée aussi bien dans les rocailles que dans les premiers rangs des massifs.

Daphne cneorum

DAPHNÉ CANULÉ - Daphné camélée -
Thymelée des Alpes - Petite thymelée
Garland Flower - Daphne - Rose Daphne

ZQ: A / B / C / D / E / F / G
ZC: 2b

DESCRIPTION: H: 0,20 m   L: 1 m
Arbuste de petite taille, rampant, aux rameaux étalés.
Feuilles persitantes, oblongues, vert foncé, lustrées dessus.
Fleurs roses, plutôt petites, très nombreuses et odorantes, réunies en groupe de 6 à 8. Floraison principale en mai, suivie d'une autre, de moindre importance, en juillet.
Fruits jaunes sous formes de petites boules charnues à l'automne.
Racines fines et nombreuses.
Croissance lente.

EXIGENCES: E: Convient aux endroits ensoleillés mais peut supporter une ombre légère.
S: Cette plante calcifuge affectionne les sols acides ou neutres. Aime les sols riches.
H: Préfère les sols bien drainés mais qui conservent une certaine fraîcheur.
R: Rustique; toutefois, il est préférable qu'il soit recouvert de neige durant l'hiver.
P: Bonne reprise.
T: Pas utilisée.
D: Assez facile à se procurer.

UTILISATIONS: Très utile dans les rocailles, il peut aussi être utilisé comme plante tapissante. Intéressant par sa forme et sa floraison.

Daphne giraldii

DAPHNÉ DE GIRALD
Girald's Daphne

ZQ: A / B / C / D / E / F / G
ZC: 4b

DESCRIPTION: H: 0,60 m   L: 0,60 m
Arbuste au port dressé, de forme arrondie et diffuse.
Feuilles entières, caduques mais persistant longtemps à l'automne, vert foncé dessus, vert pâle dessous.
Fleurs parfumées, jaune d'or, réunies en grappes, vers la fin mai.
Fruits peu nombreux, sous forme de baies rouges, au début du printemps.
Racines fines et nombreuses.
Croissance plutôt lente.

EXIGENCES: E: Préfère le plein soleil.
S: Aime les sols sains et fertiles.
H: Un sol humide mais sans excès lui est favorable.
R: Bonne rusticité.
P: Transplanter en pot.
T: Peu utile.
D: Assez rare.

UTILISATIONS: C'est le seul daphné à fleur jaune cultivé au Québec, c'est ce qui en fait son intérêt. C'est une plante de rocaille.

Daphne mezereum

BOIS JOLI - Bois gentil - Daphné jolibois
February Daphne - Mezereon

ZQ: B- / C- / D- / E- / F- / G
ZC: 3

DESCRIPTION: H: 0,80 m   L: 0,80 m
Arbuste au port érigé, aux branches raides, peu ramifiées, grises.
Feuilles caduques, oblongues, vert foncé dessus et vert grisâtre dessous.
Fleurs en forme de trompettes, nombreuses et odorantes, avant les feuilles, en avril. Elle sont d'une belle teinte rose pourpre.
Fruits toxiques, rouges, apparaissant en juin-juillet.
Racines nombreuses et fines.
Croissance lente à moyenne.

EXIGENCES: E: Les endroits légèrement ombragés lui sont favorables. Éviter les situations en plein soleil.
S: Préfère les sols sains, fertiles, légèrement acides, mais supporte un sol un peu calcaire.
H: Le sol doit toujours être humide mais sans excès.
R: Rustique.
P: Transplantation en pot.
T: Pas utile.
D: Bonne disponibilité.

UTILISATIONS: Cette plante est très intéressante par sa floraison hâtive et par le fait qu'elle pousse bien dans la mi-ombre. À utiliser dans les rocailles et les massifs de plantes acides comme les rhododendrons.

Photo : Jardin botanique de Montréal

Daphne mezereum 'Alba'

BOIS JOLI À FLEURS BLANCHES -
Bois gentil à fleurs blanches
White February Daphne - Mezereon

ZQ: B- / C- / D- / E- / F- / G
ZC: 3

DESCRIPTION: H: 0,80 m   L: 0,80 m
Arbuste au port érigé, aux branches raides, peu rami-
fiées, grises.
Feuilles caduques, oblongues, vert clair.
Fleurs en forme de trompettes, blanches et odorantes.
Fruits jaunes, toxiques, apparaissant en juin-juillet.
Racines nombreuses et fines.
Croissance lente à moyenne.

EXIGENCES: E: Il faut éviter les situations en plein soleil et lui ré-
server les endroits légèrement ombragés.
S: Préfère les sols légèrement acides, sains, fertiles,
mais supporte un sol un peu calcaire.
H: Le sol doit toujours être humide mais sans excès.
R: Rustique.
P: Transplantation en pot.
T: Pas utile.
D: Plutôt rare.

UTILISATIONS: Dans les rocailles et les massifs de plantes acides; cette
plante est très intéressante par sa floraison blanche
hâtive.

Deutzia gracilis

DEUTZIA GRACILE - Deutzia gracilis
Slender Deutzia

ZQ: G
ZC: 5b

DESCRIPTION: H: 0,80 m   L: 0,90 m
Arbuste bas, de forme arrondie, au port diffus et gracieux. Les branches sont érigées et légèrement retombantes avec l'âge.
Feuilles en forme de lances, pointues au bout, dentées, vert foncé, caduques.
Fleurs blanc pur réunies en grappes érigées.
Fruits sans intérêt.
Croissance lente.

EXIGENCES: E: Demande le plein soleil, mais supporte une ombre légère.
S: Un sol riche, de bonne qualité lui est favorable.
H: Le sol doit être bien drainé, car il craint les excès d'humidité.
R: Peu rustique, il doit être planté en situation abritée.
P: Transplantation facile, au printemps de préférence.
T: Pratiquer une taille de nettoyage au printemps et, si nécessaire, tailler après la floraison.
D: Assez disponible.

UTILISATIONS: Intéressant pour sa floraison, le deutzia à petites fleurs est utilisé en association dans les massifs.

Deutzia* x *lemoinei 'Compacta'
DEUTZIA DE LEMOINE COMPACTA
Compact Lemoine Deutzia

ZQ: G
ZC: 5b

DESCRIPTION: H: 1,25 m   L: 0,80 m
Arbuste au port compact, nain. Les branches nombreuses et raides ont une écorce qui s'exfolie avec l'âge.
Feuilles caduques, lancéolées, dentées, vertes sur les deux faces.
Petites fleurs blanches, réunies en panicules dressés, nombreux, à la fin du printemps.
Fruits sans intérêt.
Croissance lente.

EXIGENCES: E: Préfère les situations ensoleillées, mais tolère une ombre légère.
S: Peu exigeant, il préfère cependant un sol fertile.
H: Réclame un terrain bien drainé, mais préfère l'humidité à la sécheresse.
R: Plante peu rustique, elle doit être plantée en situation abritée.
P: Transplantation facile au printemps.
T: Taille de nettoyage tôt au printemps et taille d'entretien si nécessaire après la floraison.
D: Facile à se procurer.

UTILISATIONS: Plante à utiliser en association dans les massifs. Intéressante par sa floraison.

Deutzia parviflora

DEUTZIA À PETITES FLEURS
Mongolian Deutzia

ZQ: G
ZC: 4

DESCRIPTION: H: 1,5 m   L: 1 m
Arbuste au port diffus dont les branches, nombreuses, sont érigées puis retombantes. L'écorce s'exfolie avec l'âge.
Feuilles caduques, ovales en forme de lances, pointues au bout, vert foncé.
Fleurs blanches, petites, de forme aplatie, réunies en corymbes, en juin.
Fruits sans intérêt.
Croissance lente.

EXIGENCES: E: Demande le plein soleil.
S: Une bonne terre fertile lui convient parfaitement.
H: Éviter les sols qui se dessèchent facilement.
R: C'est le plus rustique de tous les deutzias.
P: Transplanter au printemps.
T: Tailler après la floraison.
D: Malheureusement pas assez disponible.

UTILISATIONS: Plante à utiliser en association dans les massifs pour sa très belle floraison.

Deutzia x *rosea*

DEUTZIA ROSÉ
Rose-panicle Deutzia

ZQ: G
ZC: 5b

DESCRIPTION: H: 1 m   L: 2 m
Arbuste au port érigé, drageonnant sous nos climats.
Feuilles entières, ovales, caduques, pointues au bout,
fortement dentées, vert mat sur le dessus.
Fleurs sous forme de clochettes, roses en bouton deve-
nant blanches à l'éclosion. Les fleurs, réunies en grap-
pes, apparaissent au milieu du printemps.
Fruits sans intérêt.
Croissance lente.

EXIGENCES: E: Demande le plein soleil.
S: Doit être planté dans une bonne terre riche pour
bien croître.
H: Demande un sol bien drainé et une bonne humidité
atmosphérique.
R: Peu rustique, il doit être planté en situation abritée.
P: Transplantation printanière en pot.
T: Une taille de nettoyage s'impose au printemps. Si
nécessaire, la taille d'entretien doit intervenir après
la floraison.
D: Assez peu disponible.

UTILISATIONS: Intéressant par sa floraison, on l'utilise en association
dans les massifs.

Deutzia scabra - (*Deutzia crenata*)
DEUTZIA SCABRE
Fuzzy Deutzia

ZQ: G
ZC: 5b

DESCRIPTION: H: 1,75 m   L: 1 m
Arbuste de forme ovale à arrondie, de petite dimension sous nos climats. Les branches, d'abord érigées sont légèrement arquées au bout. L'écorce s'enlève en fines feuilles au fur et à mesure que la plante vieillit.
Feuilles caduques, ovales, allongées, dentées, base arrondie et munie de touffes de poils. Le feuillage est vert foncé.
Fleurs simples, blanches, petites, réunies en grappes érigées, à la fin du printemps.
Fruits sans intérêt.
Croissance lente.

EXIGENCES: E: Préfère le plein soleil.
S: Une bonne terre riche lui est profitable.
H: Demande un sol bien drainé et une bonne humidité atmosphérique.
R: Peu rustique.
P: Transplantation printanière.
T: Taille de nettoyage au printemps et, si nécessaire, taille d'entretien après la floraison.
D: Peu disponible.

UTILISATIONS: En association dans les massifs. Floraison intéressante.

Diervilla lonicera - (*Diervilla canadensis*)
DIERVILLÉE CHEVREFEUILLE -
Diervillée lonicera - Diervillée du Canada
Dwarf Bush-honeysuckle - Bush-honeysuckle

ZQ: A / B / C / D / E / F / G
ZC: 3

DESCRIPTION: H: 1 m   L: 1 m
Arbuste au port buissonnant, ouvert, drageonnant, formant une boule. Branches érigées ou légèrement retombantes, ne portant que peu de rameaux.
Feuilles ovales, à bout pointu et base en forme de coeur. Feuillage vert foncé prenant une teinte orange rouge à l'automne.
Fleurs en forme de clochettes, jaunes, réunies par trois, en juillet-août.
Fruits bruns sans grand intérêt.
Racines superficielles et drageonnantes.
Croissance rapide.

EXIGENCES: E: Supporte aussi bien le plein soleil que l'ombre.
S: Peu exigeant, il préfère cependant un sol légèrement acide.
H: Préfère les endroits secs.
R: Très rustique.
P: Se transplante facilement.
T: Si nécessaire, tôt au printemps.
D: Assez facile à se procurer.

UTILISATIONS: Sa facilité d'adaptation en fait une plante des plus intéressantes, notamment pour la naturalisation.

__Diervilla sessilifolia__

DIERVILLÉE À FEUILLES SESSILES
Southern Bush-honeysuckle

ZQ: E- / F / G
ZC: 4b

DESCRIPTION: H: 1 m   L: 1 m
Arbuste au port buissonnant, arrondi, drageonnant.
Branches érigées, duveteuses, portant de jeunes pous-
ses bronze pourpre.
Feuilles caduques, sessiles, rigides, ovales, pointues au
bout, légèrement dentées. Feuillage vert foncé brillant
prenant une teinte rouge pourpre à l'automne.
Nombreuses fleurs en forme de clochettes, réunies par
trois, jaune soufre, de juin -août.
Fruits insignifiants.
Racines nombreuses, superficielles et drageonnantes.
Croissance rapide.

EXIGENCES: E: Supporte aussi bien le plein soleil que l'ombre.
S: Peu exigeant, il préfère cependant un sol fertile,
légèrement acide.
H: Préfère les endroits frais mais bien drainés.
R: Bonne rusticité.
P: Se transplante facilement.
T: Tôt au printemps lorsque nécessaire. Supporte bien
la taille de rabattage.
D: Plutôt difficile à se procurer.

UTILISATIONS: Utilisé pour la naturalisation à cause de sa facilité
d'adaptation, il est aussi possible de l'utiliser en groupe
ou en masse.

Dirca palustris

DIRCA DES MARAIS - Bois de plomb - Bois de cuir
Atlantic Leatherwood

ZQ: E- / F / G
ZC: 4

DESCRIPTION: H: 1,50 m L: 1,50 m

Arbuste de forme régulière, ovale à arrondie. Branches
recouvertes d'une écorce polie, très liégeuse, très diffi-
cile à casser, d'où son nom.
Feuillage vert pâle devenant jaune à l'automne. Feuil-
les caduques, simples, larges, en forme d'ellipse.
Fleurs jaunes, sans grand intérêt.
Fruits sous forme de drupes ovales, rougeâtres à matu-
rité, en juillet ou en août.
Racines superficielles mais peu nombreuses.
Croissance lente.

EXIGENCES: E: Demande une situation ombragée à semi-ombragée.
Ne pas planter au plein soleil.
S: Pour une bonne croissance, il faut le planter en sol
profond, plutôt acide, riche en matière organique.
H: Préfère les endroits frais et humides mais sans
excès.
R: Rustique.
P: Difficile à transplanter.
T: Inutile.
D: Assez difficile à se procurer.

UTILISATIONS: Plante idéale pour les sous-bois; elle s'adapte facilement aux endroits constamment humides. Utiliser
pour la naturalisation et en association.

Elaeagnus angustifolia

OLIVIER DE BOHÊME - Olivier de Russie -Chalef à feuilles étroites
Russian Olive

ZQ: A / B / C / D / E / F / G
ZC: 2b

DESCRIPTION: H: 8 m L: 8 m
Gros arbuste au port arrondi, diffus, ouvert. Tronc à écorce brunâtre, portant des branches semi-érigées là où on observe des épines. Les jeunes rameaux sont argentés.
Feuilles caduques, simples, étroites, en forme de lance allongée, vert glauque dessus, argentées dessous.
Fleurs jaunâtres, odorantes, en juin.
Fruits sous formes d'olives, jaunâtres ou rougeâtres.
Racines peu nombreuses, étalées.
Croissance rapide.

EXIGENCES: E: Doit absolument être au plein soleil pour conserver sa coloration.
S: S'adapte à tous les sols, qu'ils soient acides, calcaires, argileux ou caillouteux.
H: Préfère les sols secs, il faut donc lui éviter les excès d'humidité.
R: Très rustique, il résiste assez bien à la pollution.
P: Transplanter en motte ou en pot.
T: La taille d'entretien s'effectue après la floraison.
D: Facile à se procurer.

UTILISATIONS: Intéressant par la couleur de son feuillage. Peut être utilisé en isolé, ou pour contraster avec des conifères ou d'autres arbres au feuillage vert.

__Elaeagnus commutata__ - (*Elaeagnus argentea*)
　　　　　　　　CHALEF ARGENTÉ
　　　　　　　　Silverberry

ZQ:　A- / B- / C / D / E / F / G
ZC:　2

DESCRIPTION:　H: 3 m　　L: 3 m
Gros arbuste ouvert, au port globulaire dont les branches sont plus ou moins érigées, drageonnantes, et portant des rameaux brun rougeâtre.
Feuilles caduques, ovales, argentées sur les deux faces avec quelques écailles brunes dessous.
Fleurs jaunes, très parfumées en juin.
Fruits couverts d'écailles argentées en septembre-octobre.
Racines drageonnantes.
Croissance rapide.

EXIGENCES:　E: Demande absolument le plein soleil.
S: S'adapte à tous les sols, même pauvres.
H: Préfère les endroits secs.
R: Très rustique.
P: Transplantation facile.
T: Supporte bien la taille.
D: Assez disponible.

UTILISATIONS:　Intéressant pour la couleur de son feuillage, sa floraison odorante et sa grande adaptabilité à des conditions difficiles. Utiliser dans les massifs, et même dans les talus situés en sol pauvres et secs. Il faudra prévoir un bon espace car il drageonne beaucoup.

Elaeagnus multiflora - (*Elaeagnus edulis*)
GOUMI DU JAPON - Chalef multiflore
Cherry Elaeagnus

ZQ: A- / B- / C / D / E / F / G
ZC: 2

DESCRIPTION: H: 2 m   L: 2 m
Arbuste buissonnant, à cime aplatie, aux nombreux rameaux érigés puis retombants.
Feuilles caduques, ovales, ondulées, vert foncé dessus, argentées et pointillées d'écailles brunes dessous.
Fleurs petites, abondantes, blanc jaunâtre en mai.
Fruits comestibles, oblongs, rouge brique en juillet.
Racines peu nombreuses.
Croissance moyenne.

EXIGENCES: E: Réclame le plein soleil.
S: Peu exigeant.
H: Préfère les endroits secs.
R: Peu rustique, doit être planté dans un endroit protégé.
P: Transplantation difficile.
T: Utiliser principalement pour la formation.
D: Assez bonne disponibilité.

UTILISATIONS: Principalement en isolé ou en association dans les massifs pour créer des contrastes. Sa floraison représente un intérêt, tout comme sa fructification qui attire les oiseaux.

Elaeagnus umbellata 'Cardinal'
CHALEF EN OMBELLES CARDINAL
Autumn Elaeagnus - Autumn Olive

ZQ: G
ZC: 5

DESCRIPTION: H: 3 m   L: 3 m
Arbuste étalé aux branches souples et arquées. Rameaux brun jaunâtre ou argentées, devenant noirâtres, portant parfois des épines.
Feuilles caduques, vertes sur le dessus, argentées dessous, ovales-oblongues, ondulées sur les bords.
Floraison blanc jaunâtre, en mai.
Fruits abondants, d'abord brunâtres en septembre-octobre, devenant rouge argenté puis rouge orangé lors de la chute des feuilles.
Racines peu nombreuses.
Croissance moyenne.

EXIGENCES: E: Doit être au plein soleil pour bien croître.
S: S'adapte à tous les sols, même pauvres, mais préfère les sols acides ou sablonneux.
H: Éviter les excès d'humidité. Supporte bien la sécheresse.
R: Peu rustique.
P: Transplantation plus ou moins facile.
T: Supporte la taille.
D: Bonne disponibilité.

UTILISATIONS: Plante résistante, au feuillage attrayant et dont les fruits attirent les oiseaux. À utiliser en association ou en isolé.

Empetrum nigrum
CAMARINE NOIRE
Black Crownberry

ZQ: A / B / C / D / E / F / G
ZC: 1

DESCRIPTION: H: 0,25 m   L: 0,50 m
Arbuste étalé, très bas dont les branches courent sur le sol.
Feuilles persistantes, petites, linéaires. Feuillage dense.
Fleurs très petites, rose pourpre, au printemps.
Fruits sous forme de baies globuleuses noires.
Croissance lente.

EXIGENCES: E: Planter à la mi-ombre de préférence.
S: Aime les terrains acides, plus particulièrement les tourbières.
H: Plante de marécage.
R: Très rustique.
P: Transplantation plus ou moins facile.
T: Inutile.
D: Assez rare.

UTILISATIONS: Plante tapissante convenant aux endroits humides et acides. Attire les oiseaux. Intéressante par son feuillage, et facile à naturaliser.

Enkianthus campanulatus
ENKIANTHE EN CLOCHE
Redvein Enkianthus

ZQ: G
ZC: 5

DESCRIPTION: H: 2 m   L: 1,20 m
Arbuste au port érigé, étroit, dont les rameaux sont rougeâtres.
Feuilles caduques, ovales, pointues au sommet, finement dentées.
Feuillage vert tendre prenant une belle couleur jaune orange à l'automne.
Fleurs blanc crème ou jaunâtres veinées de rouge, sous forme de clochettes, réunies en grappes pendantes au bout des rameaux, en mai-juin.
Fruits sans importance.
Racines fines et nombreuses.
Croissance lente à moyenne.

EXIGENCES: E: Préfère la mi-ombre, comme la lisière des boisés.
S: Pour un bon résultat, planter en sol profond, riche et acide. Éviter absolument les sols calcaires.
H: Demande un sol frais, bien drainé, sans excès d'eau.
R: Peu rustique.
P: Transplanter en pot.
T: Peu utilisée; si nécessaire, elle intervient après la floraison.
D: Assez bonne disponibilité.

UTILISATIONS: Intéressante pour sa floraison et son feuillage d'automne, cette plante peut agrémenter les sous-bois et les massifs en sol acide. Utile surtout en isolé.

Epigaea repens

ÉPIGÉE RAMPANTE - Fleur de mai
Trailing Arbustus

ZQ: A / B / C / D / E / F / G
ZC: 2

DESCRIPTION: H: 0,15 m L: 0,30 m
Petit arbuste rampant qui, en vieillissant, forme de larges colonies. Branches rampantes, ramifiées, portant des racines.
Feuilles persistantes, simples, elliptiques, brillantes, rouge verdâtre au printemps et devenant vertes à l'été.
Petites fleurs blanches ou roses en trompette, apparaissant tôt au printemps.
Fruits sous forme de baies blanchâtres, au milieu de l'été.
Racines superficielles.
Croissance lente.

EXIGENCES: E: Plante de sous-bois, supportant très bien l'ombre.
S: Demande un sol léger et acide car elle craint le calcaire.
H: Préfère les endroits humides. Supporte les inondations printanières.
R: Très bonne rusticité.
P: Transplantation difficile.
T: Inutile.
D: Assez bonne quoique parfois difficile.

UTILISATIONS: C'est une très bonne plante de sous-bois que l'on utilise comme couvre-sol. Il lui faudra cependant du temps pour s'implanter.

Euonymus alatus
FUSAIN AILÉ
Winged Euonymus - Burning Bush

ZQ: A- / B- / C / D- / E / F / G
ZC: 3

DESCRIPTION: H: 2 m   L: 1,50 m
Arbuste compact au port arrondi avec le dessus aplati. Les branches érigées s'étalent avec l'âge. Rameaux verts, puis bruns, munis d'ailes subéreuses, très apparentes, disposées en croix, très décoratives en hiver. Feuilles vert foncé, obovales, prenant une teinte rose écarlate, mêlé de violet pourpre et d'orange à l'automne. Fleurs jaunâtres en juin, donnant des fruits rouge orange en septembre-octobre. Racines fines et nombreuses. Croissance moyenne à lente.

EXIGENCES: E: Préfère le plein soleil, mais supporte la mi-ombre
S: Pas d'éxigeances particulière.
H: Préfère les sols bien drainés, éviter les excès d'humidité.
R: Bonne rusticité.
P: Transplantation facile.
T: Supporte bien la taille qui n'est utile que pour la formation.
D: Très bonne disponibilité.

UTILISATIONS: Intéressante pour ses tiges et son coloris automnal, c'est une plante idéale pour la décoration des jardins en hiver. Peut être utilisée en massif, en isolé ou dans la formation de haies libres.

Euonymus alatus 'Compactus'
FUSAIN AILÉ NAIN
Dwarf Winged Euonymus - Dwarf Burning Bush

ZQ: A- / B- / C / D- / E / F / G
ZC: 4

DESCRIPTION: H: 1,20 m   L: 1,20 m
Arbuste très compact au port arrondi avec le dessus aplati. Ses branches raides ont de nombreux rameaux verts ailés, étalés et courts.
Feuilles étroites, vert foncé, obovales, prenant une teinte rouge écarlate à l'automne.
Fleurs jaunâtres en juin, donnant des fruits rouge orangé, en septembre-octobre.
Racines fines et nombreuses.
Croissance lente.

EXIGENCES: E: Croît au plein soleil, mais supporte la mi-ombre.
S: Peu exigeant.
H: Peu exigeant, il préfère toutefois les sols bien drainés.
R: Bonne rusticité.
P: Transplantation facile.
T: Peu utilisée.
D: Très bonne disponibilité.

UTILISATIONS: Plante idéale pour la décoration des jardins en hiver, on peut l'utiliser en massif ou en isolé dans les plates-bandes et les rocailles.

Euonymus atropurpureus - (*Euonymus latifolia*)
FUSAIN NOIR
Eastern Wahoo Euonumys

ZQ:	E- / F- / G
ZC:	3b

DESCRIPTION: H: 3 m   L: 3 m

Gros arbuste au port globulaire irrégulier.Branches fortes, raides devenant plus ou moins arquées avec l'âge. Feuilles caduques, simples, ovales, larges, légèrement pointues et finement dentées. Feuillage vert clair devenant jaune pâle à l'automne.
Fleurs petites, pourpre foncé, à la fin du printemps.
Fruits très décoratifs, en capsules pendantes, rose vif à pourpres.
Racines superficielles et étalées.
Croissance moyenne

EXIGENCES:
E: Supporte bien l'ombre.
S: Peu exigeant, préfère cependant un sol léger.
H: Demande un terrain frais et bien drainé.
R: Bonne rusticité.
P: Transplantation facile.
T: Supporte bien la taille.
D: Plutôt rare.

UTILISATIONS: Intéressant pour sa fructification et la couleur de son feuillage, c'est une excellente plante que l'on utilise en association dans les massifs.

Euonymus bungeanus
EUONYMUS DE BUNGE
Midwinter Euonymus

ZQ: E- / F- / G
ZC: 5

DESCRIPTION: H: 3 m   L: 3 m
Arbuste au port arrondi, dont les branches érigées portent des rameaux légèrement retombants.
Feuilles caduques, simples, elliptiques, longuement pointues. Le feuillage vert clair devient jaune clair nuancé de rose à l'automne, et persiste longtemps sur la plante.
Fleurs blanc crème sans grand intérêt.
Fruits sous forme de capsules à 4 lobes, d'abord jaunâtres, devenant blanc rosé avec des pointes orangées.
Racines nombreuses et étalées.
Croissance moyenne à lente.

EXIGENCES: E: Croît aussi bien au plein soleil qu'à la mi-ombre.
S: S'adapte bien à toutes les conditions.
H: Demande un sol frais et bien drainé.
R: Plus ou moins rustique, il faut le planter dans une situation abritée.
P: Facile à transplanter.
T: Peu utilisée.
D: Assez rare.

UTILISATIONS: Plante intéressante par sa coloration automnale et ses fruits, elle rentre principalement dans la composition des massifs.

Euonymus bungeanus 'Pendulus'
EUONYMUS DE BUNGE PLEUREUR
Weeping Midwinter Euonymus

ZQ: E- / F- / G
ZC: 5

DESCRIPTION: H: 3 m   L: 3 m
Arbuste au port arrondi et diffus. Les branches légère-
ment retombantes portent des rameaux pleureurs.
Feuilles caduques, simples, vert clair devenant jaune
clair nuancé de rose à l'automne.
Fleurs blanc crème sans grand intérêt.
Fruits sous forme de capsules à 4 lobes, d'abord jaunâ-
tres, devenant blanc rosé avec des pointes orangées.
Racines nombreuses et étalées.
Croissance lente.

EXIGENCES: E: Le plein soleil ou la mi-ombre lui conviennent par-
faitement.
S: Bonne adaptation à toutes les conditions.
H: Un sol frais et bien drainé est nécessaire pour une
bonne croissance.
R: Planter dans une situation abritée.
P: Facile à transplanter.
T: Pas utilisée.
D: Rare.

UTILISATIONS: Plante intéressante par sa coloration automnale ses
fruits et sa forme. Utilisée surtout en isolé.

Euonymus europaeus
FUSAIN D'EUROPE - Bonnet de prêtre
European Spindle Tree - European Euonymus

ZQ: C- / F -/ G
ZC: 4

DESCRIPTION: H: 3 m   L: 1,50 m
Grand arbuste au port élancé, de forme buissonnante, touffu et très rameux. Les branches érigées portent des rameaux souples et légers, vert foncé, munis de 4 crêtes liégeuses qui leur donnent un aspect quadrangulaire.
Feuillage dense aux feuilles ovales d'un beau vert mat, devenant rouge violacé à l'automne.
Fleurs blanc verdâtre, en mai.
Fruits rose rouge et orangés, toxiques pour les animaux.
Racines traçantes.
Croissance moyenne.

EXIGENCES: E: Préfère les endroits ensoleillés mais supporte une ombre légère.
S: Demande un sol riche, pas trop acide.
H: Les terrains frais favorisent sa croissance.
R: Bonne rusticité.
P: Transplantation facile.
T: Supporte bien la taille qui sera légère si on veut conserver les fruits.
D: Assez bonne disponibilité.

UTILISATIONS: Utile pour sa coloration automnale et sa fructification, on l'associe à d'autres végétaux dans les plates-bandes.

Euonymus europaeus 'Red Cascade' (*Euonymus europaeus* 'Red Caps')
FUSAIN D'EUROPE RED CASCADE
Red Cascade European Spindle Tree -
Red Cascade European Euonymus

ZQ: C- / F- / G
ZC: 4

DESCRIPTION: H: 2 m   L: 1,75 m
Grand arbuste vigoureux au port élancé, très rameux.
Les branches arquées portent des rameaux souples
légers, pleureurs d'aspect quadrangulaire.
Feuillage dense aux feuilles ovales d'un beau vert mat,
devenant rougeâtres à l'automne.
Très nombreuses fleurs blanc verdâtre, en mai, donnant
une myriade de fruits roses et rouge vif, plus gros que
chez l'espèce type.
Racines traçantes.
Croissance moyenne à lente.

EXIGENCES: E: Supporte une ombre légère.
S: Affectionne les sols riches, pas trop acides.
H: Les terrains frais favorisent la croissance.
R: Bonne rusticité.
P: De transplantation facile.
T: Supporte bien la taille qui sera légère si on veut
conserver les fruits.
D: Bonne disponibilité.

UTILISATIONS: Utile pour sa coloration automnale, sa fructification, et
sa forme, c'est une plante que l'on utilise en isolé.

Euonymus fortunei - (*Euonymus radicans acuta*)
FUSAIN DE FORTUNE
Wintercreeper Euonymus

ZQ: E- / F- / G
ZC: 5

DESCRIPTION: H: 0,15 m   L: 2 m
Arbuste couvre-sol, au port étalé, rampant, dont les branches s'enracinent au contact du sol.
Feuilles persistantes, ovales, petites, vert foncé, prenant une teinte rougeâtre à l'automne.
Fleurs blanches sans intérêt.
Fruits rosés, en octobre-novembre.
Racines fines et nombreuses.
Croissance moyenne à lente.

EXIGENCES: E: Croît aussi bien au soleil qu'à l'ombre.
S: Supporte toutes les conditions mais préfère les sols sains, fertiles et humifères.
H: Éviter les excès d'humidité. Supporte la sécheresse.
R: Plus ou moins rustique.
P: Transplantation en pot.
T: Supporte la taille qui intervient au printemps pour enlever le bois qui a gelé en hiver.
D: Bonne disponibilité.

UTILISATIONS: Excellente plante couvre-sol.

Euonymus fortunei 'Canadale Gold' C.O.P.F.
FUSAIN CANADALE GOLD -
Euonymus Canadale Gold
Canadale Gold Euonymus

ZQ: E- / F- / G
ZC: 5

DESCRIPTION: H: 0,60 m   L: 1,20 m
Arbuste bas au port compact, et branches érigées, robustes.
Feuilles persistantes, larges, vert pâle bordées de jaune d'or. Les jeunes pousses sont jaune foncé.
Croissance moyenne à lente.

EXIGENCES: E: Croît au soleil ou à la mi-ombre.
D: Bonne disponibilité.

UTILISATIONS: Excellente plante à utiliser en association dans les massifs

Euonymus fortunei 'Coloratus'
                FUSAIN COLORATUS
                Coloratus Euonymus

      ZQ: E / F / G
      ZC: 4b

DESCRIPTION: H: 0,30 m   L: 2,5 m
                Arbuste couvre-sol, au port rampant, dont les branches
                s'enracinent au contact du sol.
                Feuilles persistantes, ovales, de 3 à 5 cm de long.
                Feuillage lustré, vert moyen tournant au vert foncé
                avec le dessous rouge clair, puis purpre à l'automne, et
                persistant ainsi jusqu'au printemps.
                Pas de fructification.
                Croissance moyenne.

EXIGENCES: E: Croît aussi bien au soleil qu'à l'ombre.
                D: Bonne disponibilité.

UTILISATIONS: Excellente plante couvre-sol facile à utiliser dans les
                endroits difficiles.

Euonymus fortunei 'Emerald Gaiety
FUSAIN ARGENTÉ - Euonymus argenté
Euonymus Emerald Gaiety

ZQ: E- / F- / G
ZC: 5

DESCRIPTION: H: 1,20 m   L: 2 m
Petit arbuste aux branches érigées puis retombants.
Feuillage dense; petites feuilles obovales, vert foncé
panaché de blanc. Plante à feuillage persistant, elle
perd parfois une partie de ses feuilles après un vigoureux hiver. Durant l'hiver, la plante prend une couleur
rose rouge et blanchâtre.
Pas de fructification.
Croissance lente.

EXIGENCES: E: Préfère la mi-ombre, mais les panachures y seront
alors moins prononcées.
D: Très bonne disponibilité.

UTILISATIONS: Intéressante par son feuillage, elle est utile comme
plante tapissante, notamment dans les situations mi-
ombragées. Très pratique dans les rocailles et en premier rang des massifs.

Euonymus fortunei 'Emerald'N Gold'
FUSAIN EMERALD'N GOLD -
Euonymus Emerald'N Gold
Emerald'N Gold Euonymus

ZQ: E- / F- / G
ZC: 5

DESCRIPTION: H: 1,20 m   L: 2 m
Petit arbuste au port arrondi irrégulier ayant tendance à ramper.
Feuilles petites, vert foncé bordé de jaune clair. Plante au feuillage persistant, qui prend de belles teintes roses, rouges et vert foncé durant l'hiver.
Petites fleurs jaunâtres sous les feuilles.
Croissance moyenne.

EXIGENCES: E: La couleur est plus vive au soleil qu'à l'ombre.
D: Très bonne disponibilité.

UTILISATIONS: Excellente plante couvre-sol.

Euonymus fortunei 'E.T.' C.O.P.F.
FUSAIN E. T.
E.T. Euonymus

ZQ:	E- / F- / G
ZC:	5

DESCRIPTION: H: 1,20 m   L: 2 m
Arbuste dense au port arrondi. Les branches, verdâtres, sont érigées.
Feuilles persistantes, ovales, grandes, vert foncé, plus ou moins marginées de jaune d'or.
Croissance rapide.

EXIGENCES: E: Préfère une situation ensoleillée.
D: Bonne disponibilité.

UTILISATIONS: Excellent plante à feuillage décoratif qui convient bien à la décoration des massifs.

Euonymus fortunei 'Gold Tip' (*Euonymus fortunei* 'Golden Prince')
FUSAIN GOLD TIP - Euonymus Gold Tip
Gold Tip Euonymus

ZQ: E / F / G
ZC: 5

DESCRIPTION: H: 1 m   L: 1,50 m
Petit arbuste touffu aux branches érigées formant une boule irrégulière.
Feuilles bordées d'une teinte jaune doré au printemps. Au fur et à mesure de la saison, les feuilles tournent au vert jaunâtre alors que les jeunes pousses qui apparaissent sont bordées d'un beau jaune doré. À l'hiver, la plante prend des teintes roses, rouges et blanches qui persistent jusqu'à la nouvelle pousse du printemps.
Pas de floraison.
Croissance moyenne.

EXIGENCES: E: Supporte la mi-ombre, mais la couleur est plus franche quand la plante est au soleil.
D: Très bonne disponibilité.

UTILISATIONS: Plante très utile dans les rocailles et en mélange dans les massifs.

Euonymus fortunei 'Sarcoxie'
FUSAIN SARCOXIE - Euonymus Sarcoxie
Sarcoxie Euonymus

ZQ: E- / F- / G
ZC: 5b

DESCRIPTION: H: 1 m   L: 2,50 m
Petit arbuste touffu aux branches érigées s'étalant.
Feuilles petites, persistantes, vert foncé.
Floraison verdâtre donnant de nombreux fruits en forme de boules roses.
Croissance lente.

EXIGENCES: E: Bonne plante pour les endroits ombragés, elle supporte bien les situations chaudes.
D: Bonne disponibilité.

UTILISATIONS: Utile dans les rocailles ou en mélange dans les massifs.
C'est aussi une excellente plante couvre-sol.

Euonymus fortunei 'Sheridan Gold' C.O.P.F.
FUSAIN SHERIDAN GOLD -
Euonymus Sheridan Gold
Sheridan Gold Euonymus

ZQ: E- / F- / G
ZC: 5b

DESCRIPTION: H: 1,30 m   L: 1,30 m
Plante basse formant un petit arbuste au port irrégulier. Les jeunes pousses, qui sont jaune doré au mois de mai, prennent une teinte vert éclatant au milieu de l'été. Pas de fleurs observées.
Croissance moyenne à lente.

EXIGENCES: E: Requiert absolument le plein soleil.
D: Bonne disponibilité.

UTILISATIONS: Excellente plante de rocaille, on peut aussi l'utiliser en mélange dans les massifs.

Euonymus fortunei 'Sunspot' C.O.P.F.
FUSAIN SUNSPOT - Euonymus Sunspot
Sunspot Euonymus

ZQ: E- / F- / G
ZC: 5

DESCRIPTION: H: 1 m   L: 1,20 m
Petit arbuste formant une boule irrégulière presque aussi haute que large. Branches rampantes dont les extrémités se relèvent en tous sens.
Feuilles vert foncé avec des taches jaunes au centre. Les jeunes pousses sont plus claires que le reste du feuillage.
Pas de floraison observée.
Croissance lente.

EXIGENCES: E: Préfère le soleil..
D: Bonne disponibilité.

UTILISATIONS: Intéressante comme plante couvre-sol, elle s'utilise bien dans les rocailles et en mélange dans les massifs.

Euonymus fortunei 'Vegetus'
FUSAIN VEGETUS - Euonymus Vegetus
Big Leaf Wintercreeper

ZQ: E / F / G
ZC: 5

DESCRIPTION: H: 0,15 m   L: 2 m
Arbuste couvre-sol très rampant dont les branches s'enracinent facilement au contact du sol.
Feuilles semi-persistantes, arrondies, étroites, vert clair mat, dentées.
Fructification abondante sous forme de baies rouges à l'automne.
Croissance moyenne à lente.

EXIGENCES: E: Croît aussi bien au soleil qu'à l'ombre.
D: Bonne disponibilité.

UTILISATIONS: C'est une excellente plante couvre-sol dont les fruits attirent les oiseaux. Résiste bien à la pollution.

Euonymus nanus

FUSAIN NAIN
Dwarf Euonymus

ZQ: C / D / E / F / G
ZC: 2

DESCRIPTION:
H: 0,50 m   L: 0,50 m
Petit arbuste au port globulaire. Branches vertes.
Feuilles caduques, entières, longues et étroites, vertes prenant une très belle teinte rouge brillant à l'automne.
Petites fleurs brunâtres au printemps.
Fruits en capsules à 4 lobes, roses et rouges, peu nombreux.
Racines nombreuses.
Croissance lente.

EXIGENCES:
E: Réclame le plein soleil.
S: Peu exigeant, supporte les sols rocailleux.
H: Préfère les endroits plutôt secs.
R: Très bonne rusticité.
P: Transplantation facile.
T: Inutile.
D: Plutôt rare.

UTILISATIONS: Très décoratif par sa forme et la couleur de son feuillage automnal, c'est un excellent arbuste de rocaille ou pour les premiers rangs des massifs. Utile aussi comme couvre-sol.

Euonymus nanus turkestanicus
FUSAIN NAIN DU TURKESTAN
Turkestan Euonymus

ZQ: C / D / E / F / G
ZC: 2

DESCRIPTION: H: 1,20 m   L: 0,80 m
Petit arbuste au port érigé dont les branches sont vertes. Feuilles caduques, entières, longues et étroites, vert bleuâtre, donnant une très belle teinte rouge brillant à l'automne.
Petites fleurs pourpres, au printemps.
Fruits en capsules à 4 lobes roses et orangés.
Racines nombreuses.
Croissance lente.

EXIGENCES: E: Demande le plein soleil.
S: Peu exigeant, supporte les sols rocailleux.
H: Préfère les endroits plutôt secs.
R: Très bonne rusticité.
P: Transplantation facile.
T: Peu utilisée.
D: Assez bonne disponibilité.

UTILISATIONS: Très décoratif par la couleur de son feuillage automnal, c'est un excellent arbuste de rocaille ou pour les premiers rangs des massifs.

Exochorda giraldii wilsonii
EXOCHORDE DE WILSON
Wilson's Redbud Pearlbush

ZQ: G
ZC: 4

DESCRIPTION: H: 2,50 m   L: 2 m

Arbuste au port arrondi, diffus, ouvert. Branches érigées, portant des rameaux fins et lâches. Les jeunes pousses sont légèrement rosées.

Feuilles caduques, entières, oblongues au pétiole vert contrairement à Exochorda giraldii.

Les fleurs, petites, mais plus grandes que chez l'espèce type, sont réunies en nombreuses grappes dressées, et sont légèrement odorantes. Plus précoce que chez l'espèce type, les boutons floraux, rose tendre, laissent la place à des fleurs blanc pur à l'éclosion.

Fruits sans intérêt particulier.

Racines peu nombreuses.

Croissance moyenne à lente.

EXIGENCES: E: Demande le plein soleil, mais supporte une ombre partielle.
S: Préfère une terre riche, acide.
H: Doit être planté dans un terrain bien drainé.
R: Peu rustique, à planter en situation abritée.
P: Transplantation en pot.
T: Tailler après la floraison.
D: Malheureusement rare.

UTILISATIONS: Plante intéressante par sa floraison, on l'utilise en association dans les massifs.

Exochorda x ***macrantha*** 'The Bride'
EXOCHORDE THE BRIDE
The Bride Pearlbush

ZQ: G
ZC: 5

DESCRIPTION: H: 1,50 m   L: 1,50 m

Arbuste érigé, peu ramifié, de forme arrondie. Branches longues et grêles retombant aux extrémités.
Feuilles caduques, oblongues, vert foncé.
Grandes fleurs blanches réunies en grappes à l'extrémité des rameaux, avant les feuilles.
Fruits sans intérêt.
Racines peu nombreuses.
Croissance moyenne.

EXIGENCES:

E: Préfère les endroits ensoleillés.
S: Une bonne terre à jardin, perméable et non calcaire lui convient parfaitement.
H: Éviter les excès d'humidité.
R: Souffre de gélivures; il doit donc être planté dans un endroit abrité.
P: Transplantation en pot ou en motte.
T: Tailler immédiatement après la floraison.
D: Bonne disponibilité.

UTILISATIONS: Très belle plante à fleurs à utiliser en association dans les massifs.

Forsythia* x *intermedia 'Arnold Giant'
FORSYTHIA ARNOLD GIANT
Arnold Giant Forsythia

ZQ: G
ZC: 5b

DESCRIPTION: H: 1,25 m   L: 0,90 m
Arbuste au port élancé dont les branches, peu nombreuses, sont érigées.
Feuilles larges, dentées, vert glauque.
Fleurs nombreuses, d'un jaune riche, avant les feuilles.
Fructification sans intérêt.
Racines fibreuses et nombreuses.
Croissance lente à moyenne.

EXIGENCES: E: Réclame le plein soleil.
S: Peu exigeant, une bonne terre à jardin lui convient.
H: Peu exigeant.
R: Peu rustique, doit être planté en situation abritée.
P: Transplantation facile.
T: Tailler immédiatement après la floraison.
D: Assez bonne disponibilité.

UTILISATIONS: Excellente plante de massif.   Intéressant par sa floraison.

Forsythia x ***intermedia*** 'Karl Sax'
FORSYTHIA KARL SAX
Karl Sax Forsythia

ZQ: G
ZC: 5b

DESCRIPTION: H: 1,25 m   L: 0,90 m
Arbuste au port arrondi dont les branches vigoureuses, sont arquées.
Feuilles larges, dentées, vert foncé, devenant rouge pourpre à l'automne.
Grandes fleurs jaune foncé, apparaissant en très grand nombre avant les feuilles.
Fructification sans intérêt.
Racines fibreuses et nombreuses.
Croissance lente à moyenne.

EXIGENCES: E: Planté en situation ensoleillée.
S: Peu exigeant.
H: Peu exigeant, s'accommode de toute les situations.
R: Peu rustique, doit être planté en situation abritée.
P: Transplantation facile.
T: Tailler immédiatement après la floraison.
D: Assez bonne disponibilité.

UTILISATIONS: Excellente plante à floraison printanière que l'on utilise en association dans les massifs.

Forsythia* x *intermedia 'Minigold'
FORSYTHIA MINIGOLD
Minigold Forsythia

ZQ: G
ZC: 4

DESCRIPTION: H: 1,25 m   L: 0,90 m
Arbuste nain au port arrondi dont les branches portent de nombreuses ramilles florifères.
Feuilles petites, vert foncé, avec des nervures plus claires.
Petites fleurs jaune foncé, apparaissant avant les feuilles.
Fructification sans intérêt.
Racines fibreuses et nombreuses.
Croissance lente.

EXIGENCES: E: Une situation ensoleillée lui convient bien.
S: Peu exigeant, s'accommode de tous les sols.
H: Peu exigeant.
R: Assez bonne rusticité, doit être planté en situation abritée.
P: Transplantation facile.
T: Tailler immédiatement après la floraison.
D: Assez bonne disponibilité.

UTILISATIONS: Plante à floraison printanière utilisée en association dans les premiers rangs des massifs.

Forsythia mandchurica - (*Forsythia mandchurica* 'Vermont Sun')
FORSYTHIA DE MANDCHOURIE
Mandchurica Forsythia - Vermont Sun Forsythia

ZQ: A- / B- / C- / D- / E- / F- / G
ZC: 4

DESCRIPTION: H: 1,75 m   L: 1,50 m
Arbuste aux branches droites, donnant un port érigé.
Larges feuilles caduques, ovales, vert foncé.
Grandes fleurs jaune foncé apparaissant de 1 à 2 semaines avant les autres forsythias.
Fruits sans intérêts.
Racines fibreuses très nombreuses.
Croissance moyenne.

EXIGENCES: E: Demande le plein soleil.
S: Préfère les sols fertiles.
H: Pas d'exigence particulière.
R: Très bonne rusticité, c'est le forsythia le plus rustique.
P: Transplantation facile.
T: Tailler immédiatement après la floraison.
D: Trop rare malgré sa bonne rusticité.

UTILISATIONS: Intéressant par sa floraison et sa rusticité, on l'utilise dans les massifs.

Forsythia ovata 'Ottawa'

FORSYTHIA OTTAWA - Forsythia précoce Ottawa
Ottawa Early Forsythia

ZQ: F- / G
ZC: 4b

DESCRIPTION: H: 1,50 m   L: 2 m
Arbuste compact, au port arrondi, régulier. Branches dirigées en tous sens, plus ou moins retombantes. Rameaux brun jaunâtre.
Feuilles caduques, simples, plus ou moins arrondies, vert foncé.
Fleurs précoces en mars-avril, jaune brillant.
Fruits sans intérêt.
Racines fibreuses et nombreuses.
Croissance moyenne.

EXIGENCES: E: Le plein soleil lui est indispensable pour bien croître.
S: Préfère un terrain riche.
H: Pas d'exigence particulière.
R: Bonne rusticité, mais doit être planté en situation abritée.
P: Reprise de plantation excellente.
T: Tailler court après la floraison.
D: Bonne disponibilité.

UTILISATIONS: Ce forsythia est généralement utilisé en association dans les massifs, mais parfois aussi en isolé.

Forsythia ovata 'Tetragold'
FORSYTHIA TETRAGOLD -
Forsythia précoce Tertragold
Tetragold Early Forsythia

ZQ: F- / G
ZC: 4b

DESCRIPTION: H: 1 m   L: 1 m
Arbuste compact, au port élancé, dont les branches sont érigées. Rameaux brun jaunâtre.
Feuilles caduques, simples, plutôt arrondies, vert foncé.
Floraison précoce en mars-avril, sous forme de grandes fleurs brillantes, jaune foncé.
Fruits sans intérêt.
Racines fibreuses et nombreuses.
Croissance moyenne.

EXIGENCES: E: Doit absolument être planté au plein soleil.
S: Réclame un terrain riche.
H: Pas d'exigence particulière.
R: Bonne rusticité, mais doit être planté en situation abritée.
P: Bonne reprise de plantation.
T: Tailler court immédiatement après la floraison.
D: Bonne disponibilité.

UTILISATIONS: Généralement utilisé en association dans les massifs; il est aussi possible de l'utiliser en isolé.

Forsythia viridissima 'Bronxensis'
FORSYTHIA BRONXENSIS
Bronxensis Greenstem Forsythia - Bronx Forsythia

ZQ: G
ZC: 5b

DESCRIPTION: H: 0,60 m   L: 1,20 m
Arbuste bas, rampant, formant un petit monticule. Les branches arquées portent des rameaux verdâtres, quand ils sont jeunes.
Feuilles petites, ovales, vert foncé prenant une belle teinte violacée à l'automne.
Fleurs jaunes, très rares sous nos climats, tôt au printemps.
Pas de fructification observée.
Racines fines et nombreuses.
Croissance lente.

EXIGENCES: E: Demande le plein soleil.
S: Peu exigeant.
H: Peu exigeant.
R: Peu rustique, doit être planté dans un endroit très protégé si on désire obtenir des fleurs.
P: Plantation facile.
T: S'exécute au printemps, mais est peu utilisée.
D: Bonne disponibilité.

UTILISATIONS: Intéressant par sa forme; c'est une bonne plante utilisée comme couvre-sol ou en association dans les premiers rangs des massifs.

Forsythia x 'Arnold Dwarf'
FORSYTHIA ARNOLD DWARF
Arnold Dwarf Forsythia

ZQ: G
ZC: 5b

DESCRIPTION: H: 1 m   L: 2 m
Arbuste érigé, compact, aux rameaux jaune verdâtre quand ils sont jeunes.
Feuillage moyennement dense, fait de feuilles caduques, ovales, lancéolées, vertes.
Floraison plus ou moins abondante sur toute la longueur des rameaux. Les fleurs jaunes apparaissent en mars-avril.
Fruits sans intérêt.
Racines fibreuses et nombreuses.
Croissance lente.

EXIGENCES: E: Préfère le plein soleil.
S: Demande un sol léger, fertile, légèrement calcaire.
H: Peu exigeant.
R: Peu rustique, doit être planté en zone protégée. Résiste à la pollution.
P: Transplantation facile.
T: Tailler après floraison.
D: Assez bonne disponibilité.

UTILISATIONS: Utilisé principalement en association dans les massifs en premiers rangs. Intéressant par sa floraison.

210

Forsythia x 'Happy Centennial' C.O.P.F.
FORSYTHIA HAPPY CENTENNIAL
Happy Centennial Forsythia

ZQ: G
ZC: 4

DESCRIPTION: H: 0,40 m   L: 0,90 m
Arbuste nain, compact, aux nombreux rameaux partant directement du sol.
Feuilles caduques, petites, lancéolées, vert foncé.
Floraison abondante sur toute la longueur des rameaux.
Les fleurs d'un beau jaune clair apparaissent tôt au printemps.
Fruits sans intérêt.
Racines fibreuses et nombreuses.
Croissance lente.

EXIGENCES: E: Demande le plein soleil.
S: Peu exigeant, il préfère cependant un sol léger, et fertile.
H: Pas d'exigence particulière.
R: Bonne rusticité.
P: Transplantation facile.
T: Presque inutile. Si elle est pratiquée, elle se fait après la floraison.
D: Difficile à se procurer.

UTILISATIONS: Utilisé pour sa floraison, en association dans les premiers rangs des massifs. Peut aussi être utile comme couvre-sol.

Forsythia x 'Northen Gold' C.O.P.F.
FORSYTHIA NORTHEN GOLD
Northen Gold Forsythia

ZQ: F- / G
ZC: 4

DESCRIPTION: H: 2 m   L: 1 m
Arbuste érigé, au port ovale, assez dense.
Feuilles caduques, ovales, vertes.
Floraison très abondante, jaune doré, apparaissant en mars-avril.
Fruits sans intérêt.
Racines fibreuses et nombreuses.
Croissance moyenne.

EXIGENCES: E: Le plein soleil lui est indispensable.
S: Demande un sol léger, fertile et légèrement calcaire.
H: Peu exigeant, préfère les sols frais.
R: Bien rustique, convient aux plantations en zone froide.   —
P: Transplantation facile.
T: Tailler immédiatement après la floraison.
D: Bonne disponibilité.

UTILISATIONS: Utilisé en association dans les massifs pour sa très belle floraison.

Forsythia x 'Week End'
FORSYTHIA WEEK END
Week End Forsythia

ZQ: G
ZC: 5b

DESCRIPTION: H: 2 m   L: 1 m
Arbuste érigé, compact, aux branches très droites.
Feuillage moyennement dense, fait de feuilles cadu-
ques, ovales, lancéolées, vertes.
Grosses fleurs jaunes, nombreuses, apparaissant très tôt
au printemps. La floraison est très régulière.
Fruits sans intérêt.
Racines fibreuses et nombreuses.
Croissance rapide.

EXIGENCES: E: Préfère le plein soleil.
S: Préfère un sol léger et fertile.
H: Peu exigeant.
R: Peu rustique, doit absolument être planté en zone
protégée.
P: Bonne reprise de plantation.
T: Tailler immédiatement après floraison.
D: Assez bonne disponibilité.

UTILISATIONS: Utilisé principalement en association dans les massifs
pour sa floraison.

Fothergilla major - (*Fothergilla monticola*)
FOTHERGILLA MAJOR - Fothergilla robuste
Large Fothergilla

ZQ: F- / G
ZC: 5b (culture possible en 4b)

DESCRIPTION: H: 0,90 m   L: 0,80 m
Arbuste au port ovoïde; branches érigées, plus ou moins droites.
Feuilles caduques, simples, arrondies, aromatiques. Le feuillage vert dessus, glauque dessous prend une belle teinte jaune à l'automne.
Fleurs blanches, parfumées, réunies en épis dressés, apparaissant au printemps.
Fruits sous forme de capsules brunes sans grand intérêt.
Racines profondes, peu nombreuses.
Croissance lente.

EXIGENCES: E: Convient aux endroits semi-ombragés sous les arbres. Supporte difficilement le plein soleil.
S: Préfère un sol riche et acide. Craint le calcaire.
H: Les endroits frais et humides lui conviennent bien.
R: Plus ou moins rustique, le couvert des arbres lui est favorable.
P: Transplantation difficile.
T: Tailler après la floraison au printemps. Toutefois, la taille est presque inutile.
D: Plus ou moins disponible.

UTILISATIONS: Intéressante par sa floraison, son feuillage et sa structure hivernale; utilisée en association dans les massifs.

Gaultheria procumbens

THÉ DES BOIS - Gaulthérie
Gaultheria - Cheekberry - Aromatic Wintergreen - Creeping Wintergreen

ZQ: A / B / C / D / E / F / G
ZC: 2

DESCRIPTION: H: 0,10 m   L: 0,60 m
Petit arbuste rampant dont le bout des branches est dressé.
Feuillage persistant et aromatique aux feuilles ovales, vert clair lustré dessus, rougeâtres dessous.
Fleurs blanc rosé, pendantes, en mai et juin.
Fructification persistante sous forme de baies rouge écarlate en août.
Racines traçantes.
Croissance lente.

EXIGENCES: E: Préfère les endroits ombragés, mais peut supporter le plein soleil.
S: Requiert un sol acide. Ne supporte pas les sols calcaires.
H: Un sol toujours humide lui est indispensable pour bien croître.
R: Très bonne rusticité.
P: Prend du temps avant de s'implanter.
T: Inutile.
D: Bonne disponibilité.

UTILISATIONS: Très utile comme plante couvre-sol ou dans les rocailles, à l'ombre. C'est aussi une excellente plante pour les aménagements en terrains acides.

Genista lydia

GENISTA LYDIA - Genêt de Lydie
Genista lydia

ZQ: A- / B- / D- / E- / F- / G
ZC: 3b

DESCRIPTION: H: 0,40 m   L: 0,60 m
Petit arbuste prostré, au port lâche. Les rameaux, parfois épineux sont lisses, arqués, gris vert.
Feuilles semi-persistantes, petites, en forme de lance, bleu vert.
Très nombreuses petites fleurs jaune d'or, en mai-juin.
Fruits sous forme de gousses sans intérêt.
Racines fines et nombreuses.
Croissance lente.

EXIGENCES: E: Demande un endroit ensoleillé pour bien fleurir.
S: Peu exigeant, préfère toutefois les sols acides. S'adapte à tous les sols sableux.
H: Demande un sol perméable car il craint les excès d'humidité.
R: Bonne rusticité, surtout si cette plante est recouverte de neige.
P: Transplanter en contenant.
T: Taille légère après la floraison.
D: Bonne disponibilité.

UTILISATIONS: Intéressante par sa floraison, c'est une très bonne plante de rocaille.

Genista pilosa

GENÊT PILEUX - Genêt poilu
Silkyleaf Woodwaxen

ZQ: A- / B- / C- / D- / E- / F- / G
ZC: 4b

DESCRIPTION: H: 0,40 m   L: 0,60 m
Petit arbuste au port étalé, dont les rameaux raides et tortueux s'étalent sur le sol. Rameaux vert foncé.
Feuilles semi-persistantes, simples, réunies en faisceaux, vert foncé dessus, grisâtres dessous.
Fleurs jaunes, réunies en grappes, au printemps jusqu'au début de l'été.
Fruits sous forme de gousses linéaires.
Racines fines et nombreuses
Croissance lente.

EXIGENCES: E: Réclame le plein soleil.
S: Éviter les terres fertiles car il affectionne les sols légers et pauvres.
H: Demande un terrains plutôt sec.
R: Rustique. Planter de préférence en zone abritée.
P: Transplantation plutôt difficile. Planter en pot.
T: Peu utile.
D: Plus ou moins facile à se procurer.

UTILISATIONS: Plante intéressante pour sa forme et sa floraison; c'est une bonne plante de rocaille ou de talus que l'on peut utiliser comme couvre-sol dans les endroits secs et pauvres.

Genista pilosa 'Vancouver Gold'
GENÊT VANCOUVER GOLD
Vancouver Gold Silkyleaf Woodwaxen

ZQ: A- / B- / C- / D- / E- / F- / G
ZC: 4b

DESCRIPTION: H: 0,10 m L: 0,60 m
Petit arbuste au port étalé, dont les rameaux, gris vert, s'étalent sur le sol.
Feuilles semi-persistantes, simples, petites, réunies en faisceaux, vert foncé dessus, grisâtres dessous.
Fleurs jaune d'or vif, réunies en grappes, au printemps jusqu'au début de l'été.
Fruits sous forme de gousses linéaires.
Racines fines et nombreuses.
Croissance lente.

EXIGENCES: E: Demande le plein soleil.
S: Affectionne les sol légers et pauvres.
H: Préfère un terrain plutôt sec.
R: Rustique. Planter de préférence en zone abritée.
P: Transplantation plutôt difficile. Planter en pot.
T: Peu utile.
D: Facile à se procurer.

UTILISATIONS: Excellente plante couvre-sol, intéressante par sa forme et sa floraison. C'est une bonne plante de rocaille ou de talus que l'on peut utiliser dans les endroits secs et pauvres.

Genista tinctoria

GENÊT DES TEINTURIERS
Dyer's Greenwood - Common Woodwaxen

ZQ: A- / B- / C / D- / E- / F / G
ZC: 3

DESCRIPTION: H: 0,60 m   L: 0,80 m
Arbuste au port arrondi dont les branches vertes sont érigées.
Feuilles caduques, en forme de lance, vert clair, pointues au bout.
Fleurs jaunes en juin. Quelques fleurs apparaissent par la suite durant la saison.
Fruits sans intérêt.
Racines légèrement traçantes.
Croissance moyenne.

EXIGENCES: E: Demande une situation ensoleillée, voire chaude.
S: Préfère les sols pauvres au pH légèrement acide.
H: Convient aux terrains secs, car il ne craint pas la sécheresse.
R: Bonne rusticité.
P: Transplantation facile.
T: Tailler en juin, après la floraison.
D: Assez bonne disponibilité.

UTILISATIONS: Recherché pour sa forme et sa floraison; on l'utilise dans les petits jardins, les rocailles et dans tous les endroits ou le sol est sec et pauvre.

Genista tinctoria 'Plena'
GENÊT DES TEINTURIERS À FLEURS DOUBLES
Double Flower Dyer's Greenwood

ZQ: A- / B- / C / D- / E- / F- / G
ZC: 3

DESCRIPTION: H: 0,60 m   L: 0,60 m
Arbuste au port semi-prostré dont les branches vertes courent sur le sol.
Feuilles caduques, en forme de lance, vert clair, pointues au bout.
Fleurs doubles, jaunes, légèrement orangées, en juin. Quelques fleurs apparaissent par la suite durant la saison.
Fruits sans intérêt.
Racines traçantes.
Croissance lente.

EXIGENCES: D: Assez bonne.

UTILISATIONS: De par sa forme et sa floraison, c'est une excellente plante de rocaille pour les endroits secs et pauvres.

Genista tinctoria 'Royal Gold'
GENÊT DES TEINTURIERS ROYAL GOLD
Royal Gold Dyer's Greenwood

ZQ: A- / B- / C / D- / E- / F / G
ZC: 3

DESCRIPTION: H: 1 m   L: 1 m
Arbuste compact de forme arrondie. Les branches érigées retombent légèrement sur les côtés.
Feuilles caduques, linéaires, vert clair.
Fleurs jaune d'or en grappes érigées, en juin. Floraison très abondante.
Croissance moyenne.

EXIGENCES: D: Bonne.

UTILISATIONS: Plante de rocaille, utilisée aussi en association dans les premiers rangs des massifs. Surtout intéressant pour sa forme et sa floraison.

Halesia carolina

ARBRE AUX CLOCHES D'ARGENT
Carolina Silverbell

ZQ: G
ZC: 5b

DESCRIPTION: H: 4 m   L: 6 m
Gros arbuste à tête large, arrondie, plate sur le dessus. Les branches dressées, dont quelques-unes sont pendantes, ont une écorce qui s'exfolie en petites écailles. Feuilles caduques, simples, elliptiques, pointues au bout, rondes à la base. Jeunes pousses tomenteuses donnant un feuillage vert foncé et glabre qui devient jaune à l'automne.
Fleurs blanches, sous forme de cloches pendantes parfois légèrement roses. Les fleurs apparaissent sur le vieux bois, avant les feuilles, d'avril à mai.
Fruit en drupes brunes, sous forme de poires.
Racines épaisses s'enfonçant sur les côtés.

EXIGENCES: E: Croît au plein soleil, mais aussi à la mi-ombre.
S: Un sol riche, acide, bien pourvu en matières organiques lui convient. Éviter les sols calcaires.
H: Demande un sol bien drainé mais frais.
R: Faiblement rustique.
P: Transplantation assez facile.
T: Se taille peu, après la floraison.
D: Plutôt rare.

UTILISATIONS: Sa floraison particulière en fait une plante intéressante à associer avec des conifères ou avec d'autres plantes de sol acide.

Hamamelis mollis

HAMAMELIS MOLLIS - Hamamélis velouté
Chinese Witchhazel

ZQ: F- / G
ZC: 5b

DESCRIPTION: H: 2 m   L: 2 m

Arbuste au port ovale dont les branches principales sont érigées, mais les branches secondaires étalées. Les jeunes rameaux sont couverts de duvet.
Feuilles arrondies, simples, au bout courtement pointues et base en forme de coeur. Feuillage vert moyen en été jaune à jaune orangé en l'automne.
Fleurs aux pétales étroits et linéaires, jaunes et brun rougeâtre, odorantes, en mars-avril, avant les feuilles.
Fruits sans intérêt.
Racines latérales peu nombreuses et profondes.
Croissance lente à moyenne.

EXIGENCES:
E: Demande le plein soleil, mais supporte une ombre légère.
S: Préfère un sol riche, organique et acide.
H: Une terre toujours fraîche mais bien drainée.
R: Peu rustique.
P: Transplanter en motte ou en pot car la reprise est difficile.
T: Tailler au printemps après la floraison.
D: Assez peu disponible.

UTILISATIONS: Plante intéressante par sa floraison et son feuillage automnal; planter en isolé ou en association dans les massifs.

Hamamelis virginiana
HAMAMÉLIS DE VIRGINIE
Common Witchhazel

ZQ: F / G
ZC: 4b

DESCRIPTION: H: 2 m   L: 3 m
Arbuste buissonnant aux rameaux érigés et à écorce grise.
Feuilles obovales, vertes, prenant une belle teinte jaune à l'automne.
Floraison apparaissant en septembre-octobre, après la chute des feuilles. Les fleurs, odorantes, sont formées de pétales ressemblant à des lanières tordues, jaunâtres, qui brunissent par la suite.
Fruits sans intérêt.
Racines latérales peu nombreuses et profondes.
Croissance moyenne.

EXIGENCES: E: Plante de plein soleil, elle supporte assez bien une ombre légère.
S: Demande un sol riche, sain, humifère et acide.
H: Demande une terre toujours fraîche mais bien drainée.
R: Bonne rusticité. Supporte la pollution.
P: Transplanter en motte ou en pot car la reprise est difficile.
T: Tailler légèrement après la floraison.
D: Plutôt rare.

UTILISATIONS: Arbuste à planter près d'une fenêtre, pour pouvoir profiter pleinement de sa floraison. On l'utilise généralement en association dans les massifs.

Hedera helix 'Baltica'
LIERRE ARBUSTIF BALTICA
Baltica Ivy

ZQ: G
ZC: 5b

DESCRIPTION: H: 0,20 m   L: 2 m
Plantes aux tiges rampantes, s'enracinant au contact du sol.
Feuilles persistantes, petites, angulaires, à 3 ou 5 lobes, vert foncé lustré. Les nervures sont très apparantes.
Fleurs sans intérêt.
Fruits noirs.
Croissance moyenne.

EXIGENCES: E: S'accommode aussi bien de l'ombre que du soleil.
S: Peu exigeant. S'adapte aux sols aussi bien acides que calcaires.
H: Supporte les endroits secs aussi bien que ceux très humides.
R: À cause de sa faible rusticité, il s'implante lentement. Résiste à la pollution.
P: Plantation en pot.
T: Inutile.
D: Assez bonne disponibilité.

UTILISATIONS: C'est un excellent couvre-sol à feuilles persistantes. Très utile pour sa capacité d'adaptation aux conditions les plus difficiles.

Hedera helix 'Bulgaria'
LIERRE ARBUSTIF BULGARIA
Bulgaria Ivy

ZQ: F- / G
ZC: 4

DESCRIPTION: H: 0,20 m   L: 2 m
Plante rampante dont les tiges s'enracinent au contact du sol.
Feuilles persistantes, petites, brillantes, angulaires, à 3 ou 5 lobes, vert foncé lustré aux nervures apparentes.
Fleurs sans intérêt.
Fruits noirs.
Croissance moyenne à rapide.

EXIGENCES: E: S'acommode aussi bien du soleil que de l'ombre.
S: S'adapte à tous les sols qu'ils soient riches ou pauvres, acides ou calcaires.
H: Supporte aussi bien les endroits secs que ceux très humides.
R: C'est le lierre le plus rustique. Résiste à la pollution.
P: Plantation en pot.
T: Inutile.
D: Bonne disponibilité.

UTILISATIONS: Plante couvre-sol au feuillage persistant convenant aux endroits les plus variés dans les régions froides.

Hibiscus syriacus 'Oiseau Bleu' - (*Hibiscus syriacus* 'Blue Bird')
MAUVE EN ARBRE BLUE BIRD - Ketmie de Syrie
Blue Bird
Rose of Sharon - Shrub Althea

ZQ: G
ZC: 5b

DESCRIPTION: H: 2 m   L: 2 m
Arbuste érigé en forme de pyramide renversée, aux branches très droites. Les rameaux sont gris quand ils sont jeunes.
Feuilles simples, palmées, à 3 lobes, grossièrement dentées. Feuillage vert moyen.
Grandes fleurs solitaires en forme de roses bleu clair, en été.
Fruits en capsules, persistant en hiver.
Racines moyennement nombreuses.
Croissance moyenne.

EXIGENCES: E: Réclame une situation ensoleillée.
S: Peu exigeant, tolère le calcaire.
H: Éviter les excès d'eau ou les endroits trop secs. Préfère une situation fraîche.
R: Peu rustique, doit être absolument planté en zone protégée.
P: Transplantation assez facile.
T: Tailler vigoureusement, tôt au printemps.
D: Bonne disponibilité.

UTILISATIONS: Plante intéressante par sa floraison, on l'utilise en association dans les massifs.

Hippophae rhamnoides

ARGOUSIER FAUX-NERPRUN - Saule épineux
Common Seabuckthorn

ZQ: A / B / C / D / E / F / G
ZC: 3

DESCRIPTION: H: 3 m L: 3 m

Gros arbuste large, plutôt drageonnant; plants mâles à port dressé, et branches plus retombantes chez plants femelles. Rameaux tortueux, épineux, lisses, luisants et brun rougeâtre. Jeunes rameaux denses, gris argenté.
Pour obtenir une fructification, qui est le principal intérêt de cette plante, il faut planter des plantes des deux sexes.
Feuilles caduques, en forme de lances étroites, donnant un feuillage fin et dense, vert sombre grisâtre dessus, argenté et ponctué de taches roussâtres dessous.
Fleurs jaune verdâtre, hâtives.
Fruits ronds en forme de baies jaune orangé très nombreuses, en septembre.
Racines traçantes.
Croissance moyenne.

EXIGENCES: E: Préfère le plein soleil.
S: Demande un sol pauvre; les sols trop riches ralentissent sa croissance. Préfère les sols calcaires.
H: Affectionne les endroits secs.
R: Très rustique; supporte les bords de mer ainsi que le bord des routes car elle résiste aux sels.
P: Assez bonne reprise de plantation.
T: Supporte bien la taille qui n'intervient que pour en contrôler le développement.
D: Très bonne disponibilité.

UTILISATIONS: Plante intéressante par la couleur de son feuillage et sa fructification. À utiliser là où le sol est pauvre, voire sa-bleux; retient très bien les talus et peut former des haies. À planter aussi en association ou en isolé.

Holodiscus discolor ariaefolius - (*Spiraea discolor*)
HOLODISCUS DISCOLORE
Ocean spray

ZQ: G
ZC: 5

DESCRIPTION: H: 1 m   L: 1 m
Arbuste au port arrondi, aux branches érigées puis retombantes, drageonnant facilement.
Feuilles caduques, composées, aux folioles ovales profondément dentées, gris vert dessus, gris blanc dessous.
Nombreuses petites fleurs, réunies en panicules légers, blanc crème, au milieu de l'été.
Fruits sans intérêt.
Racines traçantes, drageonnantes.
Croissance moyenne.

EXIGENCES: E: Préfère une ombre légère mais supporte aussi bien le plein soleil que l'ombre.
S: Peu exigeant.
H: Demande un sol frais.
R: Peu rustique, doit être planté en situation protégée. Cette plante met un à deux ans pour bien s'implanter, après quoi elle offre une croissance très intéressante.
P: Assez bonne.
T: Supporte la taille qui se fait tôt au printemps.
D: Rare.

UTILISATIONS: Cette très belle plante, à planter en association dans les massifs, est intéressante par la forme et l'époque de sa floraison.

Hydrangea arborescens

HYDRANGÉE EN ARBRE - Hortensia de Virginie - Hortensia arborescent
Smooth Hydrangea

ZQ   A / B / C / D / E / F / G
ZC: 3

DESCRIPTION: H: 1,20 m   L: 1,20 m
Arbuste buissonnant et drageonnant, aux branches gris brun partant de la base et portant une écorce qui s'exfolie avec l'âge.
Feuilles simples, elliptiques, larges, en forme de coeur à la base, vert foncé dessus et légèrement grisâtres dessous.
Fleurs fertiles, blanches, réunies en corymbes, de juillet à septembre.
Fruits en capsules, persistant longtemps.
Racines fibreuse et nombreuses.
Croissance rapide.

EXIGENCES: E: Peut croître au plein soleil, mais préfère la mi-ombre ou l'ombre.
S: Demande un sol léger, fertile, humifère et légèrement acide.
H: Préfère les endroits frais et bien drainés car il craint la sécheresse et les excès d'humidité.
R: Très rustique.
P: De transplantation facile.
T: Tailler tôt au printemps plutôt qu'à l'automne, comme on le conseille souvent, pour bénéficier des fleurs séchées durant l'hiver.
D: Disponible dans tous les centres de jardin.

UTILISATIONS: Plante intéressant par sa floraison, on l'utilise surtout en association dans les massifs.

Hydrangea arborescens 'Annabelle'
HYDRANGÉE ANNABELLE -
Hydrangée boule de neige
Annabelle Smooth Hydrangea

DESCRIPTION: H: 1,20 m   L: 1,20 m
Arbuste buissonnant au port arrondi dont les branches
érigées retombent sur les côtés.
Feuilles simples, elliptiques, larges, en forme de coeur
à la base, vert foncé dessus et recouvertes de poils des-
sous.
Grosses fleurs stériles, blanches, réunies en corymbes,
de juin-juillet jusqu'à l'automne. Les fleurs séchées
persistent en hiver et sont alors très décoratives.
Pas de fruits.
Racines fibreuse en grand nombre.
Croissance rapide.

EXIGENCES: D: Disponible dans tous les centres de jardin.

UTILISATIONS: Intéressante par sa floraison, on utilise cette plante en
isolé, en association dans les massifs ou dans les très
grandes rocailles.

Hydrangea arborescens 'Grandiflora'
HYDRANGÉE EN ARBRE À GRANDES FLEURS
Snow Hill Hydrangea

DESCRIPTION: H: 1,20 m   L: 1 m
Arbuste arrondi au port dressé. Rameaux glabres chez les jeunes sujets.
Feuilles caduques simples, elliptiques, larges, vert foncé, grisâtre dessous.
Fleurs fertiles, blanches, réunies en corymbes de forme irrégulière, de juillet à septembre.
Pas de fructification.
Racines fibreuse et nombreuses.
Croissance rapide.

EXIGENCES: D: Assez bonne disponibilité..

UTILISATIONS: Plante que l'on utilise surtout en association dans les massifs, elle est intéressante par sa floraison.

Hydrangea macrophylla 'All Summer Beauty' &
Hydrangea macrophylla 'Bouquet Rose'
      HORTENSIA D'INTÉRIEUR
      Bigleaf Hydrangea

   ZQ: G
   ZC: 5b

DESCRIPTION: H: 0,80 m L: 0,80 m
      Arbuste de forme arrondie, irrégulière. Branches partant du sol, dressées.
      Feuilles caduques, simples, elliptiques, courtement pointues. Feuillage vert moyen, brillant.
      Fleurs, réunies en corymbes, s'épanouissant en juillet-août. Chez Hydrangea macrophylla 'All Summer Beauty' les fleurs sont bleu foncé en sol acide, mais rose bleuté dans un sol plus neutre. Chez Hydrangea macrophylla 'Bouquet Rose' les fleurs sont rose clair. Pas de fructification.
      Racines nombreuses et fibreuses.
      Croissance lente.

EXIGENCES: E: Supporte le plein soleil, mais préfère une ombre partielle.
      S: Demande un sol acide, soit un pH de 5,0 à 5,5.
      H: Préfère un sol frais et bien drainé.
      R: Peu rustique, doit être protégé par un couvert de feuille en hiver. Les températures hivernales peuvent compromettre la floraison.
      P: Transplanter absolument en pot.
      T: Supprimer les fleurs immédiatement après la floraison. Au printemps, pratiquer une taille de nettoyage.
      D: Plus ou moins facile à se procurer.

UTILISATIONS: Excellente plante de sol acide, on l'associe souvent avec des rhododendrons, des azalées ou des bruyères.

'All Summer Beauty'   'Bouquet Rose'

Hydrangea macrophylla 'Nikko Blue'
HORTENSIA NIKKO BLUE
Nikko Blue Hydrangea

ZQ: G
ZC: 5b

DESCRIPTION: H: 0,90 m   L: 0,80 m
Arbuste de forme arrondie, aux branches dressées, nombreuses.
Feuilles assez grandes, épaisses, largement ovales, vert brillant lustré sur la face supérieure.
Fleurs bleues, réunies en corymbes sous forme de boules, en juillet-août. Pour fleurir bleu, cette plante doit bénéficier d'un sol acide, sinon la floraison est rose bleuté.
Pas de fructification.
Racines nombreuses.
Croissance moyenne à lente.

EXIGENCES: E: Plante de situations ombragées, elle supporte les endroits ensoleillés.
S: Demande un sol acide.
H: Préfère les endroits humides.
R: De faible rusticité, cette plante doit être protégée en hiver.
P: Transplantation en pot requise.
T: Tailler après la floraison. Taille de nettoyage au printemps.
D: Bonne disponibilité.

UTILISATIONS: Plante de sol acide, utilisée pour sa floraison en association avec des plantes requérant le même type de sol.

Hydrangea paniculata 'Floribunda'
HYDRANGÉE PANICULÉE FLORIBUNDA
Panicle Hydrangea

ZQ: A- / B- / C / D / E / F / G
ZC: 3b

DESCRIPTION: H: 2 m   L: 1,25 m
Arbuste au port érigé, portant quelques branches légèrement pendantes avec l'âge. Branches peu nombreuses portant des rameaux fins, rougeâtres et couverts de poils lorsqu'ils sont jeunes.
Feuilles ovales, pointues au bout, arrondies à la base et dentées. Feuillage vert foncé dessus, recouvert d'un léger duvet dessous.
Fleurs stériles, nombreuses, réunies en pyramides, blanches, virant au rose par la suite. Après la floraison en juillet-août, les fleurs séchées persistent sur la plante. Elles peuvent y être laisser comme décoration.
Racines fibreuses plus ou moins nombreuses.
Croissance rapide à moyenne.

EXIGENCES: E: Pousse aussi bien au plein soleil qu'à l'ombre légère.
S: Préfère un sol plutôt riche.
H: Un terrain frais et bien drainé lui est favorable.
R: Très rustique.
P: Transplantation assez facile en pot.
T: Tailler tôt au printemps.
D: Assez disponible.

UTILISATIONS: Intéressante par sa floraison, on la plante principalement en association dans les massifs.

Hydrangea paniculata 'Grandiflora'
HYDRANGÉE PEE GEE - Hydrangée P.G.
Hydrangée paniculée à grandes fleurs
Pee Gee Hydrangea

ZQ: A- / B- / C / D / E / F / G
ZC: 3b

DESCRIPTION: H: 3 m   L: 1,5 m
Arbuste vigoureux de forme arrondie. Tiges brunes dressées puis retombantes sous le poids des fleurs. Feuillage dense, fait de feuilles ovales, pointues, d'un beau vert.
Floraison en grandes panicules composées de fleurs stériles. Les fleurs, blanc verdâtre au début deviennent blanches puis roses et enfin rose foncé à l'épanouissement. Ces fleurs apparaissent en août et persistent jusqu'aux gelées et même après.
Racines fibreuses plus ou moins nombreuses.
Croissance rapide.

EXIGENCES: E: Demande une exposition ensoleillée, mais supporte bien la mi-ombre.
S: Préfère un sol léger, fertile, légèrement acide.
H: Demande un sol toujours bien humide.
R: Bonne rusticité.
P: Transplantation plus ou moins facile.
T: Tailler court chaque printemps pour fortifier l'arbuste et obtenir une belle floraison.
D: Très bonne disponibilité.

UTILISATIONS: Cette plante peut être utilisée en association dans les massifs, ou encore en isolé. Intéressante par sa floraison tardive.

236

Hydrangea paniculata 'Kyushu'
HYDRANGÉE KYUSHU
Kyushu Hydrangea

ZQ: A- / B- / C / D / E / F / G
ZC: 3b

DESCRIPTION: H: 2 m L: 1,25 m
Arbuste de forme arrondie dont les tiges sont fortes.
Feuilles ovales, pointues, d'un beau vert.
Floraison en longues panicules blanc crème. Les inflo-
rescences, très nombreuses, apparaissent en août et per-
sistent jusqu'aux gelées et même après.
Racines fibreuses plus ou moins nombreuses.
Croissance rapide.

EXIGENCES: D: Bonne disponibilité.

UTILISATIONS: Cette plante peut être utilisée en association dans les
massifs ou encore en isolé. Intéressante par sa magnifique floraison.

Hydrangea paniculata 'Unique'
HYDRANGÉE UNIQUE
Unique Hydrangea

ZQ: A- / B- / C / D / E / F / G
ZC: 3b

DESCRIPTION: H: 2 m   L: 1,25 m
Arbuste au port arrondi, très branchu.
Feuilles ovales, pointues, d'un beau vert.
Floraison en longues et larges panicules blanches devenant rose tendre à l'épanouissement. Floraison en août et persistant jusqu'aux gelées.
Racines fibreuses plus ou moins nombreuses.
Croissance rapide.

EXIGENCES: D: Bonne disponibilité.

UTILISATIONS: Plante intéressante par sa magnifique floraison, elle peut être utilisée en association dans les massifs ou en isolé.

Hydrangea quercifolia
HYDRANGÉE À FEUILLES DE CHÊNE
Oakleaf Hydrangea

ZQ: G
ZC: 5b

DESCRIPTION: H: 1,25 m   L: 0,90 m
Arbuste au port arrondi et irrégulier. Les branches partant de la base portent de jeunes rameaux recouverts de duvet rougeâtre au début de la saison.
Grandes feuilles ovales, découpées en 3 à 5 lobes, ressemblant à des feuilles de chênes. Ces feuilles, vert mat dessus, sont légèrement brillantes et grisâtres dessous. À l'automne, elles prennent une belle teinte rouge, brun-orange et pourpre.
Fleurs blanches légèrement parfumées, réunies en panicules pyramidales dressées, virant au pourpre par la suite. La floraison s'étale de juillet à septembre; mais, elle est souvent compromise par les hivers rigoureux.
Racines nombreuses, drageonnantes.
Croissance lente.

EXIGENCES: E: Croît aussi bien au plein soleil qu'à la mi-ombre.
S: Demande un sol riche.
H: Préfère les sol frais et bien drainés.
R: Peu rustique, il doit être planté en situation abritée, et un bon couvert de neige lui est favorable.
P: Transplantation facile.
T: Tailler immédiatement après la floraison
D: Assez peu disponible.

UTILISATIONS: Grâce à son feuillage cette plante mérite d'être utilisée en isolé. Plante pour les amateurs avertis. Peut aussi être utile en association.

Hydrangea serrata 'Preziosa'
HYDRANGÉE PREZIOSA
Preziosa Hydrangea

ZQ: G
ZC: 5

DESCRIPTION:
H: 1 m   L: 0,70 m
Arbuste au port érigé, diffus, irrégulier, plat sur le dessus. Branches rouge brun.
Feuilles étroites, en forme de lance, finement dentées. Le feuillage, vert clair prend une légère teinte pourpre rougeâtre au moment de la floraison.
Fleurs regroupées en corymbes plats avec quelques fleurs stériles, d'abord roses et rouges par la suite. Floraison en juin-juillet.
Fruits sans intérêt.
Racines nombreuses.
Croissance lente.

EXIGENCES:
E: Préfère une exposition à la mi-ombre.
S: Exige un sol acide pour bien croître.
H: Demande un sol bien drainé.
R: Peu rustique, cette plante doit être installée en situation abritée.
P: Transplantation facile.
T: Taille de nettoyage au printemps; après la floraison, tailler les fleurs fanées.
D: Plus ou moins disponible.

UTILISATIONS:
Plante à utiliser en isolé ou en association dans les massifs. S'associe bien aux autres plantes de sol acide.

Hypericum frondosum - *(Hypericum aurem)*
HYPERICUM FRONDOSUM
Golden St. Johnswort

ZQ: A- / B- / C- / D- / E- / F- / G
ZC: 4b

DESCRIPTION: H: 1 m   L: 1 m
Arbuste au port arrondi, irrégulier et dense. Branches dressées dont l'écorce s'exfolie avec l'âge.
Feuilles caduques, oblongues, aux bords ondulés, vert bleuâtre dessus et glauques dessous.
Fleurs solitaires, jaune orange vif aux étamines apparentes et décoratives. Floraison en juillet-août.
Fruits bruns, en septembre-octobre.
Racines superficielles.
Croissance lente.

EXIGENCES: E: Demande le plein soleil.
S: Préfère les sols rocailleux et supporte le calcaire.
H: Un sol sec lui convient mieux qu'un sol humide.
R: Peu rustique, un couvert de neige lui est préférable.
P: Se transplante facilement.
T: Tailler tôt au printemps, avant l'apparition des feuilles.
D: Assez bonne disponibilité.

UTILISATIONS: Plante intéressante par sa floraison, utilisée surtout en premier rang des massifs, en groupe ou en association.

Hypericum frondosum 'Sunburst'
HYPERICUM SUNBURST
Sunburst Golden St. Johnswort

ZQ: A- / B- / C- / D- / E- / F- / G
ZC: 4b

DESCRIPTION: H: 0,80 m   L: 0,80 m
Petit arbuste au port étalé et de forme arrondie. Branches plus ou moins dressées dont l'écorce s'exfolie avec l'âge.
Feuilles caduques, oblongues, aux bords ondulés, vert bleuâtre dessus et glauques dessous.
Grandes fleurs solitaires, jaune vif aux étamines apparentes et décoratives, en juillet-août.
Fruits bruns, en septembre-octobre.
Racines superficielles.
Croissance lente.

EXIGENCES: E: Réclame le plein soleil.
S: Demande un sol rocailleux et supporte le calcaire.
H: Un sol sec lui convient parfaitement.
R: Peu rustique, un couvert de neige lui est préférable.
P: Se transplante facilement.
T: La taille se fait tôt au printemps, avant l'apparition des feuilles.
D: Assez bonne disponibilité.

UTILISATIONS: Plante intéressante par sa floraison estivale; on l'utilise surtout en premier rang des massifs, en groupe, en association., ou encore en isolé.

Hypericum kalmianum
MILLEPERTUIS DE KALM
Kalm's St. Jhonswort

ZQ: B / C / D / E / F / G
ZC: 4

DESCRIPTION: H: 0,90 m   L: 0,90 m
Petit arbuste buissonnant, arrondi en forme de monticule. Branches érigées dont l'écorce de la base finit par s'exfolier.
Feuilles caduques, linéaires, pourvues de glandes translucides à la base. Feuillage vert sur le dessus et bleu argent dessous.
Floraison abondante sous forme de grappes aux fleurs jaune vif dont les étamines sont apparentes. Les fleurs éclosent en juillet.
Fruits en forme de capsules qui attirent les oiseaux.
Racines souples et traçantes.
Croissance lente.

EXIGENCES: E: Plante de plein soleil, elle supporte une ombre légère.
S: Préfère un sol léger et chaud mais s'adapte aux sols pauvres.
H: Ne craint pas la sécheresse mais plutôt l'humidité.
R: Bonne rusticité.
P: Transplantation facile.
T: À la fin de l'hiver, tailler les branches de moitié ou si c'est nécessaire, pratiquer un rabattage.
D: Bonne disponibilité.

UTILISATIONS: Bonne plante pour les massifs ou en isolé ou dans les rocailles. Elle est intéressante par sa floraison. Convient aussi à la naturalisation.

Hypericum prolificum

HYPERICUM PROLIFICUM
Shrubby St. Johnswort

ZQ: A- / B- / C- / D- / E- / F- / G
ZC: 4

DESCRIPTION: H: 0,90 m L: 0,90 m
Arbuste bas, dense, de forme arrondie, formant un monticule. Branches érigées, brunes, dont l'écorce s'exfolie avec l'âge.
Feuilles caduques, simples, oblongues, vert foncé lustré dessus, gris bleu dessous.
Grandes fleurs solitaires, jaune brillant, en juillet-août.
Fruits, sous forme de capsules séchées, persistant tout l'hiver et attirant les oiseaux.
Racines superficielles.
Croissance lente.

EXIGENCES: E: Demande le plein soleil pour bien croître.
S: Préfère les sols rocailleux et supporte un terrain légèrement calcaire.
H: Peu exigeant, il s'accommode d'un sol légèrement humide.
R: Bonne rusticité.
P: De transplantation facile.
T: Tailler tôt au printemps.
D: Bonne disponibilité.

UTILISATIONS: Plante à floraison estivale, à utiliser en groupe, en masse ou en association.

Ilex glabra 'Compacta'

HOUX GLABRE COMPACT
Compact Inkberry - Compact Winterberry

ZQ: G
ZC: 5b

DESCRIPTION: H: 1 m   L: 1 m
Petit arbuste bas, compact aux branches courtes.
Feuilles persistantes, ovales, étroites, entières, plutôt petite, vert foncé lustré.
Fruits, sous forme de baies noires, obtenus à la condition de planter des plants mâles et des plants femelles.
Racines fines et traçantes.
Croissance très lente.

EXIGENCES: E: Demande le plein soleil, mais supporte une ombre partielle.
S: Un sol léger, plutôt acide lui convient. Éviter les sols calcaires.
H: Un terrain frais et bien drainé favorise la croissance.
R: Peu rustique.
P: De transplantation facile.
T: Inutile.
D: Plus ou moins bonne disponibilité.

UTILISATIONS: Plante intéressante par sa forme et sa fructification; on l'utilise en groupe ou en association dans les massifs.

Ilex x *meserveae* 'Blue Prince'
HOUX HYBRIDE BLUE PRINCE
Blue Prince Holly

ZQ: E- / F / G
ZC: 4b

DESCRIPTION: H: 1,20 m   L: 0,40 m
Petit arbuste érigé, peu rameux, en forme de pyramide.
Les tiges sont bleu pourpre, d'où le nom du cultivar.
Feuilles vert foncé, persistantes, tronquées, piquantes et
brillantes avec des reflets bleus.   En hiver, le feuillage
devient bronzé.
Fleurs mâles plutôt petites et peu décoratives, pendant
une bonne partie de l'été.
Racines peu nombreuses.
Croissance moyenne.

EXIGENCES: E: Supporte le plein soleil mais préfère une ombre lé-
gère.
S: Requiert un sol riche, légèrement acide.
H: Préfère un sol toujours humide, mais sans excès.
R: Peu rustique, cette plante doit être plantée dans un
endroit protégé. De plus, elle nécessite une bonne
protection hivernale.
P: Transplanter en pot.
T: Très rarement utilisée.
D: Bonne disponibilité.

UTILISATIONS: Surtout dans les rocailles et en association dans les
massifs. Plante intéressante par son feuillage persistant.
Indispensable pour obtenir des fruits sur les sujets femelles.

Ilex x *meservaea* 'Blue Princess'
HOUX HYBRIDE BLUE PRINCESS
Blue Princess Holly

ZQ: E- / F / G
ZC: 4b

DESCRIPTION: H: 1,00 m   L: 0,60 m
Petit arbuste compact, très rameux, au port pyramidal.
Tiges bleu pourpre.
Feuilles persistantes, vert foncé, brillantes avec des reflets bleus. De forme tronquées, elles sont légèrement piquantes. Feuillage bronzé en hiver.
Fleurs femelles nombreuses, suivies de baies rouge clair, très décoratives qui persistent jusqu'en janvier. L'arbuste femelle doit être planté près d'un sujet mâle pour produire des fruits.
Racines peu nombreuses.
Croissance moyenne.

EXIGENCES: E: Supporte le plein soleil, mais préfère une ombre légère.
S: Requiert un sol riche, légèrement acide.
H: Préfère un sol toujours humide, mais sans excès.
R: Peu rustique, nécessite un endroit protégé, ainsi qu'une bonne protection hivernale.
P: Planter en pot.
T: Très rarement utilisée.
D: Bonne disponibilité.

UTILISATIONS: Surtout dans les rocailles et en association dans les massifs. Plante intéressante par son feuillage persistant.

Ilex serrata

HOUX DENTELÉ
Finetooth Holly

ZQ: G
ZC: 5

DESCRIPTION: H: 1,75 m   L: 1,75 m
Arbuste au port d'abord érigé, devenant plus large avec l'âge.
Feuilles simples, elliptiques, pointues au bout. Feuillage vert dessus, recouvert de poils dessous.
Floraison jaune sans grand intérêt décoratif.
Fruits apparaissant tôt, sous forme de petites baies rouges, non brillantes, en grande abondance. Après la chute des feuilles, les fruits sont très décoratifs.
Racines fines et traçantes.
Croissance lente à moyenne.

EXIGENCES: E: Convient aussi bien au plein soleil qu'à la mi-ombre.
S: Peu exigeant, il préfère cependant un sol plutôt acide et humifère.
H: Demande un terrain humide comme le bord des pièces d'eau.
R: Peu rustique, à planter en situation abritée.
P: Transplantation plus ou moins facile.
T: Peu utile.
D: Disponibilité moyenne.

UTILISATIONS: Cette plante convient aux endroits situés au bord de l'eau. Surtout décorative par ses fruits, on l'utilise principalement en association.

Ilex x 'Sparkleberry'

HOUX SPARKLEBERRY
Sparkleberry Holly

ZQ: G
ZC: 5

DESCRIPTION: H: 3 m   L: 3 m

Grand arbuste aux tiges multiples. C'est une plante femelle.

Feuilles simples, elliptiques, pointues au bout. Le feuillage vert dessus, recouvert de poils dessous a de jeunes pousses rougeâtres.

Fleurs jaunes.

Fruits rouge brillant en abondance et persistant longuement sur les branches en hiver.

EXIGENCES: E: Croît aussi bien au plein soleil qu'à la mi-ombre.

S: Un sol acide et humifère est indispensable si on veut éviter les chloroses.

H: Demande un terrain humide, mais peut résister à la sécheresse.

R: Bonne rusticité, mais demande une situation abritée.

P: Transplantation en pot ou en motte.

T: Peu utile.

D: Disponibilité moyenne.

UTILISATIONS: Cette plante présente un grand intérêt par sa fructification. On l'utilise en association dans les massifs.

Ilex verticillata

HOUX VERTICILLÉ
Winter Beauty - Common Winter berry -
Michigan Holly

ZQ: C- / F / G
ZC: 3b

DESCRIPTION: H: 2 m   L: 1,75 m
Arbuste au port étalé, et de forme plus ou moins plate.
Jeunes branches vert pourpre.
Feuilles caduques, plus ou moins elliptiques, pointues,
aux bords dentés. Feuillage vert foncé dessus, duveteux
dessous, devenant jaune à l'automne.
Floraison jaune.
Fruits globuleux, rouge clair, persistant en hiver. Pour
obtenir des fruits, il faut absolument planter des plants
mâles et des plants femelles.
Racines fines et traçantes.
Croissance lente au début, puis moyenne par la suite.

EXIGENCES: E: Peut être établi au soleil, ou à l'ombre.
S: Préfère les sols acides, mais s'adapte assez bien aux
autres sols, à la condition qu'ils ne soient pas cal-
caires.
H: Demande un sol humide, mais s'accommode d'une
sécheresse passagère.
R: Bonne rusticité.
P: Transplanter en pot ou en motte.
T: La taille se confond avec le ramassage des branches
pour les décorations de Noël.
D: Bonne disponibilité.

UTILISATIONS: Plante intéressante par son feuillage et ses fruits persistants; elle convient bien aux jardins d'hiver. Si possible, placer dans un endroit visible de la maison. En
association dans les massifs ou pour la naturalisation,
sont les deux principales utilisations que l'on peut faire
de cette plante.

Kalmia angustifolia
KALMIE À FEUILLES ÉTROITES
Lambhill Kalmia - Sheep Laurel

ZQ: A / B / C / D / E / F / G
ZC: 2

DESCRIPTION: H: 1 m   L: 1,25 m
Petit arbuste au port diffus et irrégulier.
Branches érigées aux rameaux courts.
Feuilles caduques, simples, elliptiques et étroites. Vert clair au printemps, le feuillage devient vert foncé à l'automne pour prendre une teinte pourpre à l'automne.
Fleurs en clochettes, réunies en grappes. La floraison, rose foncé, à lieu en juin-juillet.
Fruits sans grand intérêt.
Croissance lente.

EXIGENCES: E: Plein soleil, mi-ombre ou ombre lui conviennent parfaitement.
S: Peu exigeant quand au sol, à la condition qu'il soit acide.
H: Supporte les sols très humides, voire inondés.
R: Très bonne rusticité.
P: Transplanter en pot.
T: Inutile.
D: Plus ou moins bonne disponibilité.

UTILISATIONS: Plante de sol acide, intéressante par sa floraison, et utilisée pour la naturalisation ou en association pour l'ornementation.

Kalmia latifolia

LAURIER DES MONTAGNES - Laurier américain
Mountain Laurel - Calico Bush - Bush Ivy

ZQ: G
ZC: 5b

DESCRIPTION: H: 0,60 m   L: 0,30 m
Arbuste de petite dimension au pot érigé, irrégulier, peu touffu.
Feuilles persistantes, simples, elliptiques, courtement acuminées. Jeunes pousses vert jaunâtre donnant un feuillage vert foncé lustré dessus, verdâtre dessous.
Fleurs rose pâle, réunies en grappes, au bout des branches, à la fin du printemps.
Fruits sans intérêt.
Racines fibreuses, fines et superficielles.
Croissance lente.

EXIGENCES: E: Peut être planté au soleil ou à l'ombre.
S: Demande un sol léger, plutôt acide.
H: Les endroits humides lui sont bénéfiques.
R: Peu rustique, doit être planté en situation abritée et recevoir une protection hivernale.
P: Transplantation facile.
T: Supporte une légère taille printanière pour supprimer les dégâts de l'hiver.
D: Bonne.

UTILISATIONS: Intéressant pour ses fleurs, on l'utilise en association dans les massifs ou dans les rocailles.

Kalmia polifolia - (*Kalmia glauca*)
KALMIE GLAUQUE
Bog Kalmia

ZQ: A / B / C / D / E / F / G
ZC: 2

DESCRIPTION: H: 1 m   L: 0,75 m
Arbuste au port arrondi, et fines branches brunes.
Feuilles semi-persistantes, en forme de lance, vert fon-
cé dessus et vert jaunâtre dessous.
Les fleurs rose tendre, tachetées de pourpre au centre,
sont regroupées en ombelles sur les jeunes pousses.
Floraison, de fin mai à juillet.
Fruits sous forme de petites capsules.
Racines traçantes.
Croissance lente.

EXIGENCES: E: Préfère une situation ensoleillée ou ombragée.
S: Requiert un sol acide et humifère.
H: Une terre humide en permanence lui est favorable.
R: Rustique.
P: Il se transplante facilement.
T: Taille légère immédiatement après la floraison.
D: Peu disponible.

UTILISATIONS: Plante intéressante par sa floraison, utilisée en mélange
dans les massifs de plantes acidophiles ou pour la naturalisation.

Kerria japonica

CORÊTE DU JAPON
Japanese Kerria

ZQ: F- / G
ZC: 4b

DESCRIPTION: H: 1,20 m   L: 1,50 m

Arbuste aux branches nombreuses, partant du sol, dirigées en tous sens, et donnant un aspect diffus à la plante. Branches vertes, même en hiver.

Feuilles simples, caduques, en forme de lance, pointues au bout, doublement dentées. Feuillage vert clair devenant jaune à l'automne.

Fleurs jaune clair à cinq pétales, de juin à juillet, et même parfois en septembre.

Racines drageonnantes.

Croissance moyenne après la taille printanière.

EXIGENCES: E: Demande le plein soleil.

S: Préfère un sol moyennement fertile car il craint les excès d'engrais.

H: Demande un sol bien drainé.

R: Plus ou moins rustique, un bon couvert de neige lui est bénéfique.

P: Transplantation assez facile, si on utilise des jeunes plants.

T: La plupart du temps, les branches gèlent complètement. On rabat donc la plante tôt au printemps, ce qui à pour effet de décaler la floraison durant l'été.

D: Bonne disponibilité.

UTILISATIONS: Intéressant par sa floraison et la couleur de ses branches; utilisé en groupe, en masse ou en association dans les massifs.

Kerria japonica 'Picta'
CORÊTE DU JAPON PANACHÉ
Picta Japanese Kerria - Silver Kerria

ZQ: F- / G
ZC: 4b

DESCRIPTION: H: 1,20 m   L: 1,50 m
Arbuste bas aux branches nombreuses, dirigées en tous sens, donnant un aspect diffus à la plante. Branches vertes, même en hiver.
Feuilles simples, caduques, en forme de lance, pointues au bout, doublement dentées. Feuillage vert clair bordé et tacheté de blanc.
Fleurs jaune clair, simples, moins nombreuses que chez l'espèce.
Racines drageonnantes.
Croissance moyenne après la taille printanière.

EXIGENCES: E: Demande le plein soleil, mais il faut éviter les situations trop chaudes.
S: Une bonne terre à jardin lui convient parfaitement.
H: Préfère un sol bien drainé.
R: Plus ou moins rustique, un bon couvert de neige lui est bénéfique.
P: Transplantation assez facile.
T: La plupart du temps, les branches gèlent complètement. On rabat donc la plante tôt au printemps, pour diminuer et décaler la floraison à l'été.
D: Bonne disponibilité.

UTILISATIONS: Intéressant par sa floraison et la couleur de ses branches et de son feuillage; utilisé en groupe, en masse ou en association dans les massifs. Peut aussi être utile comme couvre-sol.

Kerria japonica 'Pleniflora'
CORÊTE DU JAPON À FLEURS DOUBLES
Double Flowered Japanese Kerria - Japanese Rose

ZQ: F- / G
ZC: 5

DESCRIPTION: H: 1,20 m   L: 1,50 m
Arbuste buissonnant très drageonnant, vigoureux. Rameaux dressés, puis arqués sur les côtés, lisses et vert clair.
Feuilles simples, caduques, ovales, pointues au bout, doublement dentées. Feuillage vert clair devenant jaune à l'automne.
Fleurs doubles, jaune d'or, plus ou moins nombreuses, en juin-juillet.
Racines drageonnantes.
Croissance rapide.

EXIGENCES: E: Résiste au plein soleil, mais préfère une situation mi-ombragée, car il craint les fortes chaleurs.
S: Croît dans tous les sols.
H: Peu exigeant.
R: Plus ou moins rustique, un bon couvert de neige lui est bénéfique.
P: Transplantation assez facile si on utilise des jeunes plants.
T: La plupart du temps, les branches gèlent complètement. On rabat donc la plante au tôt au printemps, pour en décaler la floraison à l'été.
D: Bonne disponibilité.

UTILISATIONS: Intéressant par sa floraison et la couleur de ses branches, on l'utilise en groupe, en masse ou en association dans les massifs.

Kolkwtzia amabilis

KOLKWITZIA AIMABLE
Beauty Bush

ZQ: A / B / C / D / E / F / G
ZC: 4

DESCRIPTION: H: 2,50 m   L: 2 m
Arbuste au port dressé, rameaux fins, souples et arqués.
Écorce grise s'exfoliant pour devenir brunâtre.
Feuilles caduques, ovales, vert grisâtre, devenant rouge pourpré à l'automne.
Fin juin, apparaissent des fleurs rose pâle en forme de clochettes, réunies en corymbes. Floraison abondante, très décorative.
Fruits ovoïdes, jaune brun, couvert de poils.
Racines fines et traçantes.
Croissance moyenne.

EXIGENCES: E: Préfère les endroits ensoleillés.
S: Peu exigeant.
H: Peu exigeant, mais préfère un sol frais.
R: Plus ou moins rustique. Planter en situation abritée.
P: Transplantation facile.
T: Tailler immédiatement après la floraison.
D: Bonne.

UTILISATIONS: Utile en massif, mais c'est en isolé que cette plante prendra tout son intérêt, notamment au moment de la floraison.

*Ledum groenlandicum - (*Ledum canadense*)
THÉ DU LABRADOR - Lédon du Groenland
Labrador Tea - Labrador Tea Ledum

ZQ: A / B / C / D / E / F / G
ZC: 1

DESCRIPTION: H: 0,60 m   L: 0,80 m
Arbuste bas au port arrondi et diffus. Branches brun clair, érigées et recouvertes de poils.
Feuilles simples, elliptiques, aux bords recurvés vers l'intérieur, vert foncé dessus, brun foncé dessous.
Feuillage persistant, aromatique quand il est froissé.
Fleurs blanches à blanc crème, réunies en corymbes, en mai-juin.
Fruits sans intérêt.
Racines fibreuses, traçantes.
Croissance lente.

EXIGENCES: E: Le plein soleil; une ombre partielle lui convient.
S: Demande un sol sablonneux, acide, humifère.
H: Les endroits humides, voire très humides lui sont nécessaires.
R: Très rustique.
P: De transplantation facile.
T: Tailler légèrement après la floraison.
D: Plutôt rare en pépinière.

UTILISATIONS: Plante de tourbières, elle convient aux plantation en sol acide au bord de l'eau ou dans les endroit très humides.
Intéressante par sa floraison on l'utilise en association ou pour la naturalisation.

Lespedeza bicolor

LESPEDEZA BICOLOR
Shrub Bushclover

ZQ: F- / G
ZC: 4b

DESCRIPTION: H: 1,50 m   L: 1,50 m
Arbuste au port arrondi, diffus. Branches d'abord éri-
gées, retombant légèrement au bout.
Feuilles composées de 3 folioles, petites et ovales. Pé-
tiole mince et long. Feuillage vert foncé dessus, grisâ-
tre dessous.
Fleurs rose pourpre à violacées, réunies en panicules
lâches, en août-septembre.
Fruits sous forme de gousses aplaties.
Croissance moyenne.

EXIGENCES: E: Réclame le plein soleil.
S: Préfère un sol meuble, léger, plutôt pauvre.
H: Demande un sol bien drainé, sec.
R: Plus ou moins rustique.
P: Transplanter en contenant pour une bonne reprise.
T: La taille consiste en un rabattage tôt au printemps.
D: Assez bonne.

UTILISATIONS: Intéressante pour sa floraison; utilisée en association
dans les massifs ou sur les talus secs et ensoleillés.

Leucothoe fontanesiana - (*Leucothoe walteri*)
LEUCOTHOË RETOMBANT - Andromeda
Dropping Leucothoe - Dog Hobble -Switch Ivy

ZQ: F- / G
ZC: 5b

DESCRIPTION: H: 0,80 m   L: 1,50 m
Petit arbuste rampant aux branches arquées.
Feuillage moyennement dense, semi-persistant, qui prend à l'automne une belle teinte rouge bronzé. Les feuilles sont ovales, lancéolées, vert foncé, lustrées sur le dessus.
Fleurs en grappes blanches, en juin et juillet.
Racines peu nombreuses.
Croissance lente.

EXIGENCES: E: Préfère les situations mi-ombragées, mais résiste bien au soleil et à l'ombre.
S: Requiert un sol fertile, riche en matières organiques, et légèrement acide.
H: Préfère les endroits humides, mais bien drainés.
R: Peu rustique, il devra toujours être planté dans une situation abritée des vents dominants, et recevoir une protection hivernale.
P: Transplanter absolument en pot.
T: On taille tôt au printemps en coupant le bout des tiges pour favoriser la croissance des jeunes pousses.
D: Bonne.

UTILISATIONS: Plante intéressante par ses feuilles persistantes et sa floraison; on l'utilise dans les grandes rocailles et en mélange dans les massifs.

Leucothoe x 'Scarletta
LEUCOTHOË SCARLETTA
Scarletta Leucothoe

ZQ: F- / G
ZC: 5b

DESCRIPTION: H: 0,80 m   L: 1,50 m
Petit arbuste compact aux branches arquées.
Feuillage moyennement dense, semi-persistant. Les feuilles sont ovales, lancéolées, rouge écarlate au printemps, devenant rouge vin à l'automne et durant l'hiver.
Fleurs en grappes blanches, en juin-juillet.
Racines peu nombreuses.
Croissance lente.

EXIGENCES: E: Préfère les situations mi-ombragées, mais résiste bien au soleil et à l'ombre.
S: Requiert un sol fertile, riche en matières organiques, et légèrement acide.
H: Préfère les endroits humides mais bien drainés.
R: Peu rustique, il devra toujours être planté dans une situation abritées des vents dominants, et recevoir une protection hivernale.
P: Transplanter uniquement des plantes en contenants.
T: On taille tôt au printemps en coupant le bout des tiges, pour favoriser la croissance des jeunes pousses.
D: Bonne.

UTILISATIONS: Plante intéressante par la couleur de ses feuilles; on l'utilise dans les grandes rocailles ou en mélange dans les massifs.

Ligustrum amurense
TROÈNE DE L'AMOUR
Amur Privet

ZQ: F- / G
ZC: 4b

DESCRIPTION: H: 3 m   L: 1,50 m
Arbuste vigoureux, aux branches érigées, très ramifiées, à l'écorce grise.
Feuilles elliptiques, vert foncé lustré, plutôt petites, donnant un feuillage dense.
Fleurs blanches, odorantes, en panicules, en juin-juillet.
Fruits sous forme de baies noires.
Racines fines et nombreuses.
Croissance très rapide.

EXIGENCES: E: Demande le plein soleil, mais supporte la mi-ombre.
S: Peu exigeant.
H: Peu exigeant, il supporte les sols secs. Il faut cependant éviter les sols inondés.
R: Bonne rusticité, supporte la pollution.
P: Transplantation facile.
T: Supporte bien la taille qui se fait après la floraison, mais qui peut aussi intervenir en tout temps,si on l'utilise comme haie.
D: Bonne.

UTILISATIONS: Plante utile sutout pour former des haies, ou comme plante de fond.

Ligustrum obtusifolium regelianum
TROÈNE DE REGEL
Regel Privet

ZQ: G
ZC: 5b

DESCRIPTION: H: 1,50 m   L: 2 m
Arbuste aux rameaux étalés horizontalement, ce qui donne une forme aplatie à la plante.
Feuilles caduques, simples, elliptiques, oblongues, duveteuses dessous. Feuillage vert prenant une belle teinte rougeâtre à l'automne.
Fleurs blanches, petites, nombreuses, réunies en panicules, en juin-juillet.
Fruits sous forme de baies noires, en septembre-octobre.
Racines fines et nombreuses.
Croissance rapide.

EXIGENCES: E: Le plein soleil ou l'ombre lui sont favorables.
S: Peu exigeant
H: Peu exigeant.
R: Peu rustique.
P: Transplantation facile.
T: Supporte très bien la taille qui se fait à la fin du printemps.
D: Assez bonne.

UTILISATIONS: Plante intéressante par sa forme et son feuillage; on l'utilise en masse ou comme plante de fond dans les massifs d'arbustes à l'ombre.

Ligustrum x *vicaryi*
TROÈNE DORÉ
Golden Vicary Privet - Golden Privet

ZQ: F- / G
ZC: 4b

DESCRIPTION: H: 0,45 m   L: 0,60 m
Arbuste au port étalé en forme de vase.
Feuilles ovales, lancéolées, jaune lors de la jeune pous-
se, et devenant jaunâtre par la suite.
Fleurs blanches, réunies en grappes, vers le mois de
juillet.
Racines fines et nombreuses.
Croissance lente à moyenne.

EXIGENCES: E: Demande le plein soleil pour conserver sa couleur.
S: Peu exigeant.
H: Peu exigeant.
R: Peu rustique, il faut tailler le bout des branches à
chaque printemps. Supporte la pollution.
P: Transplantation facile.
T: Celle-ci consiste en un nettoyage de printemps.
D: Bonne.

UTILISATIONS: Plante intéressante par la couleur de son feuillage; on
l'utilise aussi bien en isolé qu'en association.

Ligustrum x *vicaryi* 'Hillside'
TROÈNE HILLSIDE
Hillside Vicary Privet

ZQ: F- / G
ZC: 4b

DESCRIPTION: H: 0,45 m L: 0,60 m
Arbuste au port érigé.
Feuilles ovales, lancéolées, jaune avec, au centre, une plage verte, irrégulière.
Fleurs blanches, réunies en grappes, vers le mois de juillet.
Racines fines et nombreuses.
Croissance lente à moyenne.

EXIGENCES: E: Planter au plein soleil pour conserver sa couleur.
S: Peu exigeant.
H: Peu exigeant.
R: Peu rustique. Supporte la pollution.
P: Transplantation facile.
T: Tailler le bout des branches à chaque printemps.
D: Plus ou moins bonne.

UTILISATIONS: Plante intéressante par la couleur de son feuillage; on l'utilise aussi bien en isolé qu'en association.

Ligustrum vulgare 'Cheyenne'
TROÈNE CHEYENNE
Cheyenne Privet

ZQ: F- / G
ZC: 4b

DESCRIPTION: H: 2 m   L: 1 m
Arbuste au port dressé, vigoureux.
Feuilles vertes, étroites, vert olive, brillantes. Le feuil-
lage est dense.
Fleurs et fruits sans intérêt.
Racines fines et nombreuses.
Croissance lente à moyenne.

EXIGENCES: E: Croît aussi bien au plein soleil qu'à la mi-ombre.
S: Peu exigeant, il faut toutefois éviter les sols acides.
H: Peu exigeant.
R: Bonne rusticité. Résiste à la pollution.
P: Transplantation facile.
T: Supporte bien la taille qui peut intervenir n'importe
quand.
D: Assez bonne disponibilité.

UTILISATIONS: Cette plante est surtout utile pour faire des haies.

Ligustrum vulgare 'Lodense'
TROÈNE LODENSE
Lodense Privet

ZQ: F- / G
ZC: 4b

DESCRIPTION: H: 0,90 m L: 0,60 m
Arbuste nain et compact, très rameux. Rameaux gris.
Feuilles vertes, étroites, vert foncé. Le feuillage devient
brun et persiste longtemps à l'automne.
Fleurs blanches.
Fruits sous forme de baies noires.
Racines fines et nombreuses.
Croissance lente à moyenne.

EXIGENCES: E: Croît bien au plein soleil.
S: Peu exigeant, il faut toutefois éviter les sols acides.
H: Peu exigeant.
R: Plutôt rustique. Résiste à la pollution.
P: Transplantation facile.
T: Supporte bien la taille qui peut intervenir n'importe
quand, particulièrement de juin à août.
D: Assez bonne disponibilité.

UTILISATIONS: Plante intéressante par sa forme, elle est excellente
pour faire des haies basses ou dans les jardins de style
formel.

Lindera benzoin

LAURIER BENZOIN
Spicebush - Feverbush

ZQ: G
ZC: 5

DESCRIPTION: H: 1,50 m   L: 1,50 m
Arbuste au port arrondi, dense en culture, mais plus ouvert à l'état naturel. Branches brunes, aromatiques quand elle sont cassées.
Feuilles elliptiques, pointues au bout, vert foncé dessus, légèrement duveteuses dessous, tôt au printemps. Le feuillage dégage une odeur d'épice quand il est broyé. Feuillage automnal jaune brillant, très décoratif.
Fleurs dioïques, jaune verdâtre, tôt au printemps.
Fruits sous forme de drupes écarlates, en septembre.
Racines fibreuses, peu nombreuses et profondes.
Croissance lente.

EXIGENCES: E: Demande le plein soleil, mais supporte une ombre partielle.
S: Éviter les sols calcaires et favoriser les sols plutôt acides.
H: Un terrain frais, bien drainé lui convient, mais il peut supporter un sol sec.
R: De rusticité peu élevée.
P: Il est difficile à transplanter.
T: Peu utilisée.
D: Rare.

UTILISATIONS: Intéressant par sa floraison et sa couleur automnale; excellente plante à associer à d'autres arbustes dans les massifs.

Liquidambar styraciflua
COPALME - Liquidambar
American Sweetgum

ZQ: G
ZC: 5b

DESCRIPTION: H: 1,50 m L: 0,90 m
Généralement considéré comme un arbre, mais vu sa faible rusticité, il peut être classé parmi les arbustes. Petit arbuste érigé au port étroit, rameaux rougeâtres ailés. Écorce brune, profondément crevassée.
Feuilles caduques, simples, palmées avec 3 à 5 lobes triangulaires. Les pétioles sont longs. Le feuillage vert clair en été prend une teinte rouge pourpre très spectaculaire à l'automne.
Fleurs vert jaune, rares.
Fruits bruns, rares.
Racines pivotantes profondes.
Croissance très lente.

EXIGENCES: E: Une situation ensoleillée lui est idéale.
S: Un sol profond, riche en humus et légèrement acide lui est bénéfique.
H: Préfère les endroits frais.
R: De rusticité très faible, il doit absolument être planté en zone abritée.
P: La transplantation est diffificle, elle doit donc être faite en pot.
T: Il peut arriver que la plante gèle jusqu'à la base. On procède alors à un rabattage. Sinon, la taille est inutile.
D: Très rare.

UTILISATIONS: Plante pour jardinier averti, Son intéret réside dans la coloration automnale de son feuillage, la forme de ses feuilles et dans son écorce. Utilisée en isolé ou en association.

Lonicera x *bella* 'Atrorosea'
              CHÈVREFEUILLE ÉLÉGANT ROSE FONCÉ
              Pink Belle Honeysuckle

ZQ: E- / F / G
ZC: 4

DESCRIPTION: H: 2,50 m   L: 1,75 m
Arbuste au port arrondi, gracieux, dense, légèrement pleureur avec ses branches arquées.
Feuilles ovales, légèrement pointues au bout, arrondies à la base. Feuillage vert bleuté en été.
Fleurs rose foncé avec un bord un peu plus clair. La floraison a lieu en mai.
Fruits rouges, nombreux, en juin-juillet.
Racines fines et nombreuses.
Croissance moyenne.

EXIGENCES: E: Peut être planté en plein soleil ou à la mi-ombre.
S: Peu exigeant.
H: Préfère un sol bien drainé.
R: Bonne rusticité.
P: Se transplante facilement.
T: Tailler après la floraison.
D: Assez bonne disponibilité.

UTILISATIONS: Intéressant par sa floraison, on l'utilise en isolé ou en association.

Lonicera canadensis
CHÈVREFEUILLE DU CANADA
American Fly Honeysuckle

ZQ: A / B / C / D / E / F / G
ZC: 3

DESCRIPTION: H: 2 m   L: 2 m
Arbuste au port arrondi, irrégulier, peu dense. Branches érigées puis arquées. Écorce brune s'exfoliant avec l'âge.
Feuilles caduques, simples, ovales, vertes, devenant jaunes à l'automne.
Fleurs jaunâtres en mai.
Fruits rougeâtres sous forme de baies comestibles.
Racines nombreuses et traçantes.
Croissance rapide.

EXIGENCES: E: Affectionne le plein soleil et la mi-ombre, mais supporte aussi l'ombre.
S: Peu exigeant.
H: Peu exigeant, à la condition que le terrain ne soit pas inondé.
R: Bonne rusticité.
P: Transplantation facile.
T: Après la floraison, si nécessaire.
D: Plus ou moins facile à se procurer.

UTILISATIONS: Plante qui s'adapte facilement; elle est intéressante par ses fleurs et ses fruits qui attirent les oiseaux. Utilisée pour la naturalisation et en association dans les massifs.

Lonicera caerulea edulis

CAMERISIER BLEU -
Chèvrefeuille à fruits bleus comestibles
Bearberry Honeysuckle

ZQ: A / B / C / D / E / F / G
ZC: 3

DESCRIPTION: H: 1,50 m   L: 1,50 m
Arbuste très ramifié au port arrondi, régulier.
Rameaux luisants, jaunes ou rouge brun.
Feuilles ovales, étroites, au pétiole court. Feuillage vert bleuâtre.
Fleurs blanc jaunâtre en forme de cloches, de mai à juillet.
Fruits, sous forme de baies globuleuses, noir bleuâtre, sucrés et comestibles.
Croissance moyenne à lente.

EXIGENCES: E: Demande le plein soleil.
S: Préfère un sol humifère et acide, car il craint le calcaire.
H: Demande un sol frais.
R: Excellente rusticité.
P: Transplantation plutôt facile.
T: Inutile.
D: Assez bonne.

UTILISATIONS: Intéressante par son feuillage et, bien sûr, par ses fruits; on l'utilise dans les rocailles et en association dans les massifs.

Lonicera korolkowii 'Zabelii'
CHÈVREFEUILLE DE ZABEL -
Chèvrefeuille Zabelii
Zabel's Honeysuckle

ZQ: A / B / C / D / E / F / G
ZC: 4

DESCRIPTION: H: 2 m   L: 1,50 m
Arbuste en forme de vase irrégulier. Branches arquées, étalées. Rameaux naissants recouverts de duvet.
Feuilles ovales, elliptiques, glauques dessus, duveteuses en dessous, donnant une teinte gris pâle à l'ensemble du feuillage.
Fleurs roses ou blanches teintées de rose, composées d'un tube surélevé de pétales. Floraison en mai-juin.
Fruits rouge clair en août.
Racines superficielles.
Croissance moyenne.

EXIGENCES: E: Demande le plein soleil.
S: Peu exigeant.
H: Peu exigeant.
R: Bonne.
P: Transplantation facile.
T: Tailler après la floraison.
D: Très bonne.

UTILISATIONS: Plante intéressante par sa floraison et par ses fruits, utilisée en association ou pour confectionner des haies.

Lonicera morrowii
CHÈVREFEUILLE DE MORROW
Morrow Honeysuckle

ZQ: A / B / C / D / E / F / G
ZC: 4

DESCRIPTION: H: 2 m   L: 2,50 m
Arbuste au port étalé, vigoureux, dont les branches dirigées en tous sens forment un dôme.
Feuilles caduques, simples, elliptiques larges, pointues au bout, arrondies à la base. Feuillage dense, vert moyen.
Fleurs blanc crème au printemps.
Fruits, sous forme de baies rouge foncé, au milieu de l'été.
Racines fines et nombreuses.
Croissance moyenne.

EXIGENCES: E: Plein soleil ou mi-ombre lui conviennent parfaitement.
S: Peu exigeant.
H: Peu exigeant.
R: Bonne rusticité.
P: Transplantation facile.
T: Tailler après la floraison.
D: Bonne disponibilité.

UTILISATIONS: On l'utilise dans les pentes, en groupe ou en masse, ou en association pour sa forme et sa floraison.

Lonicera tatarica

CHÈVREFEUILLE DE TARTARIE
Tartarian Honeysuckle

ZQ: A- / B / C / D- / E / F / G
ZC: 4

DESCRIPTION: H: 2 m   L: 1,50 m
Arbuste au port érigé dont les branches, d'abord dressées, retombent à leurs extrémités. Branches vertes devenant brunes.
Feuilles caduques, simples, ovales, pointues au bout, arrondies à la base. Feuillage vert bleuté.
Nombreuses fleurs roses au printemps.
Fruits, sous forme de baies rouges, en juillet.
Racines nombreuses et fines.
Croissance rapide.

EXIGENCES: E: Demande une ombre légère, mais supporte le plein soleil et la mi-ombre.
S: Peu exigeant.
H: Demande un sol bien drainé.
R: Bonne rusticité. Cet arbuste est malheureusement attaqué par un insecte qui provoque une déformation des jeunes pousses.
P: De transplantation très facile.
T: Supporte très bien la taille qui se fait généralement après la floraison, mais aussi n'importe quand d'avril à octobre.
D: Très bonne.

UTILISATIONS: C'est une plante classique pour les haies. Intéressante pour sa facilité à s'adapter à des conditions difficiles, pour ses fleurs et pour ses fruits qui attirent les oiseaux.

Lonicera tatarica 'Arnold Red'
CHÈVREFEUILLE ARNOLD RED
Arnold Red Honeysucke

DESCRIPTION: H: 2 m   L: 1,50 m
Arbuste au port érigé dont les branches retombent à leurs extrémités. Branches vertes devenant brunes.
Feuilles caduques, simples, ovales, pointues au bout, arrondies à la base. Feuillage vert bleuté.
Fleurs rouge foncé au printemps. En fait, la floraison la plus foncée de tous les chèvrefeuilles.
Fruits, sous forme de baies rouges, en juillet.
Racines nombreuses et fines.
Croissance rapide.

EXIGENCES: R: Bonne résistance aux maladies.
D: Plus ou moins bonne.

UTILISATIONS: Intéressant pour ses fleurs et pour ses fruits qui attirent les oiseaux. Est utilisé en association ou en isolé.

Lonicera tatarica 'Hack's Red'
CHÈVREFEUILLE HACK'S RED
Hack's Honeysuckle

DESCRIPTION: H: 2 m   L: 1,50 m
Arbuste au port diffus et irrégulier.
Feuilles caduques, simples, ovales, vert foncé.
Fleurs rose pourpre au début de l'été.
Fruits, sous forme de baies rouges, en juillet.
Racines nombreuses et fines.
Croissance rapide.

EXIGENCES: D: Plus ou moins bonne disponibilité.

UTILISATIONS: Intéressante pour ses fleurs et pour ses fruits qui attirent les oiseaux; on l'utilise en association ou en isolé.

Lonicera tatarica 'Rosea'
CHÈVREFEUILLE DE TARTARIE ROSE
Pink Tartarian Honeysuckle

DESCRIPTION: H: 2 m   L: 1,50 m
Arbuste au port érigé.
Feuilles caduques, simples, ovales, pointues au bout, arrondies à la base. Feuillage vert bleuté.
Grandes fleurs roses pâle à l'intérieur, rose assez foncé à l'extérieur.
Fruits sous forme de baies rouge écarlate.
Racines nombreuses et fines.
Croissance rapide.

EXIGENCES: D: Bonne.

UTILISATIONS: Plante intéressante pour ses fleurs et pour ses fruits; utilisée en isolé ou en association.

Lonicera x xylosteoides 'Clavey's Dwarf'
CHÈVREFEUILLE NAIN DE CLAVEY
Clavey's Dwarf Honeysuckle

ZQ: A / B / C / D / E / F / G
ZC: 4

DESCRIPTION: H: 1 m   L: 1 m
Petit arbuste compact de port arrondi, régulier. Branches nombreuses.
Feuilles ovales, larges, arrondies au deux bouts. Feuillage dense d'un beau bleu vert.
Fleurs blanc crème, en mai.
Fruits sous forme de baies rouges.
Racines superficielles nombreuses.
Croissance lente.

EXIGENCES: E: Requiert le plein soleil.
S: Peu exigeant.
H: Peu exigeant.
R: Bonne rusticité. Résiste bien aux maladies.
P: Transplantation facile.
T: Inutile.
D: Excellente.

UTILISATIONS: Cette plante intéressante par sa forme, est utilisée dans les rocailles, en bordure des massifs ou comme haies basses.

Lonicera x ***xylosteoides*** 'Mini Globe'
CHÈVREFEUILLE MINIGLOBE
Miniglobe Honeysuckle

ZQ: A / B / C / D / E / F / G
ZC: 3

DESCRIPTION: H: 1 m   L: 1 m
Arbuste nain au port globulaire.
Feuilles ovales, larges, vert foncé.
Fleurs sans importance.
Fruits sans importance.
Racines superficielles nombreuses.
Croissance lente.

EXIGENCES: E: Demande le plein soleil.
S: Peu exigeant.
H: Peu exigeant.
R: Bonne rusticité. Résiste bien aux maladies.
P: Transplantation facile.
T: Inutile.
D: Assez peu disponible.

UTILISATIONS: Plante intéressante par sa forme, utilisée dans les rocailles, en bordure des massifs ou comme haies basses.

Lonicera xylosteum 'Compacta' -
(*Lonicera xylosteum* 'Emerald Mound') - (*Lonicera xylosteum* 'Nana')
CHÉVREFEUILLE NAIN
Dwarf European Fly Honeysuckle

ZQ: A / B / C / D / E / F / G
ZC: 4

DESCRIPTION: H: 0,80 m   L: 0,80 m
Petit arbuste au port arrondi, compact, très rameux.
Feuilles ovales, larges, d'un beau vert bleuté, qui prennent une teinte jaune pourpre à l'automne.
Fleurs blanc jaunâtre, en mai.
Fruits sous forme de baies rouges.
Racines superficielles nombreuses.
Croissance lente.

EXIGENCES: E: Doit être planté au plein soleil.
S: Peu exigeant.
H: Préfère un sol bien drainé.
R: Bonne rusticité. Bonne résistance aux maladies.
P: Transplantation plus ou moins facile.
T: Inutile.
D: Bonne.

UTILISATIONS: Utilisée dans les rocailles, à l'avant des massifs ou comme haies basses. Intéressante surtout par sa forme.

Lyonia ligustrina - (*Andromeda ligustrina*)
LYONIE TROÈNE
Male-Berry - He-huckleberry

ZQ: G
ZC: 5

DESCRIPTION: H: 1 m   L: 1,50 m
Arbuste touffu, au port érigé, ovoïde, irrégulier. Rameaux duveteux lorsqu'ils sont jeunes.
Feuilles caduques, elliptiques à lancéolées, entières, pointues au bout, vert foncé.
Fleurs petites, en grappes, à l'extrémité des tiges. Floraison blanche en mai-juin.
Fruits en capsules, dangereux pour l'être humain.
Racines étalées et superficielles.
Croissance lente.

EXIGENCES: E: Préfère les situations semi-ombragées.
S: Demande un sol acide ou neutre.
H: Les endroits très frais lui conviennent.
R: Peu rustique.
P: De transplantation facile.
T: Taille légère après la floraison.
D: Plutôt rare.

UTILISATIONS: Intéressant par ses fleurs, on l'utilise surtout en association.

282

Magnolia kobus

MAGNOLIA KOBUS
Kobus Magnolia

ZQ: A / B / C / D / E / F / G
ZC: 4b

DESCRIPTION: H: 7 m   L: 7 m
Gros arbuste à cime plutôt pyramidale devenant ronde par la suite. Branches multiples à écorce grise.
Feuilles simples, obovales, pointues au bout, vert foncé dessus, vert pâle dessous.
Fleurs blanches, légèrement odorantes aux pétales légè- rement retombants et avec un léger filet pourpre à la base. Floraison printanière qui n'intervient qu'après plusieurs années de culture.
Fruits roses à graines rouges.
Racines profondes, peu nombreuses.
Croissance moyenne.

EXIGENCES: E: Demande le plein soleil.
S: Peu exigeant.
H: Préfère un sol frais et bien drainé.
R: Peu rustique.
P: Planter en motte ou en pot, car la transplantation est plus ou moins facile.
T: Légère après la floraison.
D: Assez bonne.

UTILISATIONS: Plante que l'on utilise en isolé pour sa belle floraison.

Magnolia x *loebneri* 'Leonard Messel'
MAGNOLIA LEONARD MESSEL
Leonard Messel Magnolia

ZQ: G
ZC: 5

DESCRIPTION: H: 2 m   L: 1,50 m
Arbuste dressé de forme arrondie. Branches érigées portant des rameaux plus ou moins étalés à écorce grise.
Feuilles ovales, vert foncé.
Boutons floraux roses donnant des fleurs blanches à 12 pétales retombants, avec du rose pourpre à l'extérieur.
Floraison printanière et odorante.
Fruits sans intérêt.
Racines nombreuses et peu profondes.
Croissance moyenne.

EXIGENCES: E: Le plein soleil lui est favorable.
S: Une terre à jardin humifère, un peu acide lui convient bien.
H: Demande une terre fraîche et bien drainée.
R: Peu rustique.
P: Transplanter en pot ou en motte.
T: Nettoyer les branches gelées au printemps et tailler légèrement après la floraison, si nécessaire.
D: Bonne.

UTILISATIONS: Excellente plante à utiliser en isolé pour sa floraison.

Magnolia x *loebneri* 'Merill'
MAGNOLIA MERILL
Merril Magnolia

ZQ: G
ZC: 5

DESCRIPTION: H: 3 m L: 2 m
Arbuste de grande dimension, large, à cime arrondie.
Feuilles oblongues, vert foncé.
Fleurs blanches, odorantes, aux pétales nombreux, de grande dimension. Floraison hâtive, fin avril début juin.
Fruits sans intérêt.
Racines nombreuses et peu profondes.
Croissance moyenne à rapide.

EXIGENCES: E: Aime le plein soleil.
S: Une terre à jardin humifère, un peu acide lui convient bien.
H: Une terre fraîche et bien drainée lui convient.
R: Peu rustique.
P: Transplanter en pot ou en motte.
T: Nettoyer les branches gelées au printemps et tailler légèrement après la floraison, si nécessaire.
D: Bonne.

UTILISATIONS: Utiliser cette plante en isolé pour sa floraison.

Magnolia x ***soulangiana***
MAGNOLIA DE SOULANGE
Saucer Magnolia

ZQ: F- / G
ZC: 5b

DESCRIPTION: H: 3 m   L: 2 m
Petit arbre ou grand arbuste au port étalé et à cime ar-
rondie. Branches semi-érigées et rameaux horizontaux.
Feuilles obovales, vertes, sans coloration automnale.
Feuillage dense.
Floraison remarquable au début du printemps alors que
les feuilles ne sont pas encore apparues. Les grandes
fleurs, ressemblant à des tulipes, sont blanches à l'inté-
rieur et légèrement teintées de rose à l'extérieur, ce qui
donne une floraison variant du rose en bouton au blanc
rosé à l'épanouissement.
Fruits sans intérêt.
Racines peu nombreuses.
Croissance lente.

EXIGENCES: E: Préfère un site ensoleillé mais supporte la mi-
ombre.
S: Demande une bonne terre à jardin plutôt acide.
H: Préfère les sols frais.
R: Plante peu rustique. Planter dans un endroit abrité
où les boutons floraux ne risquent pas de geler.
P: Transplanter en pot ou en motte, car la reprise est
difficile.
T: La taille consiste à supprimer les fleurs fanées pour
favoriser l'émission de nouvelle pousses.
D: Bonne.

UTILISATIONS: Principalement en isolé. Floraison très décorative, mais
son port et son feuillage sont aussi d'un bel effet.

Magnolia x *soulangiana* 'Rustica Rubra' -
(*Magnolia* x *soulangiana* 'Rubra')
                    MAGNOLIA DE SOULANGE ROUGE
                    Red Saucer Magnolia

ZQ: F- / G
ZC: 5b

DESCRIPTION: H: 3 m   L: 2 m
Arbuste large au port ouvert et à cime arrondie. Branches plus ou moins étalées.
Feuilles obovales, vert foncé.
Grandes fleurs en forme de tulipes, rose rougeâtre, pétales blancs à l'intérieur. Floraison plus tardive que chez *Magnolia x soulangiana* .
Fruits sans intérêt.
Racines peu nombreuses.
Croissance lente.

EXIGENCES: E: Demande une situation ensoleillée.
S: Demande un sol plutôt acide.
H: Préfère les sols frais.
R: Plante peu rustique. Planter dans un endroit abrité où les boutons floraux ne risquent pas de geler.
P: Transplanter en pot ou en motte, car la reprise est difficile.
T: La taille consiste à supprimer les fleurs fanées pour favoriser l'émission de nouvelle pousses.
D: Plutôt rare.

UTILISATIONS: Principalement en isolé pour sa floraison décorative.

Magnolia stellata - (*Magnolia kobus stellata*)
MAGNOLIA ÉTOILÉ
Star Magnolia

ZQ: E- / F- / G
ZC: 4b

DESCRIPTION: H: 3 m   L: 2 m
Arbuste au port dense et à cime arrondie. Ramifications nombreuses, légèrement velues.
Feuilles simples, entières, obovales, arrondies au bout. Feuillage vert foncé dessus, vert clair dessous, prenant une coloration automnale jaune bronzé.
Fleurs blanches, odorantes, ressemblant à une étoile.
Floraison printanière avant les feuilles.
Fruits sans intérêt.
Racines peu nombreuses.
Croissance lente.

EXIGENCES: E: Aussi bien au plein soleil qu'à l'ombre légère.
S: Un sol organique et frais lui convient parfaitement.
H: Demande un sol frais et bien drainé.
R: Planter en situation abritée.
P: Transplanter en pot ou en motte, car la transplantation est difficile.
T: Tailler légèrement après la floraison.
D: Plutôt difficile à se procurer.

UTILISATIONS: Cette plante est utilisée en isolé pour sa magnifique floraison.

Magnolia stellata 'Pink Star'
MAGNOLIA ÉTOILÉ PINK STAR
Pink Star Magnolia

ZQ: E- / F- / G
ZC: 4b

DESCRIPTION: H: 2 m   L: 1 m
Arbuste à cime arrondie. Branches érigées s'étalant avec l'âge.
Feuilles simples et entières, vert foncé.
Boutons à fleurs et fleurs roses, tournant parfois au blanc délavé. Floraison printanière avant les feuilles.
Croissance lente.

EXIGENCES: D: Plutôt rare.

UTILISATIONS: Utilisation en isolé.

Magnolia stellata 'Royal Star'
MAGNOLIA ÉTOILÉ ROYAL STAR
Royal Star Magnolia

ZQ: E- / F- / G
ZC: 4b

DESCRIPTION: H: 1 m   L: 1 m
Arbuste à cime arrondie.
Feuilles simples et entières, vert foncé.
Fleurs blanches aux pétales nombreux donnant vraiment l'impression d'une étoile. Floraison printanière un peu plus tardive que chez l'espèce type.
Croissance moyenne.

EXIGENCES: D: Plutôt rare.

UTILISATIONS: Plantation en isolé pour la floraison.

'Pink Star'   'Royal Star'

Magnolia stellata 'Water Lily'
MAGNOLIA ÉTOILÉ WATER LILY
Water Lily Star Magnolia

ZQ: A / B / C / D / E / F / G
ZC: 4b

DESCRIPTION: H: 2 m   L: 2 m
Arbuste dressé, arrondi, diffus.
Feuilles simples et entières, vert foncé.
Boutons à fleurs roses, suivis de grandes fleurs roses
aux pétales blanchâtres étroits, et très odorantes.
Croissance moyenne.

EXIGENCES: D: Plutôt rare.

UTILISATIONS: Magnifique plante à fleurs à planter en isolé.

Mahonia aquifolium

MAHONIE - Mahonie à feuilles de houx
Oregon Grape - Mountain Grape - Holly Mahonia

ZQ: F- / G
ZC: 5

DESCRIPTION: H: 1 m   L: 1 m
Petit arbre buissonnant et touffu. Rameaux érigés.
Feuilles persistantes, composées, aux folioles piquantes, vert foncé lustré dessus et vert jaunâtre dessous.
Les jeunes pousses prennent une teinte pourprée. À l'automne, le feuillage prend une teinte plus ou moins rouge orange cuivré qui persiste pendant une bonne partie de l'hiver.
Floraison jaune en épis, au printemps.
Les fruits, d'un beau vert bleu pruiné au début, deviennent noirs à maturité.
Racines peu nombreuses, drageonnantes, légèrement jaunes au centre.
Croissance lente.

EXIGENCES: E: Doit être planté dans une situation mi-ombragée pour ne pas souffrir de dessèchement printanier. Résiste bien à l'ombre.
S: Peu exigeant, il supporte même les terrains légèrement calcaires.
H: Demande un sol humide, mais sans excès.
R: Peu rustique, un couvert de neige lui est bénéfique.
P: Transplantation en pot.
T: Supporte bien la taille qui encourage la ramification. Tailler après la floraison.
D: Bonne.

UTILISATIONS: Plante intéressante durant toute l'année par son feuillage, sa floraison et sa fructification. Utilisée dans les rocailles et en mélange dans les massifs. Peut aussi convenir comme couvre-sol sur de petites surfaces.

Mahonia aquifolium 'Compacta'

MAHONIE NAIN - Mahonie compact
Compact Oregon Grape - Compact Mountain Grape -
Compact Holly Mahonia

ZQ: F- / G
ZC: 5

DESCRIPTION: H: 0,60 m   L: 0,60 m
Arbrisseau plutôt rampant, compact.
Feuilles persistantes, lustrées, vertes à l'été, avec des
pousses brun rougeâtre au printemps, et de belles tein-
tes rouges à l'automne.
Floraison jaune en épis au printemps.
Fruits noir bleuté à maturité.
Nombreuses racines au centre jaune.
Croissance lente.

EXIGENCES: D: Assez bonne.

UTILISATIONS: Plante utile comme couvre-sol, dans les rocailles et au
premier rang des massifs d'arbustes.

Mahonia aquifolium 'Smaragd'
MAHONIE SMARAGD
Smaragd Oregon Grape

ZQ: F- / G
ZC: 5

DESCRIPTION: H: 1 m   L: 1 m
Arbrisseau au port arrondi.
Feuilles persistantes d'un beau vert profond, aux tons riches en été. Pousses brun rougeâtre au printemps, et belles teintes rouges à l'automne.
Floraison jaune, abondante, au printemps.
Fruits noir bleuté à maturité.
Nombreuses racines au centre jaune.
Croissance lente.

EXIGENCES: D: Plutôt rare .

UTILISATIONS: Plante utile comme couvre-sol, dans les rocailles et au premier rang des massifs d'arbustes.

Mahonia repens

MAHONIA REPENS
Creeping mahonia

ZQ: E -/ F- / G
ZC: 4b

DESCRIPTION: H: 0,30 m   L: 1,50 m
Arbuste aux tiges dressées et raides, s'étalant avec l'âge.
Feuilles persistantes, composées de folioles ovales, arrondies au bout et portant de nombreuses petites épines peu piquantes. Feuillage vert bleuâtre dessus, grisâtre dessous, très décoratif, et gardant sa couleur en hiver.
Fleurs parfumées, jaune d'or, en grappes dressées au sommet des rameaux, en avril-mai.
Fruits noirs et pruineux, en septembre.
Racines drageonnantes.
Croissance lente.

EXIGENCES: E: Supporte la mi-ombre et même l'ombre où il ne fleurit cependant pas.
S: Peu exigeant, il supporte le calcaire.
H: Préfère un terrain frais.
R: Assez bonne.
P: Transplantation parfois difficile.
T: Supprimer les dégâts d'hiver.
D: Plutôt rare.

UTILISATIONS: Plante intéressante par son feuillage, sa forme et ses fleurs; à utiliser en groupe, en association ou comme couvre-sol.

Malus ioensis 'Plena' - (*Malus ioensis* 'Bechtel') - (*Malus* 'Bechtel')
MALUS BECHTEL - Malus ioensis
Bechtel Crabapple

ZQ: A- / B- / C- / D- / E- / F- / G
ZC: 3

DESCRIPTION: H: 8 m   L: 5 m
Grand arbuste, parfois petit arbre à tête arrondie et ramure lâche.
Feuilles ovales à oblongues, à fortes nervures vertes.
Feuillage automnal rouge écarlate à jaune vif.
Fleurs très doubles, boutons et fleurs roses, odorantes, en fin mai début juin.
Fruits verts puis rouges, peu nombreux.
Racines fines et nombreuses.
Croissance moyenne.

EXIGENCES: E: Demande le plein soleil.
S: Peu exigeant, mais préfère un pH plutôt acide. Éviter le calcaire.
H: Demande un terrain bien drainé et frais.
R: Bonne rusticité, mais sensible aux maladies.
P: Plantation assez facile.
T: Tailler après la floraison.
D: Bonne.

UTILISATIONS: Plante intéressante par sa floraison, à utiliser en isolé.

Malus x 'Pom'zai'

POMMETIER NAIN POM'ZAI
Pom'zai Dwarf Crabapple

ZQ: G
ZC: 5 (peut être plus rustique)

DESCRIPTION: H: 1,50 m   L: 1,50 m
Arbuste compact, de forme arrondie, aux branches éri-gées, nombreuses.
Feuilles petites, ovales, dentées, vert foncé.
Fleurs rouge cramoisi, puis blanches.
Multitude de fruits orange, persistant longtemps.
Racines fines et nombreuses.
Croissance lente.

EXIGENCES: E: Demande le plein soleil.
S: Peu exigeant.
H: Demande un sol frais et bien drainé.
R: Seules des recherches permettront d'établir sa vraie rusticité.
P: Transplantation facile en pot.
T: Inutile.
D: Nouveauté.

UTILISATIONS: Plante intéressante par sa forme, sa floraison et ses fruits, on l'utilise pour la culture en bac, en isolé ou pour attirer les oiseaux.

Photo : Briant / Devoyault

Malus sargentii - (*Malus toringo sargentii*)
POMMETIER DE SARGENT
Sargent Crapple

ZQ: F- / G
ZC: 5

DESCRIPTION: H: 2 m   L: 4 m
Grand arbuste ou petit arbre de forme arrondie. Branches denses, largement étalées portant parfois des épines.
Feuilles caduques, ovales, lobées, vert foncé.
Fleurs simples, blanches, produites par des boutons rose foncé. Floraison odorante et très abondante, en juin.
Fruits rouges attirant les oiseaux et persistant longtemps.
Croissance lente.

EXIGENCES: E: Demande le plein soleil.
S: Peu exigeant.
H: Préfère un sol bien drainé et frais.
R: Plus ou moins rustique.
P: Transplantation facile.
T: Tailler après la floraison.
D: Plus ou moins bonne.

UTILISATIONS: Utilisé plante en isolé et dans les aménagements qui attirent les oiseaux. Intéressant par sa floraison et sa fructification.

Myrica gale

MYRTE DES MARAIS - Myrte bâtard - Bois-sent-bon
Sweet Gale - Bog Gale

ZQ: A / B / C / D / E / F / G
ZC: 2

DESCRIPTION: H: 1,20 m L: 2 m
Arbuste au port buissonnant, diffus, irrégulier. Branches érigées, à écorce roussâtre parsemée de petits points blancs. Jeunes pousses duveteuses, devenant brun foncé.
Feuilles caduques, elliptiques, dentées au sommet, et dont le revers porte de petites glandes. Elles dégagent une odeur agréable quand on les froisse. Feuillage vert foncé lustré.
Fleurs dressées, en chatons brunâtres, tôt au printemps.
Fruits, très nombreux, sous forme de drupes jaunâtres recouvertes d'une couche cireuse, apparaissant à l'automne et persistant en hiver.
Racines plus ou moins nombreuses portant des nodosités.
Croissance moyenne.

EXIGENCES: E: Croît aussi bien au plein soleil qu'à la mi-ombre.
S: Plante calcifuge qui aime les sols acides, tourbeux, même s'ils sont pauvres.
H: Plante de milieu humide, voire marécageux, mais qui s'accommode bien de la sécheresse.
R: Bonne rusticité. Résiste au sel.
P: Transplantation en pot ou en motte.
T: Peu utilisée.
D: Plus ou moins facile à se procurer.

UTILISATIONS: Cette plante est intéressante pour l'odeur que dégage son feuillage, sa fructification et sa facilité d'adaptation aux terrains pauvres. Utilisée principalement en groupe ou pour la naturalisation.

Myrica pensylvanica - (*Myrica carolinensis*)
CIRIER DE PENNSYLVANIE
Bearberry - Northern Bearberry

ZQ: A- / B- / C- / D- / E / F / G
ZC: 4b

DESCRIPTION: H: 1,50 m   L: 2 m
Arbuste au port arrondi, diffus, irrégulier. Rameaux gris, recouverts de poils et de glandes.
Feuilles caduques, ovales, entières, vert brillant dessus, portant des poils grisâtres dessous. Feuillage aromatique.
Fleurs en chatons au printemps.
Fruits recouverts de cire blanchâtre, apparaissant à l'automne et persistant longtemps en hiver.
Racines traçantes, stolonifères, portant des nodosités.
Croissance moyenne.

EXIGENCES: E: Les endroits ensoleillés ou mi-ombragés lui conviennent parfaitement.
S: Préfère les sols sableux et acides.
H: Demande un sol aride et sec.
R: Bonne. Supporte les endroits salins.
P: Transplanter en motte ou en pot.
T: Peu utilisée.
D: Plutôt rare.

UTILISATIONS: Plante intéressante par son feuillage odorant, ses fruits et sa faculté d'adaptation à des conditions difficiles. Se plante en groupe, en masse ou en isolé.

Neillia sinensis

NEILLIA DE CHINE
Chinese Neillia

ZQ: G
ZC: 5b

DESCRIPTION:
H: 1 m   L: 0,80 m
Arbuste au port érigé, pyramidal. Tiges brunes dont l'écorce s'exfolie.
Feuilles caduques, oblongues à ovales, longuement pointues, et profondément dentées. Nervures légèrement poilues dessous. Feuillage vert clair.
Fleurs petites, réunies en grappes, blanchâtres, à la fin du printemps.
Fruits sans intérêt.
Croissance moyenne.

EXIGENCES:
E: Demande le plein soleil, mais supporte la mi-ombre.
S: Peu exigeant.
H: Éviter les sols humides.
R: Peu rustique.
P: Transplanter en pot.
T: Une taille de rabattage à tous les printemps doit absolument être effectuée.
D: Rare.

UTILISATIONS:
Très belle plante intéressante par sa forme, ses fleurs et son feuillage que l'on peut utiliser en association ou en isolé.

Ostrya virginiana

OSTRYER DE VIRGINIE -
Bois dur - Ostryer d'Amérique
American Hop-Hornbeam - Ironwood

ZQ: C / D - / E / F / G
ZC: 3

DESCRIPTION: H: 7 m   L: 4 m
Gros arbuste à cime conique, tronc torsadé. Écorce brune, fissurée avec l'âge. Branches, semi-érigées, devenant horizontales, puis retombant légèrement. Rameaux grêles et luisants.
Feuilles elliptiques, simples, dentées, nervures très marquées. Feuillage dense, vert jaunâtre, devenant jaune orangé à l'automne.
Fleurs blanc verdâtre en chatons pendants.
Fruits, en cônes ovoïdes, vert pâle, devenant rougeâtres, persistants. Racines en pivot central puissant.
Croissance lente.

EXIGENCES: E: Aussi bien au plein soleil qu'à l'ombre épaisse.
S: Préfère un sol humide, légèrement acide mais s'adapte aux sols lourds.
H: Demande un sol frais et bien drainé, car il craint les excès d'humidité, mais supporte les sols secs.
R: Plutôt rustique, il supporte les conditions urbaines. Transplantation difficile.
P: Transplanter donc en pot ou en motte.
T: Éviter de tailler. Tôt au printemps, si nécessaire.
D: Rare.

UTILISATIONS: Utile pour les endroits ombragés et pour la naturalisation. S'utilise aussi bien en groupe qu'en isolé. Intéressant par sa forme et sa couleur automnale.

Paeonia suffruticosa - (*Paeonia arborea*)
PIVOINE EN ARBRE JAPONAISE -
Pivoine Mountan
Japanese Tree Paeony - Mountan Paeony

ZQ: E- / F- / G
ZC: 4

DESCRIPTION: H: variable L: variable
Arbuste buissonnant large, irrégulier, au feuillage clairsemé. Rameaux peu nombreux, raides, gros et con-
tournés. Écorce écailleuse.
Feuilles caduques, composées, aux folioles ovales,
découpées, avec 3 à 5 lobes; vert clair dessus, et vert
glauque dessous.
Nombreux cultivars donnant des fleurs de couleurs va-
riées, notamment roses et rouges, aux pétales très nombreux, crénelés et très découpés, au début de l'été.
Fruits sans intérêt.
Racines charnues peu nombreuses.
Croissance lente.

EXIGENCES: E: Préfère une ombre légère.
S: Demande un sol riche, profond, argileux. Il faut évi-
ter les engrais chimiques.
H: Les terrains frais lui conviennent bien.
R: Demande une situation protégée.
P: Transplantation facile en pot.
T: Supprimer les fleurs fanées.
D: Plus ou moins bonne disponibilité.

UTILISATIONS: Intéressante pour sa floraison mais aussi pour sa structure hivernale, on l'utilise surtout en isolé. Plante pour
jardinier averti.

Paxistima canbyi - (*Pachistima canbyi*)
PACHISTIMIA DE CANBY
Canby's Paxistimia - Red-Stipper

ZQ: A / B / C / D / E / F / G
ZC: 3

DESCRIPTION: H: 0,30 m   L: 1,25 m
Arbuste rampant.
Feuilles persistantes, simples, linéaires, étroites, légèrement dentées. Feuillage vert foncé lustré.
Fleurs verdâtres sans grand intérêt.
Fruits sans intérêt.
Racines drageonnantes.
Croissance lente.

EXIGENCES: E: Aussi bien au plein soleil qu'à la mi-ombre.
S: Demande un sol léger et acide.
H: Préfère un terrain humide.
R: Bonne rusticité.
P: Transplantation facile.
T: Inutile.
D: Assez bonne.

UTILISATIONS: Plante intéressante par sa forme et son feuillage, surtout utilisée comme couvre-sol ou en groupe, dans le premier rang des massifs.

Perovskia atriplicifolia
PEROVSKIA - Perovskia à feuilles d'Arroche
Russian Sage

ZQ: E- / F- / G
ZC: 4b

DESCRIPTION: H: 0,80 m   L: 0,90 m
Arbuste au port érigé, diffus. Branches herbacées, grisâtres qui exhalent une odeur de sauge quand elles sont froissées.
Feuilles ovales, aigües, grossièrement dentées, vert grisâtre dessus, blanchâtres dessous, donnant un aspect argenté au feuillage.
Fleurs bleu violacé regroupées en panicules terminaux dressés. Floraison en août-septembre.
Fruits gris sans grand intérêt.
Racines superficielles.
Croissance rapide.

EXIGENCES: E: Demande une exposition ensoleillée et chaude.
S: Préfère un sol sableux, pierreux, légèrement calcaire et plutôt pauvre. Éviter absolument les sols trop riches.
H: Doit être planté dans un sol bien drainé, plutôt sec.
R: Arbuste dont la souche doit être plantée dans une situation chaude, se réchauffant rapidement au printemps.
P: Planter en pot pour une bonne reprise.
T: Pour obtenir une plante compacte, rabattre tôt au printemps. Pincer les jeunes pousses lorsqu'elles ont 10 à 15 cm pour favoriser la floraison.
D: Bonne.

UTILISATIONS: Cette plante est très décorative par ses tiges colorées, son feuillage odorant, la couleur et l'époque de sa floraison. Excellente plante à utiliser en isolé, en association, et dans tous les endroits secs et pierreux.

Philadelphus coronarius 'Aureus'
SERINGAT DORÉ
Golden Mock-Orange

ZQ: A / B / C / D / E / F / G
ZC: 3

DESCRIPTION: H: 2 m   L: 1 m
Arbuste au port érigé et compact. Rameaux nombreux, très droits, à écorce brune qui s'exfolie.
Feuillage, jaune vif sur les jeunes pousses, prenant une teinte vert jaunâtre par la suite. Les feuilles caduques, entières, sont légèrement odorantes.
Fleurs blanches, peu nombreuses, plus ou moins odorantes en mai-juin.
Racines nombreuses.
Croissance plutôt lente.

EXIGENCES: E: Un endroit légèrement ombragé lui est favorable. Toutefois, à l'ombre plus prononcée, la couleur est moins marquée.
S: Peu exigeant.
H: Préfère les endroits humides, mais résiste à la sécheresse.
R: Bonne rusticité.
P: Transplanter en pot car celle-ci est plus ou moins facile.
T: Tailler après la floraison.
D: Excellente.

UTILISATIONS: Plante très utilisée en association dans les massifs ou comme haie. Intéressante par son feuillage et pour sa floraison.

Philadelphus x 'Bouquet Blanc'
SERINGAT BOUQUET BLANC
Bouquet Blanc Mock-Orange

ZQ: B- / C- / D- / E- / F / G
ZC: 4

DESCRIPTION: H: 2 m   L: 2 m
Arbuste aux branches érigées, extrémités légèrement.
Écorce gris brun qui s'exfolie.
Feuilles ovales, petites, arrondies à la base.
Fleurs regroupées en cymes, blanc laiteux, semi-doubles. Floraison abondante, peu odorante.
Racines nombreuses.
Croissance rapide.

EXIGENCES: E: Préfère le plein soleil, mais supporte une ombre légère qui, cependant, diminue la floraison.
S: Peu exigeant.
H: Demande un sol frais et bien drainé.
R: Bonne.
P: Transplantation facile.
T: Tailler après la floraison.
D: Assez bonne.

UTILISATIONS: Intéressante par sa fleur, cette plante s'utilise en association.

Philadelphus x 'Buckey Quills' C.O.P.F.
                    SERINGAT BUCKEY QUILLS
                    Buckey Quills Mock-Orange

        ZQ: B- / C- / D- / E- / F / G
        ZC: 4

DESCRIPTION: H: 2 m   L: 2 m
                    Arbuste érigé, au port arrondi, plus ou moins régulier.
                    Feuilles ovales, arrondies à la base, vert foncé.
                    Fleurs doubles, blanc pur, dont les pétales ont la forme
                    d'un tuyau de plume, odorantes, en juin-juillet.
                    Racines nombreuses.
                    Croissance moyenne à lente.

EXIGENCES: E: Aussi bien le plein soleil que la mi-ombre.
                    S: Peu exigeant.
                    H: Peu exigeant.
                    R: Bonne rusticité.
                    P: Tansplantation facile.
                    T: Peut être taillé court après la floraison.   Supporte
                       bien la taille.
                    D: Assez bonne.

UTILISATIONS: Plante utilisée en isolé ou en association dans les mas-
                    sifs pour sa floraison.

Philadelphus x 'Dwarf Snowflake'
  SERINGAT DWARF SNOWFLAKE
  Dwarf Snowflake Mock-Orange

  ZQ: B- / C- / D- / E- / F / G
  ZC: 4

DESCRIPTION: H: 1,20 m   L: 1,20 m
  Arbuste au port arrondi, compact, aux branches arquées.
  Grandes feuilles ovales, pointues et dentées, vert foncé.
  Fleurs doubles, blanc pur, dont le bord des pétales est frangé, odorantes, en juin-juillet.
  Racines nombreuses.
  Croissance lente.

EXIGENCES: E: Aussi bien à la mi-ombre qu'au plein soleil.
  S: Peu exigeant.
  H: Peu exigeant.
  R: Bonne rusticité.
  P: Tansplantation facile.
  T: La taille est peu utilisée.
  D: Assez bonne.

UTILISATIONS: Utile en association dans les massifs pour sa floraison.

Philadelphus x 'Lemoinei'
SERINGAT DE LEMOINE
Lemoine Mock-Orange

ZQ: A- / B- / C- / D- / E- / F- / G
ZC: 5

DESCRIPTION: H: 1,50 m   L: 0.60 m
Arbuste buissonnant aux rameaux très érigés, retombants légèrement avec l'âge. Écorce gris noir.
Feuilles caduques, petites, ovales, pointues au bout, d'un beau vert très vif.
Fleurs simples, blanc pur, très odorantes.
Racines nombreuses.
Croissance moyenne à rapide.

EXIGENCES: E: Supporte aussi bien le plein soleil que la mi-ombre.
S: Peu exigeant; cependant, il préfère les sols acides.
H: Supporte les endroits secs.
R: Peu rustique, il doit être planté en situation abritée des vents d'hiver dominants.
P: Transplantation facile.
T: Tailler tout de suite après la floraison. En cas de gélivures, on peut rabattre la plante pour que de nouvelles pousses se développent.
D: Assez bonne.

UTILISATIONS: Utile en association dans les massifs, parfois en isolé ou dans les rocailles. Intéressante par sa floraison.

Philadelphus x 'Manteau d'Hermine'
SERINGAT MANTEAU D'HERMINE
Manteau d'Hermine Mock-Orange

ZQ: A / B / C / D / E / F / G
ZC: 5

DESCRIPTION: H: 1,20 m   L: 0.60 m
Arbuste nain et compact, dense et arrondi. Écorce gris brun.
Feuilles caduques, petites, ovales-elliptiques, vert clair.
Fleurs doubles, blanc crème disposées en cymes, peu odorantes. Boutons rosâtres.
Racines nombreuses.
Croissance moyenne.

EXIGENCES: E: Supporte aussi bien le plein soleil que la mi-ombre.
S: Peu exigeant.
H: Préfère les endroits secs.
R: Peu rustique, il doit être planté en situation abritée des vents d'hiver dominants.
P: Transplantation facile.
T: Tailler tout de suite après la floraison. En cas de gélivures on peut rabattre la plante pour que de nouvelles pousses se développent.
D: Assez bonne.

UTILISATIONS: Utile en association dans les massifs, parfois en isolé ou dans les rocailles. Intéressante par sa floraison.

Philadelphus x 'Miniature Snowflake'
SERINGAT MINIATURE SNOWFLAKE
Miniature Snowflake Mock-Orange

ZQ: B- / C- / D- / E- / F / G
ZC: 4b

DESCRIPTION: H: 1 m   L: 1,50 m
Arbuste au port arrondi et irrégulier.
Feuilles caduques, ovales, vert foncé.
Fleurs doubles, blanc pur, odorantes, à la fin du printemps.
Racines nombreuses.
Croissance moyenne.

EXIGENCES: E: Croît indifféremment au plein soleil ou à la mi-ombre.
S: Peu exigeant.
H: Peu exigeant.
R: Bonne rusticité.
P: Tansplantation facile.
T: Taille peu utilisée.
D: Bonne.

UTILISATIONS: Utilisé en association dans les massifs pour sa floraison; on l'utilise aussi dans les rocailles.

Philadelphus x 'Minnesota Snowflake' - (*Philadelphus* x 'Snowflake')
SERINGAT MINNESOTA SNOWFLAKE
Minnesota Snowflake Mock-Orange

ZQ: B- / C- / D- / E- / F / G
ZC: 4b

DESCRIPTION: H: 1,80 m   L: 1 m
Arbuste au port dressé dont la base est souvent dégarnie. Écorce brune qui s'exfolie avec l'âge. Rameaux longs et vigoureux.
Feuilles caduques, ovales, vert foncé.
Fleurs doubles, blanc vif, réunies en grosses grappes, peu odorantes, à la fin du printemps.
Racines nombreuses.
Croissance rapide.

EXIGENCES: E: Aussi bien le plein soleil que la mi-ombre.
S: Peu exigeant.
H: Peu exigeant.
R: Bonne rusticité.
P: Tansplantation facile.
T: Peut être taillé court après la floraison.
D: Excellente.

UTILISATIONS: Utile dans l'ornementation des massifs pour sa floraison; on l'utilise aussi comme haie.

Philadelphus x 'Snowbelle'
SERINGAT SNOWBELLE
Snowbelle Mock-Orange

ZQ: B- / C- / D- / E- / F / G
ZC: 4b

DESCRIPTION: H: 1,20 m   L: 1 m
Arbuste au port arrondi, peu branchu.
Feuilles caduques, ovales, vert foncé.
Fleurs très doubles, blanc pur, très odorantes et très nombreuses, à la fin du printemps.
Racines nombreuses.
Croissance moyenne à lente.

EXIGENCES: E: Aussi bien le plein soleil que la mi-ombre.
S: Peu exigeant.
H: Peu exigeant.
R: Bonne rusticité.
P: Tansplantation facile.
T: Peut être taillé court après la floraison.
D: Bonne.

UTILISATIONS: Utilisé en association dans les massifs pour sa florai-son.

Philadelphus x 'Virginal' - (*Philadelphus* x *virginalis* 'Virginal')
SERINGAT VIRGINAL
Virginal Mock-Orange

ZQ: B- / C- / D- / E / F / G
ZC: 4

DESCRIPTION: H: 2 m   L: 1,20 m
Arbuste érigé, vigoureux au port irrégulier. Écorce brune s'exfoliant avec l'âge.
Feuilles caduques, ovales, courtement pointues, arrondies à la base, vert foncé.
Fleurs doubles, blanc pur, en grappes très odorantes, à la fin du printemps.
Racines nombreuses.
Croissance rapide.

EXIGENCES: E: Aussi bien le plein soleil que la mi-ombre.
S: Peu exigeant.
H: Peu exigeant.
R: Bonne rusticité.
P: Tansplantation facile.
T: Peut être taillé court après la floraison.
D: Très bonne.

UTILISATIONS: Plante utilisée en association dans les massifs pour sa magnifique floraison.

Physocarpus monogynus - *(Physocarpus opulifolius* 'Nanus')
PHYSOCARPUS NAIN
Mountain Ninebark

ZQ: A / B / C / D / E / F / G
ZC: 4

DESCRIPTION: H: 0,60 m   L: 0,60 m
Petit arbuste de forme globulaire, régulière et compacte.
Feuilles, petites, ovales, trilobées, devenant rouges à l'automne. Feuillage dense.
Fleur blanc rose en corymbes, au printemps.
Racines fibreuses.
Croissance lente.

EXIGENCES: E: Aussi bien au plein soleil qu'à l'ombre.
S: Peu exigeant.
H: Bien que peu exigeant, il préfère un sol humide.
R: Bonne rusticité.
P: Transplantation facile.
T: Tailler tout de suite après la floraison. Pour les haies, tailler de juin à août.
D: Bonne.

UTILISATIONS: Plante intéressante pour sa forme; on l'utilise surtout pour former des haies basses ou en association dans les massifs.

Physocarpus opulifolius
PHYSOCARPE À FEUILLES D'OBIER
Common Ninebark - Eastern Ninebark

ZQ: A / B / C / D / E / F / G
ZC: 2

DESCRIPTION: H: 3 m   L: 3 m
Arbuste au port érigé dont l'extrémité retombe, don-
nant ainsi à la plante un aspect gracieux. Écorce déco-
rative s'exfoliant par plaques.
Feuilles simples, à 5 lobes, au contour denté. Feuillage
vert moyen devenant jaune rouge à l'automne.
Fleurs blanches, réunies en corymbes, en mai-juin.
Fruits, sous forme de baies rougeâtres, en septembre-
octobre.
Racines fibreuses, traçantes.
Croissance moyenne.

EXIGENCES: E: Une situation ensoleillée ou partiellement ombragée
lui conviennent bien.
S: Peu exigeant.
H: Demande un sol plutôt sec.
R: Bonne.
P: Transplantation facile.
T: Supporte bien la taille qui peut se faire en tout
temps.
D: Excellente disponibilité.

UTILISATIONS: Plante intéressante par son écorce, ses fleurs et ses
fruits, on l'utilise pour les haies, en masse ou pour la
naturalisation.

Physocarpus opulifolius 'Dart's Gold'
PHYSOCARPE DART'S GOLD
Dart's Gold Ninebark

ZQ: A / B / C / D / E / F / G
ZC: 2b

DESCRIPTION: H: 1,50 m   L: 1,50 m
Arbuste de forme naine, pas très rameux. Rameaux irréguliers dont l'écorce s'exfolie par plaques minces.
Feuilles simples, à 3 lobes, d'un beau jaune doré toute la saison. Feuillage rouge à l'automne.
Fleurs blanches, réunies en corymbes, en mai-juin.
Fruits, sous forme de baies rougeâtres, en septembre-octobre.
Racines fibreuses, traçantes.
Croissance moyenne.

EXIGENCES: T: Tailler au début du printemps. Rabattre périodiquement.
D: Très bonne.

UTILISATIONS: Plante intéressante par la coloration de son feuillage, utilisée en association dans les massifs.

Physocarpus opulifolius 'Luteus' - (*Physocarpus opulifolius* 'Aureus')
PHYSOCARPE LUTEUS
Luteus Ninebark

ZQ: A / B / C / D / E / F / G
ZC: 3

DESCRIPTION: H: 2 m   L: 1,50 m
Arbuste vigoureux aux branches érigées, puis étalées. Jeunes pousses brun rougeâtre donnant des rameaux dont l'écorce s'exfolie.
Feuilles simples, à 3 lobes, d'un beau jaune doré sur les nouvelles pousses, devenant jaune verdâtre au cours de la saison. À l'automne, le feuillage prend une teinte pourpre.
Fleurs petites, blanches, réunies en corymbes, en mai-juin.
Fruits, sous forme de baies rougeâtres devenant plus foncées à maturité, en septembre-octobre, et persistant en hiver. Racines fibreuses, traçantes.
Croissance moyenne.

EXIGENCES: D: Très bonne.

UTILISATIONS: Plante intéressante par la coloration de son feuillage, utilisée en association dans les massifs.

Pieris japonica

ANDROMÈDE DU JAPON - Pieris
Japanese Andromeda - Lily of the Valley Bush

ZQ: F / G
ZC: 4b

DESCRIPTION: H: 1,50 m L: 1,50 m
Arbuste aux branches érigées qui retombent sur les bords, formant ainsi une boule.
Feuillage persistant, dense, composé de feuilles vert foncé lustré. Les jeunes pousses sont teintées de cuivre.
Fleurs blanches, abondantes, en panicules retombantes, en mai.
On observe parfois des fruits ovoïdes.
Croissance lente.

EXIGENCES: E: Aime les endroits mi-ombragés ou ombragés. Toutefois, sa floraison diminue à l'ombre.
S: Requiert un sol acide et humifère.
H: Préfère les endroits drainés, mais conservant une certaine fraîcheur.
R: La plantation ne se fera qu'en situation abritée. Une protection hivernale est fort utile.
P: Il faut absolument transplanter des plantes en pot.
T: Tailler légèrement après la floraison, si nécessaire.
D: Bonne.

UTILISATIONS: Plante intéressante par son feuillage et par ses fleurs, utilisée en association dans les massifs de plantes acidophiles. Plante pour jardiniers avertis.

Pieris japonica 'Bisbee' - (*Pieris japonica* 'Bisbee Dwarf')
ANDROMÈDE BISBEE DWARF -
Pieris Bisbee Dwarf
Bisbee Dwarf Andromeda

ZQ: G
ZC: 5b

DESCRIPTION: H: 0,50 m   L: 0,40 m
Arbuste nain, compact, très dense.
Feuilles petites, vert foncé lustré, avec de jeunes pous-
ses rougeâtres.
Croissance très lente.

EXIGENCES: D: Bonne.

UTILISATIONS: Plante de forme naine principalement utilisée dans les
rocailles.

Pieris japonica 'Mountain Fire'
ANDROMÈDE MOUNTAIN FIRE -
Pieris Mountain Fire
Mountain Fire Andromeda

ZQ: G
ZC: 5b

DESCRIPTION: H: 0,50 m   L: 0,80 m
Arbuste, compact, très dense.
Les jeunes pousses, rouge foncé, donnent naissance à
des feuilles vert foncé lustré.
Floraison blanche.
Croissance lente.

EXIGENCES: D: Bonne.

UTILISATIONS: Plante intéressante par son feuillage et par ses fleurs,
utilisée en association dans les massifs.

'Bisbee'   'Mountain Fire'

Pieris japonica 'Red Mill'
ANDROMÈDE RED MILL - Pieris Red Mill
Red Mill Andromeda

ZQ: G
ZC: 5b

DESCRIPTION: H: 1 m   L: 1 m
Arbuste ayant l'aspect d'une grosse boule peu dense dans son jeune âge, mais devenant plus touffue par la suite. Les branches, d'abord érigées, deviennent rampantes avec le temps.
Feuilles lancéolées, vert brillant. Les nouvelles pousses sont rouge feu, puis deviennent vert bronzé, puis vertes.
Fleurs, blanc jaunâtre, en panicules retombantes, au printemps.
Croissance lente.

EXIGENCES: D: Bonne.

UTILISATIONS: Plante intéressante par son feuillage et par ses fleurs, utilisée en association dans les massifs, mais aussi en isolé.

Pieris japonica 'Variegata'
ANDROMÈDE PANACHÉ - Pieris Panaché
Variegated Andromeda

ZQ: G
ZC: 5b

DESCRIPTION: H: 1 m   L: 1 m
Arbuste érigé au port ovoïde.
Petites feuilles lancéolées, vert brillant, bordées de blanc crème et de rose sur les jeunes pousses, et de blanc crème seulement par la suite.
Fleurit rarement.
Croissance lente.

EXIGENCES: D: Bonne.

UTILISATIONS: Plante intéressante par son feuillage, utilisée en association dans les massifs ou en isolé.

Potentilla fruticosa
POTENTILLE FRUTESCENTE
Bush Cinquefoil

ZQ: A / B / C / D / E / F / G
ZC: 2

DESCRIPTION: H: 1 m   L: 1,50 m
Arbuste bas, formant un monticule irrégulier. Branches érigées, retombant avec l'âge. Écorce brune s'exfoliant. Feuilles caduques, composées de 5 à 7 folioles ovales. Jeunes pousses, gris argent, suivies de feuilles vert grisâtre qui tournent au brun en hiver.
Fleurs, jaunes chez l'espèce, mais variant considérablement de dimension chez les cultivars. On retrouve actuellement des cultivars à fleurs orange et d'autres à fleurs plus ou moins roses.
Fruits bruns sans intérêt.
Racines fibreuses, fines et nombreuses.
Croissance moyenne.

EXIGENCES: E: Demande le plein soleil.
S: Peu exigeant.
H: Préfère les sols bien drainés, mais s'adapte facilement à toutes les conditions.
R: Très rustique.
P: Transplantation facile.
T: La taille s'effectue au printemps, et peut être plus ou moins courte suivant les cas.
D: Bonne.

UTILISATIONS: Plante intéressante par sa floraison et sa grande adaptabilité, utilisée pour la naturalisation, en association, en masse ou en groupe.

Potentilla fruticosa 'Abbotswood'
POTENTILLE ABBOTSWOOD
Abbostwood Cinquefoil

ZQ: A / B / C / D / E / F / G
ZC: 2

DESCRIPTION: H: 0,80 m   L: 2 m
Petit arbuste au port plutôt rampant, formant un petit monticule. Branches érigées devenant arquées avec l'âge.
Feuillage fin, aux feuilles petites, bleu vert foncé, glauques.
Floraison blanche durant toute la saison.
Croissance lente à moyenne.

EXIGENCES: D: Bonne.

UTILISATIONS: Bonne plante couvre-sol que l'on peut utiliser au premier plan des massifs ou dans les rocailles.

Potentilla fruticosa 'Abbots Silver'
POTENTILLE ARGENTÉE
Silver Cinquefoil

ZQ: A / B / C / D / E / F / G
ZC: 2

DESCRIPTION: H: 0,80 m   L: 1,50 m
Petit arbuste au port plutôt rampant, formant un petit monticule. Branches érigées devenant arquées avec l'âge.
Feuillage fin aux feuilles petites, marginées de blanc crème.
Floraison blanche durant toute la saison.
Croissance lente à moyenne.

EXIGENCES: D: Nouveauté

UTILISATIONS: Plante intéressante par son feuillage et sa floraison, utilisée en association ou en isolé.

Photo : Briant / Devoyault

325

Potentilla fruticosa 'Anette F'
POTENTILLE ANETTE F
Anette F Cinquefoil

ZQ: A / B / C / D / E / F / G
ZC: 2

DESCRIPTION: H: 0,80 m   L: 1 m
Grandes fleurs, couleur tangerine à jaune orange. Plan-
te très florifère.
Croissance moyenne.

EXIGENCES: D: Bonne.

UTILISATIONS: Utilisation en masse et en association.

Potentilla fruticosa 'Elizabeth' - (*Potentilla fruticosa* 'Arbuscula') -
(*Potentilla fruticosa* 'Sutter's Gold')

POTENTILLE ARBUSCULA
Arbuscula Cinquefoil

ZQ: A / B / C / D / E / F / G
ZC: 2

DESCRIPTION: H: 1 m   L: 1,50 m
Arbuste aux branches arquées, lâches.
Feuillage gris vert.
Petites fleurs jaunes, du début de l'été à l'automne.
Croissance moyenne.

EXIGENCES: D: Bonne.

UTILISATIONS: Plante que l'on peut utiliser comme couvre-sol, en
association dans les massifs ou en groupe.

Potentilla fruticosa 'Coronation Triumph'
POTENTILLE CORONATION TRIUMPH
Coronation Triumph Cinquefoil

ZQ: A / B / C / D / E / F / G
ZC: 2

DESCRIPTION: H: 1 m   L: 1 m
Arbuste buissonnant au port érigé et arrondi. Branches brunes.
Feuillage vert foncé, fin.
Fleurs aux pétales étroits, jaune clair, de juin aux gelées.
Croissance rapide.

EXIGENCES: D: Bonne.

UTILISATIONS: Peut être utile comme haie basse, en association, en groupe, ou dans l'aménagement des rocailles.

Potentilla fruticosa 'Gold Drop' - (*Potentilla fruticosa* 'Farreri')
POTENTILLE GOLD DROP
Gold Drop Cinquefoil

ZQ: A / B / C / D / E / F / G
ZC: 2

DESCRIPTION: H: 1 m   L: 1 m
Arbuste compact, au port semi-rampant.
Rameaux minces et nombreux.
Feuilles très petites ressemblant à des feuilles de fougères, gris vert.
Grandes fleurs jaune d'or, abondantes de juin aux gelées.
Croissance rapide.

EXIGENCES: D: Très bonne.

UTILISATIONS: Utilisation comme haie basse, dans les rocailles, au premier plant des massifs ou en groupe.

Potentilla fruticosa 'Goldfinger'
POTENTILLE GOLDFINGER
Goldfinger Cinquefoil

ZQ: A / B / C / D / E / F / G
ZC: 2

DESCRIPTION: H: 1 m   L: 1 m
Petit arbuste buissonnant, aux branches érigées, ayant la forme d'un petit monticule.
Feuillage vert franc.
Grandes fleurs jaune d'or, de juin jusqu'aux gelées.
Floraison abondante.
Croissance moyenne.

EXIGENCES: D: Assez bonne.

UTILISATIONS: Excellente plante pour les rocailles ou pour être associée dans les massifs.

Potentilla fruticosa 'Gold Star'
POTENTILLE GOLD STAR
Gold Star Cinquefoil

ZQ: A / B / C / D / E / F / G
ZC: 2

DESCRIPTION: H: 0,80 m   L: 1,20 m
Plante semi-érigée, au port compact et irrégulier.
Grandes fleurs jaune d'or.

EXIGENCES: D: Assez bonne.

UTILISATIONS: Plante à utiliser en masse ou en association.

Potentilla fruticosa 'Jackman' -
(*Potentilla fruticosa* 'Jackman's Variety')
POTENTILLE DE JACKMAN
Jackman's Cinquefoil

ZQ: A / B / C / D / E / F / G
ZC: 2

DESCRIPTION: H: 1,20 m   L: 1 m
Arbuste buissonnant, au port dressé, formant un petit globe.
Feuillage dense, aux grandes feuilles vert foncé.
Fleurs jaunes d'or, abondantes, de juin aux gelées.
Croissance moyennement rapide.

EXIGENCES: D: Très bonne.

UTILISATIONS: Plante que l'on utilise comme haie basse, en groupe ou en association dans les massifs.

Potentilla fruticosa 'Katherine Dykes'
POTENTILLE KATHERINE DYKES
Katherine Dykes Cinquefoil

ZQ: A / B / C / D / E / F / G
ZC: 2

DESCRIPTION: H: 1,50 m   L: 1,50 m
Arbuste au port érigé et régulier.
Feuilles vert grisâtre.
Grandes fleurs, jaune soufré, très nombreuses, de juin à août.
Croissance lente.

EXIGENCES: D: Bonne.

UTILISATIONS: On utilise cette plante en association, dans les rocailles ou en groupe.

Potentilla fruticosa 'Klondike' - (*Potentilla fruticosa* 'Klondyke')
POTENTILLE KLONDIKE
Klondike Cinquefoil

ZQ: A / B / C / D / E / F / G
ZC: 2

DESCRIPTION: H: 0,80 m L: 0,60 m
Arbuste nain et compact.
Feuillage fin, dense, vert foncé.
Grandes fleurs jaune foncé.
Croissance moyenne.

EXIGENCES: D: Bonne.

UTILISATIONS: Plante idéale pour les rocailles et les petits jardins.

Potentilla fruticosa 'Moonlight' - (*Potentilla fruticosa* 'Maanelys') -
(*Potentilla fruticosa* 'Manelys')
POTENTILLE MOONLIGHT
Moonlight Cinquefoil

ZQ: A / B / C / D / E / F / G
ZC: 2

DESCRIPTION: H: 0,90 m L: 0,90 m
Arbuste au port érigé.
Feuillage dense, bleu vert.
Fleurs abondantes, grandes, d'un beau jaune clair à
l'extérieur et jaune plus foncé au centre. Floraison de
juin aux gelées.
Croissance moyenne.

EXIGENCES: D: Bonne.

UTILISATIONS: Plante à utiliser dans les rocailles, en association avec
d'autres arbustes, en groupe ou en haie.

Potentilla fruticosa 'Mount Everest'
POTENTILLE MOUNT EVEREST
Mount Everest Cinquefoil

ZQ: A / B / C / D / E / F / G
ZC: 2

DESCRIPTION: H: 1,20 m L: 0.50 m
Petit arbuste érigé, plutôt étroit. Branches dressées, peu
nombreuses.
Feuillage vert.
Floraison abondante; grandes fleurs blanches.
Croissance moyenne.

EXIGENCES: D: Assez bonne.

UTILISATIONS: Excellente plante à utiliser comme haie basse, en groupe ou en association.

'Klondike'

'Moonlight'

'Mount Everest'

Potentilla fruticosa 'Primerose Beauty'
POTENTILLE PRIMEROSE BEAUTY
Primerose Beauty Cinquefoil

ZQ: A / B / C / D / E / F / G
ZC: 2

DESCRIPTION: H: 1,20 m   L: 0,50 m
Arbuste au port irrégulier, diffus.
Feuillage vert grisâtre.
Fleurs, rose clair, au centre plus foncé. Au plein soleil, la couleur a tendance à se délaver pour devenir blanche.

EXIGENCES: E: Une ombre légère est préférable pour conserver la couleur des fleurs.
D: Bonne.

UTILISATIONS: Plante à utiliser en association ou en groupe.

Potentilla fruticosa 'Princess' C.O.P.F.
(*Potentilla fruticosa* 'Pink Queen')
POTENTILLE PRINCESS
Princess Cinquefoil

ZQ: A / B / C / D / E / F / G
ZC: 3

DESCRIPTION: H: 0,90 m   L: 0,80 m
Petit arbuste au port arrondi et irrégulier.
Feuillage vert.
Fleurs rose tendre très hâtives.

EXIGENCES: D: Bonne.

UTILISATIONS: Plante à utiliser en association ou en masse.

Potentilla fruticosa 'Red Ace' C.O.P.F.
POTENTILLE RED ACE
Red Ace Cinquefoil

ZQ: A / B / C / D / E / F / G
ZC: 3

DESCRIPTION: H: 0,60 m   L: 1,20 m
Arbuste rampant, très branchu, aux rameaux arquées.
Feuillage dense et découpé, très fin.
Fleurs rouge orange, au coeur jaune. Toutefois, la couleur tourne au jaune quand la plante est située dans des conditions de forte chaleur et de sécheresse.
Pousse lente.

EXIGENCES: E: Demande le plein soleil, mais préfère une ombre légère pour une couleur de fleur plus prononcée.
D: Bonne.

UTILISATIONS: Excellente plante de rocaille, pouvant être aussi utilisée en association dans les massifs ou comme couvre-sol.

'Primerose Beauty'

'Princess'

'Red Ace'

Potentilla fruticosa 'Royal Flush'
POTENTILLE ROYAL FLUSH
Royal Flush Cinquefoil

ZQ: A / B / C / D / E / F / G
ZC: 3

DESCRIPTION: H: 0,60 m   L: 0,40 m
Plante au port irrégulier.
Feuilles composées, aux folioles petites.
Petites fleurs rose foncé, au coeur jaune, nombreuses.
Dans les endroits chauds et secs, la couleur tourne au
jaune clair blanchâtre. Floraison, de la fin du printemps
à l'automne.
Croissance lente.

EXIGENCES: E: Une ombre partielle favorise l'intensité de la couleur.
D: Bonne.

UTILISATIONS: Peut être utile en isolé, dans les rocailles ou en association dans les massifs.

Potentilla fruticosa 'Snowflake' - (*Potentilla fruticosa* 'Hersii')
POTENTILLE SNOWFLAKE
Snowflake Cinquefoil

ZQ: A / B / C / D / E / F / G
ZC: 2

DESCRIPTION: H: 1,50 m   L: 1,20 m
Petit arbuste plus ou moins érigé.
Feuilles obovales, grandes.
Fleurs, très grandes, blanches, semi-doubles. Floraison durant toute la saison.
Croissance vigoureuse.

EXIGENCES: D: Bonne.

UTILISATIONS: Excellente plante pour les rocailles et les haies basses. Peut aussi être utilisée en association ou en groupe.

Potentilla fruticosa 'Sunset'

POTENTILLE SUNSET

Sunset Cinquefoil

ZQ: A / B / C / D / E / F / G
ZC: 3

DESCRIPTION: H: 0,80 m   L: 0,80 m
Arbuste nain et compact, au port globulaire, plutôt rampant.
Feuilles petites, vert foncé, lustrées.
Fleurs, jaune pâle et brun rouge brique plus ou moins prononcé qui peut disparaître en situation trop chaude.
Croissance lente.

EXIGENCES: D: Assez bonne.

UTILISATIONS: Plante idéale pour les rocailles et en association dans les massifs.

Potentilla fruticosa 'Tangerine'

POTENTILLE TANGERINE

Tangerine Cinquefoil

ZQ: A / B / C / D / E / F / G
ZC: 3

DESCRIPTION: H: 0,60 m   L: 1,20 m
Plante rampante au port irrégulier, lâche.
Feuillage plutôt fin, gris vert.
Floraison jaune clair au soleil, mais jaune orange à l'ombre partielle.
Croissance moyenne.

EXIGENCES: E: Pour une teinte orange, planter en situation mi-ombragée.
D: Bonne.

UTILISATIONS: Dans les rocailles, en groupe, en association ou sur les talus.

Potentilla fruticosa 'White Star'

POTENTILLE WHITE STAR

White Star Cinquefoil

ZQ: A / B / C / D / E / F / G
ZC: 2

DESCRIPTION: H: 1,30 m   L: 1,50 m
Plante au port d'abord érigé, puis étalé.
Feuillage gris vert.
Fleurs blanches.

EXIGENCES: D: Assez bonne.

UTILISATIONS: Utilisé en masse et en association.

'Sunset'

'Tangerine'

'White Star'

Potentilla fruticosa 'Yellow Gem'
POTENTILLE Yellow Gem
Yellow Gem Cinquefoil

ZQ: A / B / C / D / E / F / G
ZC: 2

DESCRIPTION: H: 0,40 m   L: 0,90 m
Plante rampante.
Grandes fleurs jaunes, pendant une bonne partie de l'été.

EXIGENCES: D: Assez bonne.

UTILISATIONS: Plante intéressante pour son utilisation en masse, en association et comme couvre-sol.

342

Potentilla parvifolia - (*Potentilla fruticosa* 'Parvifolia')
POTENTILLE PARVIFOLIA
Small Leaf Cinquefoil

ZQ: A / B / C / D / E / F / G
ZC: 3

DESCRIPTION: H: 1,20 m   L: 1 m
Arbuste au port érigé, dont les branches retombent avec l'âge. Écorce brune s'exfoliant.
Petites feuilles caduques, vert foncé, qui tournent au brun en hiver.
Fleurs jaune citron
Fruits bruns sans intérêt.
Racines fibreuses, fines et nombreuses.
Croissance moyenne.

EXIGENCES: E: Réclame le plein soleil.
S: Peu exigeant.
H: S'adapte facilement à toutes les conditions mais préfère les sols bien drainés.
R: Très rustique.
P: Se transplante facilement.
T: La taille s'effectue au printemps et peut être plus ou moins court suivant les cas.
D: Assez bonne.

UTILISATIONS: Plante intéressante par sa floraison et sa grande adaptabilité, on l'utilise en association, en masse ou en groupe.

Prunus americana

PRUNUS AMERICANA
American Plum - American Red Plum

ZQ: A- / B- / C- / D- / E- / F- / G
ZC: 3

DESCRIPTION: H: 6 m   L: 6 m
Gros arbuste ou petit arbre globulaire, dense. Branches brunes portant des épines. Écorce écailleuse.
Feuilles caduques, simples, ovales, légèrement dentées.
Feuillage vert foncé, tournant au jaune à l'automne.
Fleurs blanches odorantes, très tôt au printemps.
Fruits presque globuleux, rouge clair.
Racines traçantes.
Croissance moyenne à rapide.

EXIGENCES: E: Requiert absolument le plein soleil.
S: Peu exigeant.
H: S'accommode d'un sol sec.
R: Bonne rusticité.
P: Transplantation assez facile, si possible en pot ou en motte.
T: Tailler après la floraison.
D: Rare.

UTILISATIONS: Plante intéressante par sa floraison et ses fruits, utilisée pour la naturalisation ou comme plante de fond de scène.

Prunus besseyi

PRUNUS BESSEYI
Western Sandcherry - Sandcherry

ZQ: A- / B- / C- / D- / E- / F- / G
ZC: 3

DESCRIPTION: H: 1,50 m   L: 1,50 m
Arbuste au port arrondi, irrégulier, diffus.
Feuilles caduques, simples, ovales, dentées, vert grisâtre.
Tôt au printemps, cet arbuste se recouvre de fleurs blanches.
Fruits comestibles, pourpre noir, dès le mois de juillet.
Racines drageonnantes.
Croissance moyenne à lente.

EXIGENCES: E: Demande un endroit ensoleillé.
S: Peu exigeant, il supporte même les sols pierreux et pauvres.
H: Demande un sol sec, chaud et bien drainé.
R: Bonne.
P: Transplantation plutôt facile.
T: Peu utile.
D: Plus ou moins bonne.

UTILISATIONS: Plante que l'on utilise en association ou en isolé pour sa floraison, son feuillage et ses fruits. Ses fruits attirent les oiseaux.

Prunus x *cistena*

PRUNIER POURPRE DES SABLES - Prunus cistena
Purple-leaf Sand Cherry - Dwarf Crimson Cherry

ZQ: A / B / C / D / E / F / G
ZC: 3

DESCRIPTION: H: 1,75 m   L: 1,25 m
Arbuste buissonnant, au port érigé, de forme arrondie.
Rameaux vigoureux, rougeâtre foncé.
Feuilles caduques, simples, entières, ovales, pourpre
foncé, durant toute la saison. Feuillage plutôt dense.
Fleurs solitaires, rosâtres, tôt en mai, avant les feuilles.
Fruits, sous forme de petites cerises violet foncé.
Racines nombreuses et fines.
Croissance moyenne.

EXIGENCES: E: Préfère le plein soleil.
S: Demande un sol sain. Supporte le calcaire.
H: Il faut éviter les extrêmes comme la sécheresse et
les inondations.
R: Bonne rusticité, mais le bout des branches a souvent
tendance à geler en hiver. Supporte la pollution.
P: Transplantation assez facile.
T: Pratiquer une taille de nettoyage au printemps et, si
nécessaire, tailler après la floraison.
D: Plante très populaire.

UTILISATIONS: Plante contrastante, utilisée en association dans les
massifs, en groupe et parfois même en isolé. Il est aussi
possible de l'utiliser en haie. Plante recherchée pour
son feuillage et sa floraison

Prunus depressa - (*Prunus pumila depressa*)

CERISIER DÉPRIMÉ - Cerisier de Sable -
Minel du Canada
Dwarf Cherry

ZQ: C- / D- / E / F / G
ZC: 3

DESCRIPTION: H: 0,30 m   L: 2 m
Petit arbuste rampant. Grosses branches produisant des rameaux rampants.
Feuilles, en forme de lance, dentées au sommet.
Petites fleurs blanc rosé, réunies en ombelles, apparaissant avant les feuilles au printemps.
Fruits, sous forme de cerises rouges, puis noires.
Racines fines et nombreuses.
Croissance lente.

EXIGENCES: E: Demande le plein soleil.
S: Préfère les sols sableux et pierreux.
H: Un sol plutôt sec lui convient.
R: Bonne rusticité.
P: Transplantation facile.
T: La taille intervient après la floraison, si elle est nécessaire.
D: Malheureusement plutôt rare.

UTILISATIONS: Plante intéressante pour sa forme, ses fleurs et ses fruits; on l'utilise comme couvre-sol, en groupe, en association ou pour la naturalisation. Ses fruits attirent les oiseaux.

Prunus glandulosa 'Sinensis' - (*Prunus glandulosa* 'Rosea-Plena')
AMANDIER DU JAPON À FLEURS ROSES -
Faux-Amandier
Pink Dwarf Flowering Almond

ZQ: G
ZC: 5

DESCRIPTION: H: 1,50 m   L: 1 m
Arbuste buissonnant, bas, compact, arrondi et irrégulier.
Feuilles ovales, oblongues, pubescentes, dentées sur les bords, vert clair brillant.
Fleurs doubles, roses, au printemps, avant les feuilles.
Floraison très abondante.
Fruits globuleux rouges.
Croissance lente.

EXIGENCES: E: Croît au plein soleil.
S: Demande une bonne terre à jardin, saine. Éviter les sols calcaires.
H: Demande un sol bien drainé, sans excès d'humidité.
R: Plante peu rustique, dont le bout des branches gèlent en hiver; préfère une situation abritée.
P: Planter des plantes en pot de préférence.
T: Tailler immédiatement après la floraison.
D: Bonne.

UTILISATIONS: Plante intéressante par sa floraison; utilisée principalement en association dans les massifs.

Prunus subhirtella

CERISIER HIGAN
Higan Cherry - Rosebud Cherry- Spring Cherry

ZQ: G
ZC: 5

DESCRIPTION: H: 2 m L: 1m
Arbuste, au port érigé, très ramifié, étroit.
Feuilles simples, ovales, pointues au bout, doublement dentées. Feuillage vert foncé lustré, prenant une belle teinte dorée en automne.
Fleurs, rose brillant, tôt au printemps, avant les feuilles.
Petites fleurs réunies en corymbes.
Fruits , sous forme de drupes noires.
Croissance moyenne.

EXIGENCES: E: Demande le plein soleil.
S: Peu exigeant.
H: Préfère les sols bien drainés.
R: Peu élevée.
P: Transplanter en pot.
T: Après la floraison.
D: Plutôt rare.

UTILISATIONS: Plante intéressante par sa floraison, utilisée en isolé.

Prunus tenella 'Fire Hill'

AMANDIER FIRE HILL - Amandier nain
Fire Hill Dwarf Russian Almond

ZQ: C- / D- / E / F / G
ZC: 3

DESCRIPTION: H: 1,50 m   L: 1 m
Arbuste aux branches érigées, longues, sans beaucoup de rameaux. Écorce brun clair.
Feuilles en forme de lance, légèrement dentées. Feuillage vert grisâtre, prenant un coloris jaune orange à l'automne.
Nombreuses fleurs petites, rondes, rose rouge, brillantes. Floraison printanière abondante.
Fruits sans intérêt.
Croissance lente.

EXIGENCES: E: Croît au plein soleil, mais supporte une ombre légère.
S: Supporte tous les sols, à l'exception des sols calcaires.
H: Préfère un sol bien drainé.
R: Bonne rusticité.
P: Transplanter en pot ou en motte, car la reprise est plus ou moins facile.
T: Taille légère après la floraison.
D: Plus ou moins facile à se procurer.

UTILISATIONS: Plante intéressante par sa floraison et son coloris automnal, utilisée en association ou en isolé.

Prunus tomentosa

CERISIER TOMENTEUX
Nanking Cherry - Mandchu Cherry - Downy Cherry

ZQ: C- / D- / E / F / G
ZC: 2b

DESCRIPTION: H: 2 m   L: 2 m

Arbuste, au port arrondi, large, irrégulier. Rameaux recouverts de duvet. Écorce rougeâtre, s'exfoliant avec l'âge.

Feuilles caduques, simples, pointues au bout, dentées, obovales, vert mat et pubescentes dessus, très velues dessous, ce qui donne un aspect doux au feuillage.

Fleurs, blanc rosé, parfumées, au printemps, avant les feuilles.

Fruits, sous forme de petites cerises, rouge foncé, comestibles.

Racines fines et nombreuses.

Croissance moyenne.

EXIGENCES: E: Demande le plein soleil, mais supporte la mi-ombre.
S: Préfère les sols sains et fertiles.
H: Éviter les excès d'humidité ou de sécheresse.
R: Très rustique.
P: Transplantation plutôt facile.
T: Tailler immédiatement après la floraison.
D: Bonne.

UTILISATIONS: Plante généralement utilisée en association pour sa floraison printanière, et parfois en isolé.

Prunus triloba 'Multiplex' - (*Prunus triloba* 'Plena')
FAUX-AMANDIER À FLEURS DOUBLES -
Amandier de Chine à fleurs doubles
Double Flowering Almond

ZQ: A / B / C / D / E / F / G
ZC: 4b

DESCRIPTION: H: 1,80 m   L: 1.20 m
Arbuste d'aspect arrondi, car les branches érigées retombent sur les côtés. Rameaux minces, peu nombreux, brun rougeâtre.
Feuilles, obovales, à 3 lobes, pointues au bout. Feuillage vert clair, plus foncé en été.
Floraison très abondante sur les rameaux, avant l'apparition des feuilles. Fleurs, en forme de petites roses, très doubles, rose très vif contrastant avec les étamines jaunes.
Fruits peu nombreux.
Racines profondes.
Croissance moyenne à lente.

EXIGENCES: E: Doit être planté au plein soleil pour une floraison abondante.
S: Préfère les sols fertiles et sains, mais s'adapte à tous les sols.
H: Éviter aussi bien les excès d'humidité que la sécheresse.
R: Bonne rusticité, mais planter en situation protégée sinon, le bout des branches gèle.
P: Transplantation en pot ou en motte plus ou moins facile.
T: Tailler assez court immédiatement après la floraison.
D: Excellente disponibilité.

UTILISATIONS: Plante utile en isolé, en association ou en groupe pour sa magnifique floraison.

Ptelea trifoliata

ORME DE VIRGINIE - Orme de Samarie -
Orme à trois feuilles
Common Hoptree - Wafer Ash

ZQ: F / G
ZC: 5

DESCRIPTION: H: 3 m   L: 3 m
Gros arbuste à cime arrondie, irrégulière. Branches à écorce brun rougeâtre.
Feuilles composées de 3 folioles, elliptiques, oblongues. Feuillage vert foncé lustré, devenant jaune à l'automne.
Fleurs en corymbes apparaissant en juin.
Fruits, amers, aromatiques, sous forme de samares à ailes très larges, circulaires et très décoratifs, apparaissent en septembre-octobre.
Racines latérales profondes.
Croissance lente.

EXIGENCES: E: Croît aussi bien au plein soleil qu'à l'ombre.
S: Peu exigeant.
H: Demande un sol bien drainé et sec.
R: Peu rustique, il doit être planté en situation abritée.
P: Transplanter en pot ou en motte, car la reprise est parfois difficile.
T: Peu utilisée.
D: Assez rare en centre-jardin.

UTILISATIONS: Plante intéressante par sa fructification, utilisée en isolé ou en association.

Pyracantha x 'Yukon Belle'
  BUISSON ARDENT YUKON BELLE
  Yukon Belle Scarlet Firethorn

ZQ: A / B / C / D / E / F / G
ZC: 5

DESCRIPTION: H: 1 m   L: 1,50 m
  Arbuste bas, presque rampant aux rameaux érigés.
  Comme cette plante gèle facilement, sa forme et sa
  hauteur s'en trouvent modifiés par rapport à sa forme
  naturelle. Branches d'abord duveteuses devenant brunes et portant de longues épines.
  Feuilles persistantes, simples, en forme de lance, étroites, légèrement dentées.
  Fleurs blanchâtres sans grand intérêt, d'odeur désagréable.
  Fruits en forme de baies rouge orange, persistants. Les
  fruits, parfois très nombreux, donnent un aspect particulier à la plante.
  Croissance lente.

EXIGENCES: E: Réclame absolument le plein soleil.
  S: Peu exigeant, il supporte les sols pauvres mais re-
     doute le calcaire.
  H: Préfère les endroits secs, bien drainés, car il craint
     les excès d'humidité.
  R: Peu rustique, il requiert une protection hivernale.
     Résiste à la brûlure bactérienne.
  P: Transplanter en pot car la reprise est difficile.
  T: Une taille de nettoyage au printemps est nécessaire.
  D: Bonne.

UTILISATIONS: Plante intéressante pour ses fruits qui attirent les oiseaux. Utilisée généralement en association. Plante
  pour jardinier averti.

Rhododendron x

Rhododendron x

RHODODENDRONS ET AZALÉES
Rhododendrons & Azaleas

ZQ: Variable
ZC: DE 3b à 5b

DESCRIPTION: H: Variable L: Variable
Le genre *Rhododendron* renferme en fait 3 sous-genres:
Les EURODENDRONS, appelés aussi 'rhododendrons vrais', sont des plantes à feuillage persistant dont les fleurs peuvent être groupées ou solitaires. De *Rhododendron catawbiense*, *R. griffithianum* et *R. ponticum* sont issus de nombreux hybrides et de nombreux cultivars.
Les ANTHODENDRONS, ou azalées, ont des feuilles caduques et leurs fleurs sont généralement regroupées. De *Rhododendron kaempferi*, *R. canescens,* et des azalées de type Knapp Hill et Exbury, sont issus de nombreux cultivars.
Les AZALÉODENDRONS ont, quant à eux, des feuilles semi-persistantes.
Dans le genre *Rhododendron*, on rencontre près d'une cinquantaine d'espèces et de cultivars qui feront l'objet de publication à venir.
Racines compactes en faisceaux.
Les rhododendrons poussent généralement lentement.

EXIGENCES: E: Demandent le plein soleil, mais s'accommodent d'une ombre partielle.
S: Doivent absolument être plantés dans un sol humifère, acide dont le pH oscille entre 4,5 et 6.
H: Préfèrent les terrains frais, mais bien drainés.
R: Chaque cultivar a sa propre rusticité et les travaux de recherche concernent principalement ce problème.
P: La transplantation étant souvent difficile, il faut absolument la faire avec des plantes en pot ou en motte.
T: Supprimer les fleurs après la floraison.
D: La disponibilité varie suivant le cultivar.

UTILISATIONS: Plantes à floraison extraordinaire, utilisées en isolé, en association dans les massifs de plantes acides, en association avec d'autres arbustes ou, dans certains cas, pour la naturalisation (rhododendrons indigènes).

Rhus aromatica

SUMAC AROMATIQUE
Fragrant Sumac

ZQ: A- / B- / C / D / E / F / G
ZC: 3

DESCRIPTION: H: 1,20 m   L: 4 m
Arbuste bas ayant l'aspect d'un monticule. Branches nombreuses horizontales.
Feuilles caduques, trilobées, ovales, vertes, prenant une belle teinte rouge orangée à l'automne. Feuillage peu dense, aromatique.
Fleurs petites, jaunâtres, en avril-mai.
Fruits, sous forme de baies comestibles, persistantes.
Racines drageonnantes.
Pousse lente.

EXIGENCES: E: Demande le plein soleil.
S: Peu exigeant, il supporte le calcaire.
H: Préfère les endroits secs; ne craint pas la sécheresse.
R: Bonne rusticité.
P: Transplantation facile.
T: Tailler tôt au printemps.
D: Assez bonne.

UTILISATIONS: Plante intéressante par sa forme et ses fruits. Excellente plante couvre-sol pour les grands espaces et les talus. On peut aussi l'utiliser pour la naturalisation et pour attirer les oiseaux.

Rhus aromatica 'Grow Low'
SUMAC GROW LOW
Grow Low Sumac

ZQ: A- / B- / C / D / E / F / G
ZC: 4

DESCRIPTION: H: 0,20 m   L: 2,5 m
Arbuste bas, nain et compact. Branches nombreuses, horizontales.
Feuilles caduques, aromatiques, trilobées, ovales, vertes, rougissant à l'automne.
Fleurs petites, jaunâtres, moins nombreuse que chez l'espèce, en avril-mai.
Fruits, sous forme de baies, comestibles, persistants.
Racines drageonnantes.
Pousse lente.

EXIGENCES: E: Réclame le plein soleil.
S: Peu exigeant, il supporte même le calcaire.
H: Ne craint pas la sécheresse, préfère les endroits secs.
R: Bonne rusticité.
P: Transplantation facile.
T: Tailler tôt au printemps.
D: Assez bonne.

UTILISATIONS: Plante intéressante par sa forme et ses fruits; excellent couvre-sol pour des espaces limité. On peut aussi l'utiliser pour la naturalisation, garnir les talus, et attirer les oiseaux.

Rhus glabra

VINAIGRIER - Sumac à bois glabre
Smooth Sumac

ZQ: C- / D- / E- / F- / G
ZC: 3

DESCRIPTION: H: 3 m   L: 2 m
Arbuste de forme ovale, irrégulière. Rameaux épais, glabres, pruineux et glauques à reflets violacés.
Feuilles caduques, composées, aux folioles en forme de lances longues et dentées. Feuillage vert, prenant une belle teinte rouge écarlate brillant à l'automne.
Fleurs, en panicules denses, verdâtres.
Fruits rouge pourpre vif, attirant les oiseaux.
Racines drageonnantes.
Croissance rapide.

EXIGENCES: E: Demande le plein soleil.
S: Pousse même en sol pauvre, mais préfère un sol légèrement acide.
H: Supporte la sécheresse, mais préfère les sols frais.
R: Bonne rusticité.
P: Transplantation très facile.
T: Tailler au printemps, si nécessaire.
D: Plus ou moins bonne disponibilité.

UTILISATIONS: Plante intéressante par sa forme, ses fleurs, ses fruits et son feuillage d'automne; utilisée généralement en association dans les massifs, dans les pentes, pour la naturalisation ou pour attirer des oiseaux. À employer dans de grands espaces seulement, car elle demande beaucoup de place et drageonne énormément.

Rhus glabra 'Laciniata'

VINAIGRIER GLABRE LACINIÉ -
Sumac à bois glabre lacinié
Cut-leaf Smooths Sumac

ZQ: C- / D- / E- / F- / G
ZC: 3

DESCRIPTION: H: 3 m   L: 2 m
Arbuste de forme ovale, irrégulière. Rameaux épais, glabres, pruineux et glauques, à reflets violacés. Feuilles caduques, composées, aux folioles en forme de lances longues et dentées, très finement découpées, donnant un aspect très léger au feuillage qui prend une belle teinte rouge écarlate brillant à l'automne.
Fleurs en panicules denses, verdâtres.
Fruits rouge pourpre vif, attirant les oiseaux.
Racines drageonnantes.
Croissance rapide.

EXIGENCES: E: Demande le plein soleil.
S: Pousse, même en sol pauvre. Préfère un sol légè- rement acide.
H: Supporte la sécheresse, mais préfère les sols frais.
R: Bonne rusticité.
P: Transplantation très facile.
T: Tailler au printemps, si nécessaire.
D: Plutôt rare.

UTILISATIONS: Plante intéressante par sa forme, son feuillage découpé et sa coloration automnale; utilisée généralement en isolé, mais aussi en association dans les massifs, ou pour attirer des oiseaux. À planter dans de grands es- paces seulement car elle demande beaucoup de place et drageonne énormément.

*Rhus typhina

SUMAC DE VIRGINIE
Staghorn Sumac

ZQ: C / D / E / F / G
ZC: 3

DESCRIPTION: H: 5 m   L: 4,5 m
Arbuste au port large, en forme de parasol. Les jeunes rameaux portent des poils caractéristiques. Branches horizontales, portant des rameaux épais plus ou moins verticaux, généralement tordues. Écorce brune.
Feuilles caduques, composées de folioles lancéolées. Feuillage vert tendre, plutôt léger, prenant une teinte rouge et jaune, mêlée d'orange et de pourpre.
Fleurs en panicules denses, verdâtres.
Fruits rouge cramoisi en septembre, et persistant en hiver.
Racines très drageonnantes.
Croissance rapide.

EXIGENCES: E: Demande le plein soleil.
S: Supporte les sols pauvres et rocheux.
H: S'accommode d'un sol sec.
R: Bonne rusticité.
P: De transplantion facile.
T: Si nécessaire, tôt au printemps.
D: Excellente.

UTILISATIONS: Plante de grande dimension, pas recommandée dans un petit terrain. Utilisée dans les jardins à la campagne ou les parcs. Idéale pour former un écran, elle peut aussi être utile en isolé, ou en massif. Intéressante par sa forme, son feuillage automnal et ses fruits qui attirent les oiseaux.

Rhus typhina 'Laciniata' - (*Rhus typhina* 'Dissecta')
SUMAC DE VIRGINIE LACINIÉ
Cut-Leaf Sumac

ZQ: C / D / E / F / G
ZC: 4b

DESCRIPTION: H: 3 m   L: 2 m
Arbuste au port large, en forme de parasol, irrégulier.
Branches horizontales, portant des rameaux épais plus
ou moins verticaux.
Grandes feuilles caduques, composées de nombreux
folioles profondément dentés et laciniés. Feuillage vert
tendre, très fin, prenant une teinte rouge orange brillant.
Fleurs en panicules denses, verdâtres.
Fruits rouge écarlate, en septembre, et persistant en
hiver.
Racines très drageonnantes.
Croissance rapide.

EXIGENCES: E: Demande le plein soleil, mais accepte l'ombre légère.
S: Supporte les sols pauvres et rocheux, et calcaires.
H: S'accommode d'un sol sec.
R: Bonne rusticité.
P: Transplantation facile.
T: Tôt au printemps, si nécessaire.
D: Bonne.

UTILISATIONS: Plante intéressante par la forme de son feuillage, sa
couleur automnale et ses fruits. Elle peut être utilisée
en isolé ou en association, ou pour attirer les oiseaux.

Ribes alpinum

GADELIER ALPIN - Groseillier alpin
Alpine Currant

ZQ: A / B / C / D / E / F / G
ZC: 2b

DESCRIPTION: H: 1,80 m   L: 1,80 m
Arbuste buissonnant, rameux, au port globulaire. Rameaux fins, gris jaunâtre dont l'écorce s'exfolie.
Feuilles, petites, arrondies, à 3 lobes, dentées. Feuillage dense, vert brillant, devenant jaune à l'automne.
Fleurs, petites, nombreuses, jaunâtres, en avril-mai.
Fruits sous forme de baies rouges.
Racines fines et nombreuses.
Croissance rapide.

EXIGENCES: E: Prospère aussi bien au plein soleil qu'à l'ombre.
S: Préfère les sols riches et calcaires.
H: Demande un sol plutôt sec, car il craint l'humidité.
R: Très rustique.
P: De transplantation très facile.
T: Tailler après la floraison. Pour les haies, la taille peut intervenir de juin à septembre.
D: Disponible dans tous les centres de ardin.

UTILISATIONS: Pour sa capacité à supporter la taille, on l'utilise surtout en haie. Utile aussi dans les massifs à l'ombre.

363

Ribes alpinum 'Smithii'
GADELIER ALPIN SMITHII
Smithii Alpine Currant

ZQ: A / B / C / D / E / F / G
ZC: 2b

DESCRIPTION: H: 1,80 m   L: 1,80 m
Arbuste buissonnant, rameux, au port globulaire. Rameaux fins, gris jaunâtre dont l'écorce s'exfolie.
Feuilles, petites, arrondies, à 3 lobes, dentées. Feuillage dense, vert brillant devenant jaune à l'automne.
Fleurs, petites, nombreuses, jaunâtres, en avril-mai.
Fruits sous forme de baies rouges.
Racines fines et nombreuses.
Croissance rapide.

EXIGENCES: E: Prospère aussi bien au plein soleil qu'à l'ombre.
S: Préfère les sols riches et calcaires.
H: Demande un sol plutôt sec, car il craint l'humidité.
R: Très rustique. Bonne résistance aux maladies, notamment à l'anthracnose.
P: Transplantation très facile.
T: Tailler après la floraison. Pour les haies, la taille peut intervenir de juin à septembre.
D: Disponible dans tous les centres de jardin.

UTILISATIONS: Pour sa capacité à supporter la taille, on l'utilise surtout en haie. Utile aussi dans les massifs à l'ombre.

Ribes aureum

RIBES AUREUM - Gadelier doré
Golden Currant

ZQ: A / B / C / D / E / F / G
ZC: 2

DESCRIPTION: H: 1,80 m   L: 2 m
Arbuste compact, de forme globulaire. Rameaux érigés, grisâtres.
Feuilles caduques, petites, obovales, à 3 lobes, dentées.
Les jeunes pousses, vert jaunâtre, donnent un feuillage dense, vert, qui devient rouge orangé à l'automne.
Floraison dense, jaune, odorante, en mai.
Fruits, sous forme de baies rouge foncé, qui attirent les oiseaux, à l'automne.
Racines fines et nombreuses.
Croissance rapide.

EXIGENCES: E: Prospère aussi bien à l'ombre qu'au soleil.
S: Préfère les sols riches et calcaires.
H: Demande un sol plutôt sec, car il craint les excès d'humidité.
R: Très rustique.
P: Transplantation facile.
T: Tailler après la floraison.
D: Bonne.

UTILISATIONS: Plante intéressante pour sa floraison et sa coloration automnale, on l'utilise dans les jardins d'oiseaux ou pour confectionner des haies. Utile en association, surtout dans les massifs à l'ombre.

Ribes odoratum

RIBES ODORATUM - Gadelier odorant
Clove Currant

ZQ: A- / B- / C- / D- / E- / F- / G
ZC: 2

DESCRIPTION: H: 2 m   L: 2 m
Arbuste au port globulaire. Branches érigées, devenant arquées avec l'âge.
Feuilles caduques, simples à 3 lobes, dentées. Feuillage vert, tournant au rouge pourpre à l'automne.
Petites fleurs en trompettes, jaunes, très odorantes, au printemps.
Fruits, sous forme de baies noires, comestibles, attirant les oiseaux.
Racines fines, nombreuses et superficielles.
Croissance moyenne.

EXIGENCES: E: Demande une situation ensoleillée mais supporte une ombre légère.
S: Peu exigeant.
H: Préfère les endroits plutôt secs.
R: Bonne rusticité.
P: Transplantation facile.
T: Tailler après la floraison.
D: Assez bonne.

UTILISATIONS: Plante utilisée en association, en groupe ou pour attirer les oiseaux. Intéressante par sa floraison parfumée et sa coloration automnale.

Robinia hispida

ROBINIER HISPIDE
Rose Acacia- Rose Acacia Locust

ZQ: F- / G
ZC: 4

DESCRIPTION: H: 2 m   L: 2 m

Gros arbuste ou petit arbre de forme arrondie, irré-gulière. Branches érigées, puis légèrement retom-bantes, torteuses et cassantes. Rameaux rouges recou-verts de poils raides.

Longues feuilles composées de folioles ovales à oblon-gues. Feuillage caduque, vert foncé.

Fleurs, en panicules pendantes, rose foncé, en juin.

Fruits sous forme de gousses.

Toutes les parties de cette plante sont toxiques pour les humains.

Racines très traçantes.

Croissance moyenne.

EXIGENCES: E: Demande le plein soleil.

S: Supporte les sols pauvres.

H: Préfère les terrains plutôt secs. Éviter les sols trop humide.

R: Peu rustique, il est préférable de le planter à l'abri du vent.

P: Transplantation facile.

T: Supporte bien la taille qui intervient après la florai-son.

D: Plutôt rare.

UTILISATIONS: Plante recherchée pour sa floraison, et utilisée surtout en isolé. Peut aussi être utile en association dans les massifs. Plante pour jardinier averti.

Rubus odoratus

FRAMBOISIER ODORANT - Ronce odorante
Fragrant Thimbleberry

ZQ: A- / B- / C- / D- / E- / F- / G
ZC: 4

DESCRIPTION: H: 1,50 m   L: 1,50 m
Arbuste au port diffus, formant un monticule. Branches érigées, duveteuses quand elles sont jeunes, devenant brun orangé, puis brunes.
Feuilles caduques, simples, palmées, à 5 folioles, légèrement tomenteuses. Feuillage vert rougeâtre au printemps, devenant vert en été, et jaune à l'automne.
Fleurs rose pourpre foncé ressemblant à celles de l'églantier.
Fruits comestibles attirant de nombreux animaux dont les oiseaux.
Racines drageonnantes.
Croissance rapide.

EXIGENCES: E: Aussi bien au plein soleil qu'à la mi-ombre.
S: Demande un sol rocheux, légèrement acide.
H: Préfère les endroits secs.
R: Bonne rusticité. Résiste à la pollution.
P: Transplantation facile.
T: Supporte le rabattage.
D: Assez bonne.

UTILISATIONS: Plante intéressante par sa floraison, on l'utilise en association, sur les talus ou pour la naturalisation.

Rubus x ***tridel*** 'Benenden'
RONCE BENENDEN
Benenden Raspberry

ZQ: E- / F- / G
ZC: 5

DESCRIPTION: H: 2 m   L: 2 m
Arbuste vigoureux au port irrégulier. Branches sans épines, érigées puis arquées. Écorce s'exfoliant.
Feuilles à 3 lobes, vert foncé.
Grandes fleurs blanches aux étamines jaunes, réunies en bouquet, à la fin du printemps.
Racines drageonnantes.
Croissance rapide.

EXIGENCES: E: Demande le plein soleil, mais supporte l'ombre où il ne fleurit pas.
S: Préfère un sol fertile.
H: Un sol sec lui convient parfaitement.
R: Peu rustique.
P: Transplantation facile.
T: Peu utile.
D: Bonne.

UTILISATIONS: Intéressante par sa floraison, on l'utilise en groupe dans les massifs.

Salix bebbiana

SALIX DE BEBB
Bebb Willow

ZQ: A / B / C / D / E / F / G
ZC: 2

DESCRIPTION: H: 8 m   L: 4 m
Gros arbuste au port colonnaire. Branches érigées, vertes, puis rouge pourpre.
Feuilles caduques, simples, oblongues, larges et épaisses. Feuillage gris argenté au printemps, vert en été, et jaune en automne.
Fleurs, sous forme de chatons printaniers, vert jaunâtre.
Fruits verts attirant les animaux.
Racines fibreuses, traçantes.
Croissance rapide

EXIGENCES: E: Demande le plein soleil.
S: Peu exigeant. '
H: Supporte les sols très humides, voire inondés.
R: Très bonne rusticité.
P: Transplantation facile.
T: Peu utile.
D: Plus ou moins bonne disponibilité.

UTILISATIONS: Plante intéressante pour ses grandes qualités d'adaptation, utilisée pour la naturalisation, les groupes dans les grands espaces et les lieux humides.

Salix caprea

SAULE MARSAULT
Pussy Willow - Goat Willow

ZQ: F- / G
ZC: 5

DESCRIPTION: H: 6 m   L: 4 m
Arbuste érigé, à cime globuleuse, irrégulière.Rameaux luisants, vert grisâtre, devenant rougeâtres. Feuillage dense, vert foncé, luisant dessus, duveteux dessous. Feuilles ovales, gaufrées, aux nervures apparentes dessous. Fleurs, sous forme de chatons ovoïdes, grisâtres, odorants, très décoratifs, tôt au printemps. Racines très traçantes. Croissance très rapide.

EXIGENCES: E: Préfère les endroits ensoleillés, mais supporte la mi-ombre.
S: Peu exigeant, il supporte aussi bien les sols tant acides que calcaires.
H: Résiste aussi bien à la sécheresse qu'à l'inondation.
R: Bonne rusticité. Très facile à transplanter.
T: Tailler après la floraison.
D: Bonne.

UTILISATIONS: Plante intéressante pour sa floraison et sa capacité de pousser dans les endroits très humides. Utilisé principalement en association, elle peut aussi servir à retenir la terre des talus. Excellente plante pour la naturalisation.

Salix eleagnos - (*Salix rosmarianifolia*)
SAULE DRAPÉ
Rosemary Willow - Hoary Willow

ZQ: F- / G
ZC: 4

DESCRIPTION: H: 2 m   L: 2 m
Arbuste de forme arrondie, irrégulière. Branches érigées, s'étalant avec l'âge. Rameaux brun rouge. Feuilles caduques, longues, étroites, grises quand elles sont jeunes, puis sont vert foncé dessus, grises dessous. Fleurs en chatons gris à jaunâtres, tôt au printemps. Racines superficielles. Croissance rapide.

EXIGENCES: E: Croît aussi bien au plein soleil qu'à l'ombre partielle.
S: Peu exigeant.
H: Demande un sol humide.
R: Bonne rusticité.
P: Très facile à transplanter.
T: Peut subir une taille de rabattage.
D: Plutôt rare.

UTILISATIONS: Plante intéressante par son feuillage, utilisée en isolé, en groupe, en association ou en haie.

Salix integra 'Hakuro Nishiki'
SAULE HAKURO NISHIKI - Saule maculé
Hakuro Nishiki Willow

ZQ: G
ZC: 5b

DESCRIPTION: H: 1,50 m   L: 1 m
Arbuste au port arrondi, régulier. Branches fines, vert clair.
Jeunes pousses roses devenant crème. Les feuilles, vert clair sont maculées de blanc. Feuilles oblongues, étroites, dentées, rondes à la base.
Racines nombreuses.
Croissance rapide.

EXIGENCES: E: Préfère une ombre légère, car il peut brûler au plein soleil.
S: Peu exigeant.
H: Demande un terrain humide.
R: Plus ou moins rustique. Plantation en situation abritée.
P: Transplantation facile en pot.
T: Rabattre des tiges à tous les printemps pour favoriser la coloration des pousses.
D: Nouveauté, plus ou moins disponible.

UTILISATIONS: Plante intéressante pour son feuillage, utilisée principalement en isolé, mais aussi en association ou en groupe.

373

Salix matsudana 'Golden Curls'
SAULE GOLDEN CURLS
Golden Curls Willow

ZQ: G
ZC: 5

DESCRIPTION: H: 6 m   L: 4 m
Gros arbuste de forme arrondie, irrégulière. Les branches et les rameaux sont très tordus en spirale, et d'un beau jaune doré.
Feuilles caduques, simples, petites, lancéolées, légèrement tournées, brillantes, vert glauque dessus. Feuillage léger devenant jaune doré à l'automne.
Fleurs, sous forme de chatons, suivies de fruits comestibles, à la fin du printemps.
Racines traçantes.
Croissance moyenne.

EXIGENCES: E: Préfère le plein soleil, mais supporte une ombre légère.
S: S'adapte à tous les sols, même pauvres.
H: Résiste à la sécheresse, mais préfère les endroits humides.
R: Peu rustique, doit être planté à l'abri des vents froids.
P: Tranplantation facile.
T: Uilisée seulement pour le nettoyage printanier.
D: Plus ou moins bonne car c'est une nouveauté.

UTILISATIONS: Intéressante pour la couleur de ses branches, sa structure hivernale et sa forme, à utiliser en isolé, particulièrement pour les jardins décoratifs d'hiver.

Salix matsudana 'Tortuosa'
SAULE DE PÉKIN TORTUEUX
Corkscrew Willow

ZQ: G
ZC: 5

DESCRIPTION: H: 6 m   L: 4 m
Gros arbuste de forme arrondie, irrégulière. Les bran-ches et les rameaux sont vert brunâtre, et curieusement tordus en spirale.
Feuilles caduques, simples, petites, lancéolées, légère-ment tournées, brillantes, vert glauque dessus. Feuil-lage léger, devenant jaune doré à l'automne.
Fleurs, sous forme de chatons, donnant des fruits co-mestibles à la fin du printemps.
Racines traçantes.
Croissance moyenne.

EXIGENCES: E: Même s'il préfère le plein soleil, il supporte une ombre légère.
S: S'adapte à tous les sols, même pauvres.
H: Résiste à la sécheresse, mais préfère les endroits hu-mides.
R: Peu rustique, doit être planté à l'abri des vents froids.
P: Tranplantation facile.
T: Peu utilisée, seulement pour le nettoyage printanier.
D: Bonne.

UTILISATIONS: Plante intéressante pour sa structure hivernale et pour sa forme, à utiliser en isolé, particulièrement pour les jardins décoratifs d'hiver.

375

Salix purpurea 'Gracilis' - (*Salix purpurea* 'Nana')

SAULE ARCTIQUE NAIN - Osier pourpre nain -
Saule pourpre nain
Purple osier Willow

ZQ: A / B / C / D / E / F / G
ZC: 2b

DESCRIPTION: H: 1 m   L: 1 m
Petit arbuste buissonnant, de forme arrondie, au port
gracieux. Rameaux grêles, longs, souples, d'abord
pourpre foncé, devenant gris verdâtre avec l'âge.
Feuilles caduques, simples, petites, étroites, lancéolées,
vert grisâtre dessus, glauques dessous. Feuillage léger
et dense.
Fleurs en chatons, en avril.
Racines traçantes.
Croissance rapide.

EXIGENCES: E: Demande le plein soleil.
S: Peu exigeant.
H: Préfère les sols humides, il supporte même les inon-
dations.
R: Bonne rusticité.
P: Transplantation parfois difficile si la plante manque
d'eau lors de celle-ci.
T: Supporte très bien une taille de rabattage. Peut être
tailler du printemps jusqu'aux gelées.
D: Très bonne.

UTILISATIONS: Plante intéressante par sa forme et son feuillage on
l'utilise surtout pour confectionner des haies, et aussi
en association dans les massifs.

Salix repens

SAULE RAMPANT - Saule argenté
Creeping Willow

ZQ: A- / B- / C- / D- / E- / F- / G
ZC: 3

DESCRIPTION: H: 0,80 m   L: 2 m
Arbuste aux branches rampantes dont les rameaux sont érigés. Jeunes pousses, d'abord grisâtres, devenant brunes.
Feuilles caduques, entières, en forme de lance, pointues au bout. Feuillage vert grisâtre, avec le dessous des feuilles argenté.
Fleurs, sous forme de chatons ovales, jaunâtres, avant les feuilles.
Racines traçantes.
Croissance rapide.

EXIGENCES: E: Demande le plein soleil, mais supporte une ombre partielle.
S: Supporte les sols pauvres.
H: Affectionne les terrains humides.
R: Bonne.
P: Transplantation facile.
T: Peu utile.
D: Plus ou moins bonne.

UTILISATIONS: Plante intéressante par sa forme et la couleur de son feuillage, utilisée comme couvre-sol ou en association.

Salix sachalinensis 'Sekka' - (*Salix sachalinensis* ' Setsuka')
SAULE SEKKA
Japanese Fantail Willow

ZQ: F- / G
ZC: 5

DESCRIPTION: H: 3 m   L: 5 m
Arbuste arrondi au port irrégulier. Branches tordues dont certaines sont plates et recourbées; recouvertes de très nombreux bourgeons. Rameaux brun pourpre.
Feuilles caduques, lancéolés, pointues au bout, vert brillant dessus et argentées au revers.
Châtons argentés.
Racines traçantes.
Croissance rapide.

EXIGENCES: E: Croît aussi bien au plein soleil qu'à l'ombre partielle.
S: Peu exigeant, il faut cependant éviter les sols calcaires.
H: Préfère les sols humides.
R: Bonne rusticité.
P: Transplantation facile.
T: Rabattre à tous les 2 ou 3 ans pour favoriser l'émission de jeunes pousses.
D: Plutôt rare.

UTILISATIONS: Plante intéressante par son bois, elle a sa place dans tous les grands espaces que l'on souhaite attrayant en hiver. Utilisé en association ou en groupe, ainsi que pour la création d'arrangements floraux originaux.

Sambucus canadensis

SUREAU DU CANADA
American Elder

ZQ: A / B / C / D / E / F / G
ZC: 3

DESCRIPTION: H: 3 m   L: 2 m
Arbuste érigé en forme de pyramide inversée. Branches érigées aux extrémités arquées. Écorce brune.
Feuilles caduques, composées de 5 à 11 folioles, lancéolées et dentées. Feuillage vert tournant au jaune à l'automne.
Petites fleurs blanches odorantes, en forme d'étoiles, réunies en inflorescences, au début de l'été.
Fruits, sous forme de baies noires, comestibles, très appréciées des oiseaux.
Racines drageonnantes.
Croissance rapide.

EXIGENCES: E: Préfère le plein soleil, mais supporte bien l'ombre.
S: Peu exigeant.
H: Peu exigeant.
R: Bonne rusticité.
P: Transplantation facile.
T: Pratiquer une taille légère après la floraison pour préserver les fruits.
D: Bonne.

UTILISATIONS: Cette plante, recherchée pour son adaptabilité et ses fruits, a de nombreuses utilisations: comme haie, pour maintenir les talus, en groupe, pour la naturalisation ou pour attirer les oiseaux.

Sambucus canadensis 'Adams'
SUREAU D'ADAM
Adam's Elder

ZQ: A / B / C / D / E / F / G
ZC: 3

DESCRIPTION: H: 4 m   L: 3 m
Gros arbuste au port ovoïde. Branches érigées, à écorce brune.
Feuilles caduques, composées de 5 à 11 folioles, lancéolées et dentées. Feuillage vert, tournant au jaune à l'automne.
Petites fleurs blanches, odorantes, en forme d'étoiles, réunies en grandes inflorescences, au début de l'été.
Fruits comestibles, très nombreux, sous forme de baies noires, très appréciées des oiseaux.
Racines drageonnantes.
Croissance rapide.

EXIGENCES: E: Préfère le plein soleil, mais supporte bien l'ombre.
S: Peu exigeant.
H: Peu exigeant.
R: Bonne rusticité.
P: Transplantation facile.
T: La taille est peu utilisée car on souhaite conserver les fruits.
D: Bonne.

UTILISATIONS: Plante recherchée pour ses fruits comestibles et pour attirer les oiseaux.

Sambucus canadensis 'Aurea'
SUREAU DORÉ
Golden American Elder

ZQ: A / B / C / D / E / F / G
ZC: 3

DESCRIPTION: H: 3 m   L: 1,75 m
Arbuste érigé en forme de pyramide inversée large.
Branches érigées jaune verdâtre. Écorce brune.
Feuilles caduques, composées de 5 à 11 folioles, lan-
céolées et dentées. Le feuillage prend une belle couleur
jaune d'or qui persiste toute la saison.
Fleurs blanches, réunies en inflorescences, au début de
l'été.
Fruits, sous forme de baies rouges, devenant noires, co-
mestibles, très appréciées des oiseaux.
Racines drageonnantes.
Croissance rapide.

EXIGENCES: E: Doit être planté au plein soleil pour conserver sa
   couleur.
S: Peu exigeant.
H: Peu exigeant.
R: Bonne rusticité. Résiste à la pollution.
P: Transplantation facile.
T: Tailler tôt au printemps, avant les feuilles.
D: Excellente.

UTILISATIONS: Plante intéressante pour son feuillage, on l'utilise en
association ou en isolé.

Sambucus canadensis 'Maxima'
SUREAU DU CANADA MAXIMA
Elderberry

ZQ: A / B / C / D / E / F / G
ZC: 3

DESCRIPTION: H: 3 m   L: 2,5 m
Arbuste vigoureux, au port large. Rameaux dressés.
Feuilles caduques, grandes, composées de 5 à 11 folio-
les, lancéolées et dentées.
Fleurs blanches, en forme d'étoiles, réunies en très
grandes inflorescences, au début de l'été.
Fruits, sous forme de baies comestibles rouges, puis
noires, mais peu nombreuses.
Racines drageonnantes.
Croissance très rapide.

EXIGENCES: E: Préfère le plein soleil, mais supporte bien la mi-
ombre.
S: Peu exigeant.
H: Préfère les sol frais.
R: Bonne rusticité. Résiste à la pollution.
P: Transplantation facile.
T: Taillez tôt au printemps, avant les feuilles.
D: Bonne.

UTILISATIONS: Plante intéressante par sa floraison et ses fruits. Elle
peut rapidement former des haies ou des groupes dans
les grands espaces.

Sambucus nigra

SUREAU NOIR - Sureau commun
Common Elder - European Elder

ZQ: E- / F- / G
ZC: 4b

DESCRIPTION: H: 5 m   L: 5 m
Très gros arbuste au port arrondi. Branches érigées, s'arquant avec l'âge.
Feuilles caduques, composées de 3 à 7 folioles, elliptiques, pointues au bout, finement dentées. Feuillage vert foncé, dégageant une odeur désagréable quand on le froisse.
Fleurs blanc jaunâtre, très odorantes, réunies en ombelles à la fin du printemps.
Fruits lustrés, noirs.
Racines traçantes.
Croissance moyenne.

EXIGENCES: E: Préfère les situations légèrement ombragées, mais donne de bons résultats au plein soleil.
S: Peu exigeant, il supporte même les sols calcaires.
H: Peu exigeant.
R: Plus ou moins rustique. Le bout des branches peut geler en hiver.
P: Transplantation en pot.
T: Pratiquer une taille de nettoyage au printemps, si nécessaire. Il est aussi possible de tailler après la floraison.
D: Plus ou moins bonne.

UTILISATIONS: Plante intéressante par ses fleurs et par ses fruits, utilisée pour former des écrans et pour attirer les oiseaux.

Sambucus nigra 'Aureomarginata'
SUREAU DORÉ EUROPÉEN
Silver European Elder

ZQ: E- / F- / G
ZC: 4b

DESCRIPTION: H: 1,50 m L: 2 m
Arbuste buissonnant au port arrondi.
Feuilles caduques, composées de 3 à 7 folioles, ellipti-
ques, vert foncé, plus ou moins bordées de jaune d'or.
Fleurs blanches, suivies de fruits noirs.
Racines traçantes.
Croissance rapide.

EXIGENCES: D: Bonne.

UTILISATIONS: Plante intéressante pour son feuillage panaché; on l'utilise principalement en association.

Sambucus nigra 'Laciniata'
SUREAU À FEUILLES LACINIÉES
Fern-leaved Elder

ZQ: E- / F- / G
ZC: 4

DESCRIPTION: H: 1,50 m L: 1,5 m
Arbuste au port arrondi, irrégulier.
Feuilles caduques, composées de 3 à 7 folioles, très fi-
nement découpées, donnant une texture fine au feuil-
lage.
Fleurs blanches, suivies de fruits noirs.
Racines traçantes.
Croissance rapide.

EXIGENCES: D: Bonne.

UTILISATIONS: Plante intéressante pour son feuillage découpé; on l'utilise principalement en association ou en groupe.

'Aureomarginata'   'Laciniata'

Sambucus pubens
SUREAU PUBESCENT
Scarlet Elder

ZQ: A / B / C / D / E / F / G
ZC: 3

DESCRIPTION: H: 4 m   L: 3 m
Arbuste au port ovoïde, irrégulier. Branches dressées, s'étalant avec l'âge. Jeunes pousses pubescentes. Écorce pourpre, devenant brune.
Feuilles caduques, composées de 5 à 7 folioles lancéolées, étroites, finement dentées. Feuillage vert, tournant au jaune à l'automne.
Petites fleurs blanches, à odeur forte, réunies en inflorescences, au printemps.
Fruits, sous forme de baies rouges, qui attirent les animaux.
Racines latérales profondes.
Toutes les parties de cette plante sont toxiques pour les humains.
Croissance moyenne.

EXIGENCES: E: Le plein soleil ou la mi-ombre lui conviennent parfaitement.
S: Préfère les sols rocheux.
H: Demande un sol bien drainé, voire sec.
R: Bonne rusticité.
P: Transplantation difficile, utiliser des plantes en pot.
T: Supporte un rabattage sévère.
D: Plus ou moins bonne.

UTILISATIONS: Plante intéressante par ses fleurs et par ses fruits; on l'utilise comme écran, en association.ou pour les jardins d'oiseaux.

Sambucus racemosa 'Plumosa Aurea'
SUREAU DORÉ PLUMEUX
Golden Plume Elder

ZQ: B- / C- / D- / E / F / G
ZC: 4b

DESCRIPTION: H: 2 m   L: 2 m
Arbuste érigé, de forme buissonnante. Rameaux jaunâtres puis gris, infléchis aux extrémités. Jeunes pousses rougeâtres.
Feuilles caduques, composées, aux folioles incisées, aux dents longues et étroites, jaune d'or pendant tout l'été.
Fleurs jaunâtres.
Fruits rouges.
Croissance moyenne.

EXIGENCES: E: Préfère les endroits légèrement ombragés car son feuillage peut brûler dans les situations ensoleillées et très chaudes.
S: Préfère les sols fertiles.
H: Nécessite un sol frais, mais sans excès.
R: Bonne rusticité, mais le bout des branches a tendance à geler facilement.
P: Transplanter des plantes en pot.
T: Une taille courte, au printemps, avant les feuilles, permet d'obtenir de belles pousses colorées.
D: Excellente.

UTILISATIONS: Plante intéressante par son feuillage; on peut l'utiliser en association, mais aussi en isolé.

Sambucus racemosa 'Sutherland' -
(*Sambucus racemosa* 'Sutherland Golden')
SUREAU SUTHERLAND
Sutherland Elder

ZQ: B- / C- / D- / E / F / G
ZC: 4b

DESCRIPTION: H: 1,5 m   L: 1 m
Arbuste érigé, au port assez étroit..
Feuilles caduques, composées, aux folioles très décou-
pées, jaune d'or intense, durant tout l'été.
Fleurs blanc crème.
Fruits rouges.
Croissance moyenne.

EXIGENCES: E: Préfère les endroits légèrement ombragés, mais
tolère bien le plein soleil.
S: Préfère les sols fertiles.
H: Nécessite un sol frais, mais sans excès.
R: Bonne rusticité, mais le bout des branches a tendan-
ce à geler facilement.
T: Une taille courte, au printemps, avant les feuilles,
permet d'obtenir de belles pousses colorées.
D: Bonne.

UTILISATIONS: Plante intéressante par son feuillage; on peut l'utiliser
en association, en groupe, mais aussi en isolé.

Shepherdia argentea - (*Elaeagnus argentea*)
SHEPHERDIA ARGENTEA
Silver Buffaloberry

ZQ: A / B / C / D / E / F / G
ZC: 2

DESCRIPTION: H: 4 m   L: 3 m
Arbuste au port large, de forme arrondie, irrégulière.
Branches érigées, épineuses, portant des rameaux argentés.
Feuilles caduques, oblongues, argentées sur les deux faces.
Petites fleurs jaunâtres, en avril-mai.
Fruits ronds, comestibles, rouge écarlate à orangés, dès le mois d'août. Les fruits apparaissent sur les plantes femelles qui doivent être pollinisées par les plantes mâles.
Racines profondes.
Croissance moyenne.

EXIGENCES: E: Une situation ensoleillée lui est favorable.
S: Préfère un sol léger, perméable, voire sableux.
H: Les endroits frais, bien drainés, lui conviennent parfaitement, mais il supporte bien la sécheresse.
R: Très rustique.
P: Transplanter en pot car la reprise est plus ou moins facile.
T: Tailler au printemps, avant les feuilles.
D: Excellente.

UTILISATIONS: Plante intéressante par la couleur de son feuillage, on l'utilise en association dans les massifs.

Shepherdia canadensis
SHEPHERDIA DU CANADA
Russet Buffaloberry

ZQ: A / B / C / D / E / F / G
ZC: 2

DESCRIPTION: H: 1,50 m   L: 1 m
Arbuste bas, formant un petit monticule. Branches ascendantes.
Feuilles caduques, simples, elliptiques. Le feuillage, gris au printemps, gris vert en été, devient plus ou moins pourpre à l'automne.
Petites fleurs en forme de cloches, jaune pâle.
Fruits rouges, sous forme de baies comestibles.
Racines fibreuses, profondes.
Croissance lente.

EXIGENCES: E: Demande le plein soleil.
S: S'accommode des sols pauvres, calcaires, même rocheux.
H: Préfère les endroits secs et chauds.
R: Excellente rusticité.
P: Transplantation difficile.
T: Inutile.
D: Rare en pépinière et centres de jardin.

UTILISATIONS: Plante représentant un intérêt pour son feuillage et pour ses fruits; on l'utilise en groupe, en association, pour la naturalisation ou pour attirer les oiseaux.

Sorbaria aitchisonii

SORBARIA D'AITCHISON
Kashmir Falsespirae

ZQ: A- / B- / C- / D / E / F / G
ZC: 4

DESCRIPTION: H: 2 m   L: 1,75 m
Arbuste buissonnant, irrégulier. Jeunes pousses rougeâtres.
Feuilles caduques, composées de 11 à 23 folioles, ovales, dentées, vert mat.
Fleurs blanc crème, réunies en panicules coniques, érigées, assez grandes, au milieu de l'été.
Fruits sans intérêt.
Croissance rapide.

EXIGENCES: E: Demande le plein soleil.
S: Préfère un sol humifère, légèrement acide.
H: Un sol bien drainé, mais toujours frais, lui est favorable.
R: Rustique.
P: Transplantation très facile.
T: Rabattre court au début du printemps.
D: Bonne.

UTILISATIONS: Plante intéressante par son feuillage et sa floraison; on l'utilise en groupe ou en association dans les massifs.

Sorbaria sorbifolia

SORBARIA À FEUILLES DE SORBIER -
Fausse spirée.
False Spiraea

ZQ: A / B / C / D / E / F / G
ZC: 2

DESCRIPTION: H: 1,80 m   L: 1,50 m
Arbuste au port érigé, diffus. Rameaux érigés, raides,
brun vif.
Feuillage dense, apparaissant tôt au printemps. Feuil-
les composées de folioles lancéolées, nombreuses, vert
mat.
Fleurs réunies en panicules dressées, denses, d'aspect
léger et duveteux, blanc crème, en juillet.
Racines drageonnantes.
Croissance rapide.

EXIGENCES: E: Préfère le plein soleil, mais s'adapte très bien à
l'ombre.
S: Préfère les sols fertiles, légèrement acides.
H: Aime les endroits humides.
R: Bonne rusticité.
P: Transplantation facile.
T: Tailler court, tôt au printemps.
D: Excellente.

UTILISATIONS: Plante intéressante par son feuillage, ses fleurs et sa
grande adaptabilité. On l'utilise en général en groupe
ou en association, dans les endroits ombragés et humides.

Spiraea x *arguta*

SPIRÉE ARGUTA
Garland Spirea - Bridal Wreath

ZQ: A / B / C / D / E / F / G
ZC: 4

DESCRIPTION: H: 1,50 m   L: 1,50 m
Arbuste au port gracieux. Branches érigées, puis ar-
quées aux extrémités.
Feuilles caduques, simples, oblongues, étroites, vert
grisâtres. Feuillage d'automne, jaune.
Fleurs petites, réunies en grappes blanches, très nom-
breuses.
Fruits sans intérêt.
Racines fines et nombreuses.
Croissance moyenne à lente.

EXIGENCES: E: Préfère le plein soleil.
S: Peu exigeant, il faut cependant éviter les sols secs.
H: Demande un sol frais.
R: Bonne.
P: Transplantation facile.
T: Tailler après la floraison.
D: Bonne.

UTILISATIONS: Plante intéressante par sa floraison; on l'utilise surtout
en association, mais aussi en isolé.

Spiraea x *billardii* 'Triumphans'
SPIRÉE TRIUMPHANS
Triumphans Bilerd Spirae

ZQ: F- / G
ZC: 4b

DESCRIPTION: H: 1 m   L: 1 m
Arbuste au port érigé, diffus. Branches rigides.
Feuilles aigües, elliptiques, étroites, vert clair.
Fleurs rose pourpre, en grappes coniques, de juillet à septembre.
Fruits sans intérêt.
Racines fines et nombreuses.
Croissance rapide.

EXIGENCES: E: Demande le plein soleil.
S: Peu exigeant, mais il faut absolument éviter les sols calcaires.
H: Préfère un sol frais et humide.
R: Bonne rusticité.
P: Transplantation facile en pot.
T: À chaque printemps, il faut rabattre le plante à quelques centimètres du sol, ce qui favorise la floraison.
D: Assez bonne.

UTILISATIONS: Plante intéressante par sa floraison; on l'utilise aussi bien en isolé qu'en association dans les massifs.

Spiraea x *bumalda* 'Anthony Waterer'
SPIRÉE ANTHONY WATERER
Anthony Waterer Spirea

ZQ: A / B / C / D / E / F / G
ZC: 2b

DESCRIPTION: H: 0,90 m   L: 0.90 m

Arbuste buissonnant, aux branches érigées, retombantes sur les côtés et donnant à la plante l'aspect d'une
boule.

Feuilles, d'abord rougeâtres, devenant vert foncé; certaines sont panachées blanc et rose.

Fleurs d'un rose carmin clair, semblable à la couleur du
vin. Les fleurs sont réunies en corymbes plats, de juin
au début d'octobre, si on prend soin de supprimer les
fleurs fanées.

Racines fines et nombreuses.

Croissance moyenne.

EXIGENCES: E: Préfère les situations ensoleillées, mais supporte
une ombre légère.

S: Bien qu'il préfère les sols fertiles, il peut vivre
dans un sol pauvre.

H: Demande un sol frais mais bien drainé. Supporte la
sécheresse.

R: Bonne rusticité.

P: Transplantation facile.

T: La taille intervient à la fin de l'hiver quand les
premiers bourgeons apparaissent. Tailler court.

D: Excellente.

UTILISATIONS: Plante intéressante par sa floraison, utilisée en groupe,
en association dans les massifs, dans les grandes rocailles et pour confectionner des haies basses non taillées.

Spiraea* x *bumalda 'Crispa'
SPIRÉE CRISPÉE
Twist Spirea

ZQ: A / B / C / D / E / F / G
ZC: 3

DESCRIPTION: H: 0,60 m   L: 0,60 m
Arbuste buissonnant, compact, de forme arrondie.
Feuilles tordues, d'abord rouges, puis vert foncé; certaines sont panachées blanc et rose.
Fleurs, rose carmin clair, réunies en corymbes plats, pourpre foncé, de juin a septembre.
Racines fines et nombreuses.
Croissance lente.

EXIGENCES: E: Préfère les situations ensoleillées.
S: Supporte les sols pauvres, mais préfère les sols fertiles.
H: Demande un sol frais, mais bien drainé. Supporte la sécheresse.
R: Bonne rusticité.
P: Transplantation facile.
T: La taille intervient à la fin de l'hiver, quand les premiers bourgeons apparaissent. Tailler court.
D: Bonne.

UTILISATIONS: Plante intéressante par sa floraison et son feuillage. On l'utilise en groupe, en association dans les massifs, ou dans les grandes rocailles.

Spiraea x ***bumalda*** 'Flaming Mound' C.O.P.F.
SPIRÉE FLAMING MOUND
Flaming Mound Spirea

ZQ: A / B / C / D / E / F / G
ZC: 2b

DESCRIPTION: H: 0,60 m   L: 0,60 m
Cette plante a été obtenue par Tony Hubert, de W. H. Perron et Cie Ltée, de Laval (Québec).
Arbuste au port globulaire, compact. Branches érigées, retombantes sur les côtés. Les jeunes pousses sont toujours teintées de rouge. Les feuilles, orangées au printemps, deviennent jaunes puis vert tendre durant l`été. Coloration automnale bronze poupre.
Fleurs, en corymbes plats, rouges en boutons, rose foncé à l'épanouissement, de juillet à septembre, si on prend soin de supprimer les fleurs fanées.
Racines fines et nombreuses.
Croissance moyenne.

EXIGENCES: E: Demande le plein soleil, supporte les situations chaudes.
S: Bien qu'il préfère les sols fertiles, il peut vivre dans un sol pauvre.
H: Demande un sol frais, mais bien drainé. Supporte très bien la sécheresse.
R: Très bonne rusticité.
P: Transplantation très facile.
T: Une taille courte, tôt au printemps, pour favoriser l'apparition de jeunes pousses colorées.
D: Bonne.

UTILISATIONS: Plante intéressante surtout par son feuillage, mais aussi par sa floraison; on l'utilise en isolé, en groupe, en association dans les massifs, dans les grandes rocailles ou comme haies basses non taillées.

Photo : W. H. Perron & Cie Liée

Spiraea x ***bumalda*** 'Froebelii'
SPIRÉE DE FROEBEL
Froebel's Spirea

ZQ: A / B / C / D / E / F / G
ZC: 2b

DESCRIPTION: H: 1,20 m   L: 1,40 m
Arbuste vigoureux, aux branches érigées, retombantes largement sur les côtés.
Feuilles, d'abord rouges, puis vert rougeâtre, devenant pourpre bronzé en automne.
Fleurs, réunies en corymbes, larges, rouge pourpre, de juin au début d'octobre, si on prend soin de supprimer les fleurs fanées.
Racines fines et nombreuses.
Croissance rapide.

EXIGENCES: E: Préfère les situations ensoleillées, mais supporte une ombre légère.
S: Bien qu'il préfère les sols fertiles, il peut vivre dans un sol pauvre.
H: Demande un sol frais, mais bien drainé. Supporte la sécheresse.
R: Très bonne rusticité. Transplantation facile.
T: Tailler court à la fin de l'hiver, quand les premiers bourgeons apparaissent.
D: Excellente.

UTILISATIONS: Plante intéressante par sa floraison, on l'utilise en groupe, en association dans les massifs et dans les rocailles.

Spiraea x *bumalda* 'Goldflame'
SPIRÉE GOLDFLAME
Goldflame Spirea

ZQ: A / B / C / D / E / F / G
ZC: 2b

DESCRIPTION: H: 0,70 m   L: 0,70 m
Arbuste au port arrondi, compact. Branches érigées, retombantes sur les côtés. Au printemps, les jeunes pousses qui apparaissent sont jaune orangé. Par la suite, elles tournent au vert jaunâtre, pour prendre une teinte cuivre orangé à l'automne.
Fleurs en corymbes plats, rouges, de juillet à septembre, si on prend soin de supprimer les fleurs fanées.
Racines fines et nombreuses.
Croissance moyenne.

EXIGENCES: E: Demande le plein soleil.
S: Peu exigeant, il peut vivre en sol pauvre, mais préfère les sols fertiles.
H: Demande un sol frais, mais bien drainé. Supporte la sécheresse.
R: Très bonne rusticité.
P: Transplantation facile.
T: La taille intervient tôt au printemps.
D: Excellente.

UTILISATIONS: Plante intéressante par son feuillage et sa floraison, on l'utilise en isolé, en groupe, en association dans les massifs, dans les grandes rocailles ou comme haies basses non taillées.

Spiraea x ***bumalda*** 'Gold Mound' -
(*Spiraea* x *bumalda* 'All Gold') C.O.P.F.
SPIRÉE GOLD MOUND;
Gold Mound Spirea

ZQ: C- / D- / E / F / G
ZC: 4

DESCRIPTION: H: 0,70 m   L: 0,80 m
Obtentu par W.H.Perron & Cie Ltée, Laval (Québec).
Arbuste buissonnant, compact, de forme arrondie. Les jeunes pousses portent des feuilles jaunes, teintées de rouge, puis deviennent jaune d'or et enfin, jaune lime. Fleurs en corymbes plats, rose pâle, en juin-juillet. Croissance moyenne à rapide.

EXIGENCES: E: Demande une situation ensoleillée.
S: Peu exigeant, il peut vivre en sol pauvre, mais préfère les sols fertiles.
H: Supporte la sécheresse, préfère un sol frais, mais bien drainé.
R: Très bonne rusticité.
P: Transplantation facile.
T: La taille intervient tôt au printemps.
D: Excellente.

UTILISATIONS: Plante intéressante par son feuillage coloré, utilisée en groupe ou en association, en bordures, et comme plante de rocaille. Peut aussi servir comme plante de haies basses à croissance lente et comme couvre-sol.

Spiraea x ***cinerea*** 'Grefsheim' - (*Spiraea* x *arguta* 'Graciosa')
SPIRÉE GREFSHEIM
Grefsheim Spirea

ZQ: A / B / C / D / E / F / G
ZC: 4

DESCRIPTION: H: 1 m   L: 1 m
Arbuste compact au port gracieux. Branches et rameaux fins, d'abord érigés puis retombants.
Feuilles caduques, entières, simples, obovales, incisées et finement dentées. Feuillage vert clair, fin et dense.
Fleurs très abondantes, blanc pur, au centre plus foncé et étamines légèrement rosées. Ces fleurs, regroupées en grappes, couvrent tous les rameaux, au printemps.
Racines fines et nombreuses.
Croissance lente.

EXIGENCES: E: Préfère les endroits ensoleillés.
S: Préfère les terres fertiles et légères.
H: Supporte la sécheresse.
R: Rustique.
P: Transplantation facile.
T: La taille se fait immédiatement après la floraison.
D: Excellente.

UTILISATIONS: Plante intéressante par sa floraison, on l'utilise en association dans les premiers rangs de massifs, en isolé ou dans les rocailles.

Spiraea japonica

SPIRÉE JAPONAISE
Japanese Spirea

ZQ: C- / D- / E / F / G
ZC: 4

DESCRIPTION: H: 1,50 m   L: 1,50 m
Arbuste de forme ovale, irrégulière. Branches peu nombreuses, rigides.
Feuilles caduques, simples, oblongues, pointues au bout, dentées, vertes.
Fleurs rose pâle, puis rose foncé, réunies en corymbes, en juin-juillet.
Fruits sans intérêt.
Racines fines et nombreuses.
Croissance moyenne.

EXIGENCES: E: Demande le plein soleil.
S: Peu exigeant, préfère cependant un sol fertile.
H: Peu exigeant, préfère les terrains frais.
R: Excellente rusticité.
P: Transplantation facile.
T: On taille une première fois tôt au printemps, puis on pratique une taille de nettoyage après la floraison, ce qui permet une nouvelle floraison.

UTILISATIONS: Plante intéressante par sa floraison, on l'utilise en groupe ou en association. On lui préfère généralement ses cultivars.

Spiraea japonica 'Alpina' - (*Spiraea japonica* 'Nana')
SPIRÉE NAINE
Daphne Spirea

ZQ: C- / D- / E / F / G
ZC: 4

DESCRIPTION: H: 0,40 m   L: 1 m
Petit arbuste nain, compact au port globulaire régulier.
Branches raides et noueuses.
Feuilles petites, vert clair.
Fleurs en corymbes plats, rose clair, en juillet-août.
Croissance lente

EXIGENCES: D: Plus ou moins bonne.

UTILISATIONS: Plante intéressante par sa forme et sa floraison. On l'utilise comme plante couvre-sol, en groupe ou en masse et comme plante de rocaille. Peut aussi servir pour former des haies basses à croissance lente.

Spiraea japonica 'Golden Princess' C.O.P.F.
SPIRÉE GOLDEN PRINCESS
Golden Princess Spirea

ZQ: C- / D- / E / F / G
ZC: 3

DESCRIPTION: H: 0,60 m   L: 0,60 m
Arbuste compact, formant un petit monticule régulier.
Feuilles jaune d'or, simples, caduques, elliptiques, étroites.
Fleurs roses, peu nombreuses en corymbes plats, en juin-juillet.
Croissance moyenne.

EXIGENCES: D: Nouvelle variété, plutôt rare en centre de jardin.

UTILISATIONS: Plante intéressante par son feuillage coloré. On l'utilise en groupe ou en association.

'Alpina'

'Golden Princess'

Spiraea japonica 'Little Princess'
SPIRÉE LITTLE PRINCESS
Little Princess Spirea

ZQ: C- / D- / E / F / G
ZC: 3

DESCRIPTION: H: 0,50 m   L: 0,50 m
Arbuste nain formant un monticule régulier.
Feuilles caduques, simples, elliptiques, dentées, vert clair.
Fleurs en corymbes plats, rose pâle, au milieu de l'été.
Floraison abondante.
Croissance moyenne.

EXIGENCES: D: Excellente.

UTILISATIONS: Plante intéressante par sa floraison et par sa forme, on l'utilise en groupe ou en association, mais aussi dans les rocailles ou comme couvre-sol.

Spiraea japonica 'Shirobana'
SPIRÉE SHIROBANA
Shirobana Spirea

ZQ: C- / D- / E / F / G
ZC: 3

DESCRIPTION: H: 0,80 m   L: 0,80 m
Petit arbuste formant un monticule régulier.
Feuilles caduques, simples, vert clair.
Fleurs en corymbes plats, toutes roses ou toutes blanches ou en partie roses et en partie blanches, au milieu de l'été.
Croissance rapide.

EXIGENCES: D: Excellente.

UTILISATIONS: Plante intéressante par sa floraison, on l'utilise en isolé ou en association.

'Little Princess'   'Shirobana'

Spiraea latifolia

SPIRÉE À LARGES FEUILLES - Thé du Canada
Large-leaved Meadow-sweet

ZQ: A- / B- / C- / D- / E- / F- / G
ZC: 4

DESCRIPTION: H: 1,50 m   L: 1,50 m
Arbuste buissonnant au port diffus. Rameaux brun rougeâtre.
Feuilles caduques, entières, larges, obovales, pointues aux extrémités; vert dessus, bleu gris dessous.
Fleurs blanches ou légèrement rosées, en panicules érigées, lâches, au début de l'été.
Fruits sans intérêt.
Racines drageonnantes.
Croissance moyenne.

EXIGENCES: E: Demande le plein soleil.
S: Préfère les sols pauvres.
H: Un sol humide lui est favorable.
R: Bonne rusticité.
P: De transplantation facile.
T: Tailler au printemps, avant la floraison.
D: Rare en pépinière.

UTILISATIONS: Plante intéressante par sa floraison et sa facilité à s'adapter aux conditions difficiles. Utilisée en association ou pour la naturalisation.

Spiraea media 'Sericea'
         SPIRÉE SOYEUSE
         Oriental Spirea

ZQ: A / B / C / D / E / F / G
ZC: 2

DESCRIPTION: H: 1,50 m   L: 1 m
Arbuste aux rameaux plus ou moins étalés, donnant une forme arrondie à la plante.
Feuilles caduques, ovales, profondément dentées, vert foncé dessus, plus clair dessous.
Fleurs blanc crème, regroupées en grappes, fin mai.
Fruits sans intérêt.
Racines fines et nombreuses.
Croissance rapide.

EXIGENCES: E: Une exposition ensoleillée lui est favorable.
S: Peu exigeante, elle s'accommode même d'un sol pauvre et pierreux.
H: Affectionne les endroits plutôt secs.
R: Très rustique.
P: Transplantation en pot.
T: Tailler après la floraison, si nécessaire.
D: Rare en culture.

UTILISATIONS: Plante surtout intéressante par sa grande rusticité, on l'utilise en groupe ou en association.

Spiraea nipponica 'Halward's Silver' C.O.P.F.
SPIRÉE HALWARD'S SILVER
Halward's Silver Spirea

ZQ: A- / B- / C- / D / E / F / G
ZC: 4

DESCRIPTION: H: 0,90 m   L: 0,90 m
Arbuste nain et compact, de forme plus ou moins régulière. Branches nombreuses.
Feuilles caduques, simples, oblongues, étroites, bleu vert foncé.
Grandes fleurs blanches, en corymbes comprenant de 8 à 10 fleurs. Floraison très spectaculaire.
Fruits sans intérêt.
Racines fines et nombreuses.
Croissance lente.

EXIGENCES: E: Préfère le plein soleil, mais supporte une ombre partielle.
S: Peu exigeant.
H: Un terrain frais lui convient.
R: Très rustique.
P: Transplantation facile.
T: Tailler juste après la floraison.
D: Bonne.

UTILISATIONS: Plante intéressante par sa floraison, on l'utilise en association en groupe, en isolé, dans les rocailles ou comme haie basse non taillée.

Spiraea nipponica 'Snowmound' - (*Spiraea nipponica tosaensis*)
SPIRÉE SNOWMOUND
Snowmound Spirea

ZQ: A / B / C / D / E / F / G
ZC: 3

DESCRIPTION: H: 1,20 m   L: 0,80 m
Arbuste compact formant une boule. Branches érigées et dressées, aux rameaux arqués.
Feuilles caduques, simples, ovales, vert foncé dessus, vert bleuâtre dessous.
Fleurs blanches, abondantes, en mai-juin.
Croissance moyenne.

EXIGENCES: E: Demande le plein soleil.
S: Préfère les sols fertiles, mais supporte les sols pauvres.
H: Supporte la sécheresse, mais préfère les endroits secs.
R: Bonne rusticité.
P: Tranplantation en pot.
T: Tailler après floraison si nécessaire.
D: Bonne.

UTILISATIONS: Plante intéressante par sa floraison spectaculaire, on l'utilise en association dans les massifs, en groupe ou encore comme haie.

Spiraea prunifolia 'Plena'
SPIRÉE PRUINEUSE À FLEURS DOUBLES
Brida Wearth Spirea

ZQ: A / B / C / D / E / F / G
ZC: 5b

DESCRIPTION: H: 1,5 m   L: 2 m
Arbuste buissonnant au port diffus et irrégulier. Branches minces et anguleuses, légèrement tomenteuses.
Feuilles caduques, simples, elliptiques, pointues aux deux bouts. Le feuillage, vert foncé lustré en été, prend une belle teinte jaune orange à pourpre durant l'automne.
Petites fleurs blanches, aux pétales doubles, tôt au printemps.
Fruits sans intérêt.
Racine fines et nombreuses.
Croissance moyenne.

EXIGENCES: E: Une situation ensoleillée lui est favorable.
S: Préfère les sols fertiles.
H: Un sol frais, bien drainé lui convient.
R: Peu rustique, il doit être planté en situation abritée.
P: Plantation plus ou moins facile.
T: Tailler immédiatement après la floraison.
D: Plutôt rare.

UTILISATIONS: Plante intéressante par sa floraison et sa couleur automnale, on l'utilise en association ou en groupe.

Spiraea x 'Snow White'
SPIRÉE SNOW WHITE
Snow White Spirea

ZQ: A / B / C / D / E / F / G
ZC: 2b

DESCRIPTION: H: 1,25 m   L: 1 m
Arbuste érigé dont les branches s'arquent avec l'âge.
Feuilles caduques, larges, vert clair.
Grandes fleurs en corymbes denses, au printemps.
Racines fines et nombreuses.
Croissance moyenne.

EXIGENCES: E: Demande le plein soleil.
S: Préfère les endroits fertiles, mais supporte les endroits pauvres.
H: Supporte les endroits secs, mais préfère les endroits humides.
R: Très bonne rusticité.
P: Transplantation facile en pot.
T: Tailler après la floraison
D: Rare.

UTILISATIONS: Plante intéressante par sa floraison et par sa rusticité, on l'utilise en association ou en groupe.

Spiraea x 'Summersnow'
SPIRÉE SUMMERSNOW
Summersnow Spirae

ZQ: A / B / C / D / E / F / G
ZC: 2b

DESCRIPTION: H: 0,60 m   L: 0,90 m
Arbuste bas, de forme plutôt aplatie. Branches érigées.
Feuilles elliptiques, vert clair.
Fleurs blanches, réunies en corymbes plats, de la fin juin au mois d'août.
Racines drageonnantes.
Croissance lente.

EXIGENCES: E: Demande le plein soleil.
S: Peu exigeant.
H: Préfère un sol frais.
R: Très bonne rusticité.
P: De transplantation facile.
T: Tailler avant la floraison.
D: Rare en centres de jardin

UTILISATIONS: Plante intéressante par l'époque de sa floraison, on l'utilise en association, en groupe, en isolé ou comme plante couvre-sol.

Spiraea trilobata 'Sawn Lake'
SPIRÉE SAWN LAKE
Sawn Lake Spirea - Sawn Lake Threelobe   Spirea

ZQ: A / B / C / D / E / F / G
ZC: 3

DESCRIPTION: H: 1,5 m   L: 2,5 m
Arbuste au port arrondi, diffus, irrégulier.
Feuilles à trois lobes, rondes à la base, vert bleuté.
Fleurs blanches très nombreuses, en mai.
Fruits sans intérêt.
Racines fines et nombreuses.
Croissance lente.

EXIGENCES: E: Résiste très bien à la mi-ombre.
S: Peu exigeant.
H: Demande un sol frais.
R: Bonne.
P: Transplantation en pot.
T: Tailler après la floraison.
D: Rare.

UTILISATIONS: Plante intéressante pour sa floraison et pour sa forme, on l'utilise en association ou en groupe.

Spiraea x *van houttei*

SPIRÉE DE VAN HOUTTE - Couronne de mariée
Bridal Wreath Spirea

ZQ: A / B / C / D / E / F / G
ZC: 3b

DESCRIPTION: H: 2 m   L: 1,75 m
Arbuste buissonnant aux branches arquées. Écorce brun marron.
Feuilles caduques, découpées, à 3 ou 5 lobes. Feuillage vert sombre dessus, vert pâle dessous, prenant une teinte brun pourpre à l'automne.
Fleurs blanches en ombelles, presque cylindriques. Floraison abondante le long des rameaux.
Racines fines et nombreuses.
Croissance rapide.

EXIGENCES: E: Demande le plein soleil, mais supporte la mi-ombre.
S: Peu exigeant.
H: Peu exigeant.
R: Très bonne rusticité. Résiste très bien à la pollution.
P: Se transplante facilement.
T: Tailler après la floraison. Supporte une taille sévère.
D: Excellente.

UTILISATIONS: Plante intéressante par sa floraison, on l'utilise en association dans les massifs, en isolé ou comme haie libre.

Spiraea* x *van houttei 'Pink Ice'
SPIRÉE DE ROSÉE
Pink Ice Spirea

ZQ: A- / B- / C- / D- / E- / F- / G
ZC: 4

DESCRIPTION: H: 2 m   L: 1,75 m
Arbuste buissonnant aux branches arquées. Les jeunes pousses, blanches et vertes, sont portées par des tiges rougeâtres.
Feuilles caduques, découpées, à 3 ou 5 lobes. Feuillage vert sombre, panaché de blanc crème, toute la saison.
Fleurs blanches en ombelles, abondantes le long des rameaux.
Fruits sans intérêt.
Racines fines et nombreuses.
Croissance moyenne.

EXIGENCES: E: Demande le plein soleil.
S: Peu exigeant.
H: Peu exigeant.
R: Bonne rusticité.
P: Se transplante facilement.
T: Tailler légèrement après la floraison. Supporte une taille légère.
D: Nouveau cultivar dont la disponibilité va croître au fil des années.

UTILISATIONS: Plante intéressante par son feuillage et sa floraison, on l'utilise en isolé ou en association dans les massifs.

Photo : Briant / Devoyault

Staphylea trifolia
STAPHYLEA À TROIS FEUILLES
American Bladdernut

ZQ: G
ZC: 4

DESCRIPTION: H: 3 m   L: 2 m
Arbuste de forme ovoïde. Écorce brune à grise avec des lignes longitudinales blanches. Branches érigées, devenant arquées avec l'âge.
Feuilles caduques, composées de trois folioles, elliptiques, finement dentées. Feuillage vert clair, jaune à l'automne.
Fleurs en forme de cloches blanches réunies en grappes.
Fruits sous forme de capsules gonflées à 3 ou 4 lobes qui sèchent pour donner un fruit des plus original.
Racines fibreuses ayant tendance à drageonner.
Croissance moyenne.

EXIGENCES: E: Croît aussi bien au plein soleil qu'à l'ombre.
S: Peu exigeant.
H: Préfère les sol humides.
R: Bonne rusticité.
P: Transplantation facile.
T: Peu utile.
D: Assez bonne.

UTILISATIONS: Plante intéressante pour son bois, ses fleurs, mais surtout pour ces fruits. On l'utilise en association, en groupe ou pour la naturalisation dans les grands espaces.

Stephanandra incisa 'Crispa'
STEPHANANDRA CRISPÉE
Cut-leaf Stephanandra

ZQ: G
ZC: 5

DESCRIPTION: H: 0,50 m   L: 1,50 m
Arbuste nain, étalé. Rameaux recourbés vers le bas, s'enracinant naturellement.
Feuilles trilobées, doublement dentées et crispées.
Feuillage élégant, vert très vif, devenant rouge pourpre foncé à l'automne.
Fleurs blanches, petites, en juin.
Racines fines.
Croissance rapide.

EXIGENCES: E: Aussi bien au plein soleil qu'à l'ombre légère.
S: Préfère les sols acides, légers, plutôt fertiles.
H: Convient bien aux endroits bien drainés.
R: Peu rustique, il arrive parfois que la plante gèle complètement, mais après une taille de nettoyage, de fortes pousses apparaissent.
P: Tranplanter en pot pour une meilleure reprise.
T: La taille en est une de nettoyage.
D: Bonne.

UTILISATIONS: Plante intéressante par sa forme et son feuillage. On l'utilise comme plante couvre-sol ou dans les rocailles. Peut aussi retenir les talus.

Symphoricarpos albus - (*Symphoricarpos racemosus*)
SYMPHORINE BLANCHE - Arbre aux perles
Snowberry - Waxberry

ZQ: A / B / C / D / E / F / G
ZC: 2

DESCRIPTION: H: 1 m   L: 1,50 m
Arbuste buissonnant, aux rameaux grêles, dressés puis arqués à leur extrémité.
Feuilles caduques, simples, ovales, obtuses, vert foncé dessus, glauques dessous.
Fleurs petites, roses, réunies en grappes, de mai à juin.
Fruits persistant une partie de l'hiver, sous forme de grosses baies blanc neigeux.
Racines drageonnantes.
Croissance rapide.

EXIGENCES: E: Pousse au plein soleil ou à l'ombre.
S: Peu exigeant, il préfère les sols rocheux et calcaires.
H: Peu exigeant. Supporte les sols très humides.
R: Très bonne rusticité.
P: Transplantation facile en pot .
T: Au début du printemps pour préserver les fruits.
D: Bonne.

UTILISATIONS: Plante intéressante par ses fruits et sa grande adaptabilité, utilisée pour la naturalisation ou pour attirer les oiseaux. Utile aussi en association ou dans la confection de haies.

Symphoricarpos albus laevigatus - (*Symphoricarpos rivularis*)
GRANDE SYMPHORINE BLANCHE
Tall Snowberry

ZQ: A / B / C / D / E / F / G
ZC: 2

DESCRIPTION: H: 2 m   L: 2,50 m
Arbuste buissonnant au port irrégulier. Branches érigées puis retombantes.
Feuilles caduques, simples, ovales, plus larges que chez l'espèce.
Fleurs, roses à blanches, réunies en grappes, de mai à juin.
Gros fruits en abondance, persistant une partie de l'hiver, sous forme de grosses baies blanc neigeux.
Racines drageonnantes.
Croissance rapide.

EXIGENCES: E: Croît aussi bien au plein soleil qu'à l'ombre.
S: Peu exigeant, il préfère les sols rocheux et calcaires.
H: Peu exigeant. Supporte les sols très humides.
R: Très bonne rusticité.
P: Transplantation facile.
T: Au début du printemps pour préserver les fruits.
D: Plus ou moins bonne.

UTILISATIONS: Plante intéressante par ses fruits et sa grande adaptabilité, on l'utilise pour la naturalisation ou pour attirer les oiseaux. Elle est aussi utile en association ou dans la confection de haies.

Symphoricarpos x **chenaultii** 'Hancok'
SYMPHORINE DE HANDCOK
Hancok Coralberry

ZQ: F- / G
ZC: 5

DESCRIPTION: H: 0,50 m   L: 1,20 m
Arbuste au port bas, rampant. Rameaux longs et fins, très souples, se marcottant naturellement.
Feuilles caduques, ovales, vert foncé dessus, glauques dessous.
Petites fleurs roses, en juin-juillet.
Fruits sous forme de baies globuleuses roses ou rose ponctué de blanc.
Racines drageonnantes.
Croissance moyenne

EXIGENCES: E: Plein soleil aussi bien que l'ombre.
S: Peu exigeant.
H: Pas d'exigeance. Éviter cependant les excès d'eau et la sécheresse.
R: Peu rustique; planter en situation abritée.
P: Plantation en pot pour faciliter la reprise.
T: Supporte la taille qui se fait tôt au printemps.
D: Bonne.

UTILISATIONS: Plante intéressante par sa forme et ses fruits, on l'utilise comme couvre-sol, notamment à l'ombre.

Symphoricarpos x 'Erectus'
SYMPHORINE ÉRIGÉE
Erect Coralberry

ZQ: F- / G
ZC: 5

DESCRIPTION: H: 2 m   L: 1,25 m
Arbuste au port érigé, étroit. Branches droites ou arquées, aux inclinaisons différentes.
Feuilles larges, ovales, rondes à la base. Feuillage vert foncé dessus, grisâtre dessous.
Fleurs roses en racèmes.
Fruits rose lilas, sous forme de baies.
Racines drageonnantes.
Croissance rapide.

EXIGENCES: E: Le plein soleil aussi bien que l'ombre lui conviennent.
S: Peu exigeant.
H: Pas d'exigence particulière.
R: Peu rustique; planter dans une situation abritée.
P: Transplantation facile.
T: Supporte la taille, qui se fait tôt au printemps.
D: Plutôt rare.

UTILISATIONS: Plante intéressante par ses fruits, on l'utilise pour faire des haies ou attirer les oiseaux.

Symphoricarpos x 'Magic Berry'
SYMPHORINE MAGIC BERRY
Magic Berry Coralberry

ZQ: E- / F- / G
ZC: 4

DESCRIPTION: H: 2 m   L: 1,25 m
Arbuste buissonnant au port compact. Branches arquées.
Feuilles caduques, entières, larges, ovales, arrondies à la base. Feuillage vert foncé dessus, vert clair dessous.
Fleurs en racèmes.
Fruits, sous forme de baies roses, dès le mois de juillet.
Racines drageonnantes.
Croissance moyenne.

EXIGENCES: E: Aussi bien au plein soleil qu'à l'ombre.
S: Peu exigeant.
H: Pas d'exigence particulière.
R: Bonne rusticité.
P: Transplantation facile.
T: Supporte la taille, qui se fait tôt au printemps.
D: Plutôt rare.

UTILISATIONS: Plante intéressante par ses fruits, on l'utilise pour faire des haies, en association dans les massifs ou pour attirer les oiseaux.

Symphoricarpos orbiculatus - (*Symphoricarpos vulgaris*)
SYMPHORINE À FEUILLES RONDES
Coralberry - Indian Currant

ZQ: A / B / C / D / E / F / G
ZC: 2b

DESCRIPTION: H: 1 m   L: 1 m
Arbuste buissonnant, arrondi, très rameux.
Feuilles caduques, ovales, obtuses et arrondies, vert foncé mat dessus, glauques dessous.
Fleurs blanc jaunâtre teinté de rose, en grappes, en juillet-août.
Fruits nombreux et persistants, en forme de petites baies rouge pourpré.
Racines drageonnantes.
Croissance rapide.

EXIGENCES: E: Aussi bien au plein soleil qu'à l'ombre.
S: Peu exigeant.
H: Peu exigeant, il préfère cependant les terrains bien drainés.
R: Bonne.
P: Transplantation facile.
T: Tailler tôt au printemps, avant les feuilles.
D: Bonne.

UTILISATIONS: Plante intéressante par ses fruits, on l'utilise comme haie libre, en groupe et en association dans les massifs à l'ombre; attire les oiseaux.

Symphoricarpos orbiculatus 'Variegatus'
SYMPHORINE À FEUILLES RONDES
PANACHÉES
Golden Edge-leaved Coralberry

ZQ: F- / G
ZC: 5

DESCRIPTION: H: 1,50 m   L: 1,50 m
Arbuste aux branches érigées, retombant sur les côtés.
Feuilles caduques, petites, rondes, vert clair avec une
marge jaune.
Fleurs et fruits rares.
Racines drageonnantes.
Croissance lente.

EXIGENCES: E: Préfère le plein soleil.
S: Peu exigeant.
H: Peu exigeant, il préfère cependant les terrains bien
drainés.
R: Bonne.
P: Transplantation facile.
T: Tailler les rejets dont les feuilles sont complètement
vertes car ils risquent de détruire le cultivar.
D: Assez bonne.

UTILISATIONS: Plante intéressante par son feuillage, on l'utilise en
association dans les massifs, notamment à l'ombre.

Symphoricarpos x 'White Edge'
SYMPHORINE WHITE EDGE
White Edge Coralberry

ZQ: A / B / C / D / E / F / G
ZC: 4

DESCRIPTION: H: 1,50 m   L: 1 m
Arbuste buissonnant au port érigé.
Feuilles caduques, entières, elliptiques, obtuses, vert clair.
Fleurs blanches, parfois roses en racèmes.
Nombreux gros fruits, sous forme de baies blanches.
Racines nombreuses, mais elles ne drageonnent pas.
Croissance rapide.

EXIGENCES: E: Aussi bien au plein soleil qu'à l'ombre.
S: Peu exigeant. Supporte les sols pauvres.
H: Pas d'exigence particulière.
R: Bonne rusticité.
P: Transplantation facile
T: Supporte la taille, qui se fait tôt au printemps.
D: Plutôt rare.

UTILISATIONS: Plante intéressante par ses fruits, on l'utilise pour faire des haies, en association dans les massifs ou pour attirer les oiseaux.

Syringa x ***chinensis*** 'Saugeana'

LILAS DE SAUGÉ - Lilas varin - Lilas Chinois
Chinese Lilac

ZQ: A / B / C / D / E / F / G
ZC: 2b

DESCRIPTION: H: 5 m   L: 3 m
Arbuste érigé, vigoureux, plutôt large. Rameaux grêles, arqués et rougeâtres, quand ils sont jeunes.
Feuilles petites, ovales, lancéolées, vertes.
Fleurs très odorantes et très volumineuses, en panicules rouge lilas, en mai-juin.
Fruits sans intérêt.
Racines nombreuses et superficielles. Ne drageonnent pas.
Croissance moyenne.

EXIGENCES: E: Préfère le plein soleil, mais supporte une ombre légère.
S: S'adapte à tous les sols, il faut cependant éviter les sols calcaires.
H: Peu exigeant.
R: Bonne rusticité.
P: Transplantation facile.
T: Tailler légèrement après la floraison.
D: Bonne.

UTILISATIONS: Plante intéressante par sa floraison, on l'utilise en groupe ou pour former des écrans.

Syringa josikaea

LILAS DE HONGRIE
Hungaria Lilac

ZQ: A- / B- / C- / D- / E- / F / G
ZC: 2b

DESCRIPTION: H: 3 m   L: 3 m
Arbuste au port arrondi. Branches érigées, gris brun clair.
Feuilles longues, larges, lancéolées, vert foncé dessus, grisâtre dessous. Nervures très marquées.
Fleurs odorantes, en panicules mauve violet foncé, au début de l'été.
Fruits san intérêt.
Racines superficielles.
Croissance rapide.

EXIGENCES: E: Demande le plein soleil.
S: Peu exigeant, supporte le calcaire.
H: Peu exigeant.
R: Très rustique.
P: Transplantation très facile.
T: Supprimer les fleurs fanées. Tailler légèrement après la floraison.
D: Rare.

UTILISATIONS: Plante intéressante par sa floraison, on l'utilise en association ou en groupe.

Syringa meyeri 'Palibin' - (*Syringa palibiniana*) - (*Syringa velutina*)
LILAS DE CORÉE NAIN
Dwarf Korean Lilac - Meyer Lilac

ZQ: A / B / C / D / E / F / G
ZC: 3

DESCRIPTION: H: 1 m   L: 0,80 m
Arbuste au port arrondi, compact, régulier. Branches très nombreuses, gris vert.
Feuilles petites, ovales, arrondies, vert foncé.
Fleurs odorantes en petits panicules lilas clair à lilas rose, au début de l'été.
Fruits sans intérêt.
Racines nombreuses, superficielles, mais ne drageonnent pas.
Croissance lente.

EXIGENCES: E: Préfère une ombre légère.
S: Peu exigeant.
H: Peu exigeant.
R: Bonne.
P: Transplantation en pot préférable.
T: Pas utilisée.
D: Bonne.

UTILISATIONS: Plante intéressante par sa forme et ses fleurs, on l'utilise surtout dans les rocailles, mais aussi en association dans les massifs.

Syringa microphylla 'Superba'
        LILAS SUPERBE
        Daphne Lilac - Little-leaf Lilac

    ZQ: A / B / C / D / E / F / G
    ZC: 4

DESCRIPTION: H: 2 m   L: 1,20 m
                Arbuste buissonnant, aux branches gris brun, érigées et peu nombreuses.
                Feuilles petites, ovales, pointues au bout.
                Petites fleurs rose foncé, réunies en panicules odorantes, au milieu du printemps.
                Racines nombreuses superficielles.
                Fruits sans intérêt.
                Croissance lente.

EXIGENCES: E: Une situation ensoleillée lui est favorable.
                S: Peu exigeant, supporte les sols calcaires.
                H: Peu exigeant.
                R: Bonne.
                P: Transplantation en pot.
                T: Tailler légèrement après la floraison.
                D: Plutôt rare.

UTILISATIONS: Plante intéressante pour sa floraison, utilisée en association.

Syringa patula 'Miss Kim'
           LILAS DE MANDCHOURIE MISS KIM
           Miss Kim Mandchourie Lilac

ZQ: A / B / C / D / E / F / G
ZC: 4

DESCRIPTION: H: 1,50 m   L: 2,00 m
Arbuste au port arrondi, formant un monticule.
Feuilles ovales, à base arrondie, vert clair, devenant pourpres à l'automne.
Fleurs lilas, odorantes, en panicules, au milieu du printemps.
Racines nombreuses et superficielles.
Croissance moyenne.

EXIGENCES:
E: Demande le plein soleil.
S: Peu exigeant, supporte les sols calcaires.
H: Peu exigeant.
R: Bonne.
P: Transplantation en pot.
T: Tailler légèrement après la floraison.
D: Bonne.

UTILISATIONS: Plante intéressante pour sa floraison, utilisée en association ou dans les rocailles.

Syringa x *prestoniae*

LILAS DE PRESTON
Preston's Lilac - Canadian Lilac

ZQ: A / B / C / D / E / F / G
ZC: 2

DESCRIPTION: H: 3 m   L: 2,50 m
Arbuste aux branches érigées, de forme évasée, étroite en bas, large en haut.
Feuilles obovales, épaisses, nervurées, vert foncé.
Fleurs de différentes couleurs suivant les variétés.
La floraison intervient habituellement deux semaines après celles des hybrides français, soit en juin-juillet.
Racines superficielles.
Croissance rapide, se ralentissant avec l'âge.

EXIGENCES: E: Préfère les endroits ensoleillés.
S: Plutôt peu exigeant, il craint cependant le calcaire. Il faut donc le planter, de préférence, en sol légèrement acide.
H: Résiste bien à un sol très humide.
R: Très bonne rusticité.
P: Transplantation facile.
T: Tailler légèrement après la floraison.
D: Varie suivant les cultivars.

UTILISATIONS: Plante intéressante par sa floraison, on peut l'utiliser en isolé, en association dans les massifs ou comme écran.

Syringa x *prestoniae* 'Donald Wyman'
          LILAS DONALD WYMAN
          Donald Wyman Lilac

       ZQ: A / B / C / D / E / F / G
       ZC: 2

DESCRIPTION: H: 2,50 m   L: 2 m
                     Arbuste au port compact et érigé.
                     Fleurs roses devenant violacé pourpre dès le début juin.
                     Très florifère.

EXIGENCES: D: Bonne

Syringa x *prestoniae* 'Isabella'
          LILAS ISABELLA
          Isabella Lilac

       ZQ: A / B / C / D / E / F / G
       ZC: 2

DESCRIPTION: H: 2 m   L: 2 m
                     Arbuste au port arrondi.
                     Fleurs simples rose lilas, légèrement plus clair à l'inté-
                     rieur, en grandes panicules retombantes.

EXIGENCES: D: Plus ou moins bonne.

Syringa x *prestoniae* 'James Mac Farlane'
          LILAS JAMES MAC FARLANE
          James Mac Farlane Lilac

       ZQ: A / B / C / D / E / F / G
       ZC: 2

DESCRIPTION: H: 2,50 m   L: 2 m
                     Arbuste au port arrondi, devenant large avec l'âge.
                     Fleurs simples, en panicules lâches, d'abord rose foncé
                     puis rose tendre en juin-juillet.

EXIGENCES: D: Bonne.

'Donald Wyman'

'Isabella'

'James Mac Farlane'

Syringa x *prestoniae* 'Minuet' C.O.P.F.
LILAS MINUET
Minuet Lilac

ZQ: A / B / C / D / E / F / G
ZC: 2

DESCRIPTION: H: 2 m   L: 1,50 m
Arbuste au port érigé, étroit, dense.
Feuilles petites. Les boutons pourpre clair donnent à l'épanouissement des fleurs violet pâle, à la fin de juin.

EXIGENCES: D: Bonne.

Syringa x *prestoniae* 'Red Wine'
LILAS RED WINE
Red Wine Lilac

ZQ: A / B / C / D / E / F / G
ZC: 2

DESCRIPTION: H: 2 m   L: 2,50 m
Arbuste au port arrondi et large.
Boutons rose foncé. Fleurs simples en longues panicules retombantes, rose clair, odorantes.

EXIGENCES: D: Assez bonne.

Syringa x *prestoniae* 'Royalty'
LILAS Royalty
Royalty' Lilac

ZQ: A / B / C / D / E / F / G
ZC: 2

DESCRIPTION: H: 2 m   L: 2 m
Port arrondi.
Boutons violet foncé, suivis de fleurs bleu lilas qui deviennent roses par la suite. Longues panicules denses.

EXIGENCES: D: Assez bonne.

'Minuet'

'Red Wine'

'Royalty'

Syringa reticulata - (*Syringa amurensis japonica*)
LILAS DU JAPON
Japanese Tree Lilac

ZQ: A- / B- / C / D / E / F / G
ZC: 2

DESCRIPTION: H: 10 m   L: 8 m
Gros arbuste vigoureux, érigé, au port ovale. Rameaux bruns portant des lenticelles.
Feuilles ovales, amples, pointues au bout, vert vif brillant dessus, grisâtres dessous.
Fleurs, en panicules blanc crème, très abondantes en juillet,. C'est en fait le plus tardif des lilas.
Fruits sans intérêt.
Racines superficielles.
Croissance moyenne.

EXIGENCES: E: Demande le plein soleil.
S: Préfère un sol légèrement acide, mais s'adapte bien à tous les sols.
H: Aime les terrains frais, mais bien drainés.
R: Très rustique.
P: Transplantation facile.
T: Supprimer les fleurs après la floraison.
D: Bonne.

UTILISATIONS: Plante intéressante par la couleur et l'époque de sa floraison. On l'utilise en association dans les grands massifs, ou pour former des masses importantes. Peut aussi être utile en isolé dans les grands jardins.

Syringa reticulata 'Ivory Silk' C.O.P.F.
LILAS IVORY SILK
Ivory Silk Lilac

ZQ: A- / B- / C / D / E / F / G
ZC: 2

DESCRIPTION: H: 6 m   L: 3 m
Gros arbuste au port ovale, plutôt compact. Écorce rougeâtre, brilliante. Branches érigées puis étalées.
Feuilles caduques, simples, amples, ovales, pointues au bout, vert brillant dessus, grisâtres dessous.
Floraison en grandes panicules blanc crème apparaissant tardivement, début juillet.
Racines plutôt traçantes.
Croissance moyenne.

EXIGENCES: E: Supporte une ombre légère, mais préfère le plein soleil.
S: S'adapte à tous les sols, mais préfère un sol neutre ou calcaire.
H: Aime les sols frais, mais sans excès.
R: Très rustique. Supporte bien la pollution.
P: Transplantation facile.
T: Tailler après la floraison.
D: Bonne.

UTILISATIONS: Plante intéressante par la couleur et l'époque de sa floraison; on l'utilise en isolé ou en association.

Syringa x *swegiflexa*
LILAS FONTAINE
Giant Lilac

ZQ: C- / D- / E- / F / G
ZC: 4b

DESCRIPTION: H: 3 m   L: 2 m
Arbuste érigé, au port large, dense.
Feuilles caduques, simples, ovales, pointues au bout, vert foncé dessus, vert gris dessous.
Fleurs en longues panicules denses, rose corail foncé, devenant plus clair. Floraison tardive légèrement retombante.
Croissance rapide.

EXIGENCES: E: Demande le plein soleil.
S: Peu exigeant.
H: Peu exigeant.
R: Préfère une situation abritée. Rusticité peu élevée.
P: Transplantation en pot préférable.
T: Taille légère après la floraison.
D: Bonne.

UTILISATIONS: Plante intéressante pour sa floraison, on l'utilise en isolé et en massif.

Syringa villosa

LILAS DUVETEUX - Lilas tardif
Late Lilac

ZQ: A / B / C / D / E / F / G
ZC: 2

DESCRIPTION: H: 3 m   L: 2 m
Arbuste buissonnant, dense, aux branches érigées.
Feuilles caduques, épaisses, elliptiques, vert foncé gri-sâtre dessus, glauques dessous. Nervures saillantes.
Fleurs, en panicules denses, odorantes, rose lilas, deve-nant plus clair après épanouissement. Floraison en juin-juillet.
Fruits sans intérêt.
Racines superficielles.

EXIGENCES: E: Demande le plein soleil.
S: Préfère les sols sains, profonds, légèrement cal-caires.
H: Résiste bien à la sécheresse.
R: Bonne rusticité. Supporte la pollution.
P: Tranplantation en pot.
T: Tailler après la floraison.
D: Bonne.

UTILISATIONS: Plante intéressante par sa floraison, on l'utilise comme écran ou comme haie et en association dans les mas-sifs.

Syringa vulgaris

LILAS COMMUN
Common Lilac

ZQ: A / B / C / D / E / F / G
ZC: 2b

DESCRIPTION: H: 5 m   L: 3 m
Gros arbuste aux branches érigées. Rameaux glabres, rigides, brun gris.
Feuilles en forme de coeur, pointues au sommet, lisses, vert clair.
Fleurs simples, réunies en panicules érigées, très odorantes, lilas, fin mai début juin.
Fruits en capsules longues et brunes.
Racines drageonnantes.
Croissance moyenne à rapide.

EXIGENCES: E: Demande le plein soleil, mais supporte une ombre légère.
S: Préfère les sols profonds et sains.
H: Craignant la sécheresse, il préfère un terrain légèrement humide.
R: Bonne rusticité. Résiste à la pollution.
P: Transplantation facile.
T: Après la floraison, supprimer les fleurs.
D: Excellente.

UTILISATIONS: Plante intéressante par sa floraison et par son parfum, on l'utilise en association dans les grands massifs, comme écran ou pour la naturalisation.

Syringa x

LILAS FRANÇAIS HYBRIDE
French Hybrid Lilac

ZQ: A / B / C / D / E / F / G
ZC: 3

DESCRIPTION: H: variable L: variable
Sous cette appellation, on regroupe les hybrides obtenus à partir du *Syringa vulgaris*. Tous ces lilas sont cultivés pour leurs fleurs, simples ou doubles, mais toujours en panicules.
Feuilles caduques, en forme de coeur, pointues au sommet, lisses, vert clair vif.
Fruits sans intérêt.
Racines drageonnantes.
Croissance moyenne à rapide.

EXIGENCES: E: Demande le plein soleil, mais supporte une ombre légère.
S: S'adapte bien à tous les sols, mais préfère les sols profonds et sains.
H: Préfère un terrain frais et bien drainé.
R: Bonne rusticité. Résiste à la pollution.
P: Transplantation plus ou moins facile.
T: Après la floraison, supprimer les fleurs.
D: Variable.

UTILISATIONS: On utilise les lilas français hybrides en isolé, en association dans les grands massifs ou comme écran.

Syringa x 'Agincourt Beauty' C.O.P.F.
LILAS AGINCOURT BEAUTY
Agincourt Beauty Lilac

DESCRIPTION: H: 2,50 m   L: 2 m
Fleurs simples, pourpre foncé, très grosses. Panicules plus ou moins retombantes suivant leur longueur.

EXIGENCES: D: Bonne.

Syringa x 'Belle de Nancy'
LILAS BELLE DE NANCY
Belle de Nancy Lilac

DESCRIPTION: H: 3 m   L: 3 m
Boutons rouge pourpre, suivis de fleurs rose lilas, au milieu du printemps.

EXIGENCES: D: Bonne.

Syringa x 'Charles Joly'
LILAS CHARLES JOLY
Charles Joly Lilac

DESCRIPTION: H: 3 m   L: 2,50 m
Très florifère. Panicules courtes et compactes. Grandes fleurs rouge pourpre, doubles. Le revers des pétales est plus clair, ce qui donne un aspect bicolore à la fleur.

EXIGENCES: D: Bonne.

'Agincourt Beauty'

Photo : Pépinières Sheridan

'Belle de Nancy'

'Charles Joly'

Syringa x 'Katherine Havemeyer'
LILAS KATHERINE HAVEMEYER
Katherine Havemeyer Lilac

DESCRIPTION: H: 5 m   L: 3,50 m
Arbuste au port érigé, retombant avec l'âge.
Grandes fleurs doubles, bleu lavande pourpré, devenant
bleu lavande rose à l'éclosion.

EXIGENCES: D: Très bonne.

Syringa x 'Michel Buchner'
LILAS MICHEL BUCHNER
Michel Buchner Lilac

DESCRIPTION: H: 3 m   L: 3 m
Arbuste érigé au port large.
Longues panicules étroites, portant de grosses fleurs
lilas.

EXIGENCES: D: Bonne.

'Katherine Havemeyer'   'Michel Buchner'

Syringa x 'Miss Ellem Willmott'
LILAS MISS ELLEM WILLMOTT
Miss Ellem Willmott Lilac

DESCRIPTION: H: 3 m   L: 3 m
Grandes fleurs doubles, blanches, s'épanouissant un
peu plus tard que les autres cultivars.

EXIGENCES: D: Bonne.

Syringa x 'Mme Lemoine'
LILAS MME LEMOINE
Mme Lemoine Lilac

DESCRIPTION: H: 3 m   L: 3 m
Arbuste au port arrondi, large.
Grandes fleurs doubles, blanc pur. Floraison abondante, tardive. Un des meilleurs cultivars à fleurs doubles.

EXIGENCES: D: Bonne.

Syringa x 'Monge'
>
> LILAS MONGE
> Monge Lilac

DESCRIPTION: H: 3 m   L: 3 m
> Longues panicules pyramidales, lâches. Grandes fleurs rouge pourpre foncé, très abondantes.

EXIGENCES: D: Assez bonne.

Syringa x 'Mrs. Edward Harding'
>
> LILAS MRS. EDWARD HARDING
> Mrs. Edward Harding Lilac

DESCRIPTION: H: 4 m   L: 4 m
> Arbuste de grande dimension, ouvert.
> Panicules larges à la base, portant des fleurs doubles, rouge pourpre clair, en boutons, donnant un coloris rose pourpre à l'éclosion.

EXIGENCES: D: Bonne.

'Monge'   'Mrs. Edward Harding'

Syringa x 'Olivier de Serres'
        LILAS OLIVIER DE SERRES
        Olivier de Serres Lilac

DESCRIPTION: H: 3 m   L: 2,50 m
              Grandes panicules bien formées de grandes fleurs.
              Boutons bleu pourpre, suivis de fleurs bleu lavande à
              l'épanouissement.

EXIGENCES: D: Bonne.

Syringa x 'Président Grévy'
        LILAS PRÉSIDENT GRÉVY
        Président Grévy Lilac

DESCRIPTION: H: 3 m   L: 2,50 m
              Arbuste aux branches peu nombreuses.
              Grandes fleurs doubles, bleu mauve, en grandes pani-
              cules pyramidales, larges.

EXIGENCES: D: Bonne.

'Olivier de Serres'   'Président Grévy'

Syringa x 'Président Lincoln'
LILAS PRÉSIDENT LINCOLN
Président Lincoln Lilac

DESCRIPTION: H: 3 m   L: 3 m
Fleurs très hâtives, en longues panicules étroites, pyramidales, bleu clair pur.

EXIGENCES: D: Assez bonne.

Syringa x 'Prodige'
LILAS PRODIGE
Prodige Lilac

DESCRIPTION: H: 2,50 m   L: 2 m
Belles fleurs rouge pourpre.

EXIGENCES: D: Bonne.

Syringa x 'Sensation'
LILAS SENSATION
Sensation Lilac

DESCRIPTION: H: 3 m   L: 3 m
Arbuste au port ouvert, large.
Fleurs, réunies en larges panicules, rouge pourpre bordé de blanc argenté. Très parfumées.

EXIGENCES: D: Bonne.

Syringa x 'Souvenir de Louis Spaëth' -
(*Syringa* x 'Andenken an Ludwig Späth')
LILAS SOUVENIR DE LOUIS SPAËTH
Souvenir de Louis Spaëth Lilac

DESCRIPTION: H: 5 m   L: 4 m
Arbuste au port érigé, dont les branches retombent avec l'âge.
Grandes panicules à fleurs simples, rouge violacé, apparaissant tardivement.

EXIGENCES: D: Bonne.

'Sensation'   'Souvenir de Louis Spaëth'

Tamarix parviflora
TAMARIX À PETITES FEUILLES
Small-flowered Tamarix

ZQ: A- / B- / C- / D- / E / F / G
ZC: 4b

DESCRIPTION: H: 2 m   L: 1,80 m
Arbuste au port gracieux, lâche. Branches plus ou moins tordues, retombant avec grâce. Jeunes pousses brun rougeâtre, retombantes.
Feuilles en écailles, ovales, pointues, vertes, d'aspect très léger.
Fleurs roses réunies en racèmes pleureurs, début juin.
Fruits sans intérêt.
Racines épaisses, peu nombreuses.
Croissance moyenne à rapide.

EXIGENCES: E: Demande le plein soleil.
S: Préfère les sols légèrement acides. Supporte aussi les sols très sableux.
H: Un endroit bien drainé lui est indispensable car il craint les excès d'humidité.
R: Bonne. Résiste au sel.
P: Transplantation difficile.
T: Tailler immédiatement après la floraison.
D: Assez bonne.

UTILISATIONS: Plante intéressante par son port et par sa floraison, on l'utilise en isolé ou en association.

Tamarix ramosissima - (*Tamarix pentendra*)
TAMARIX DE RUSSIE
Fine-stamen Tamarix

ZQ: A- / B- / C- / D- / E / F / G
ZC: 3

DESCRIPTION: H: 2,50 m   L: 2 m
Arbuste buissonnant aux branches grêles, érigées puis infléchies, donnant un aspect ample à l'ensemble. Les jeunes pousses sont pourprées.
Feuilles caduques, en forme d'écailles, vert pâle.
Feuillage d'aspect léger et plumeux.
Fleurs roses, en panicules lâches, abondantes, en fin juillet.
Racines peu nombreuses.
Croissance rapide.

EXIGENCES: E: Demande le plein soleil.
S: S'adapte à tous les sols, sauf s'ils sont calcaires.
H: Peu exigeant, il croît en sol humide ou sec.
R: Bonne rusticité. Il arrive cependant que des gélivures apparaissent après l'hiver.
P: Transplantation difficile.
T: Tailler court en mars-avril pour favoriser la floraison.
D: Bonne.

UTILISATIONS: Plante intéressante par son port gracieux et sa floraison. On l'utilise en isolé, en association dans les massifs, en groupe et en haie libre.

Tamarix ramosissima 'Pink Cascade'
TAMARIX PINK CASCADE
Pink-Cascade Tamarix

ZQ: A / B / C / D / E / F / G
ZC: 4

DESCRIPTION: H: 2 m   L: 1,75 m
Arbuste buissonnant aux branches grêles. Les jeunes pousses sont pourprées.
Feuilles caduques, fines, vert glauque.
Grandes fleurs roses en panicules souples, en juillet-août.
Racines peu nombreuses.
Croissance rapide.

EXIGENCES: D: Plus ou moins bonne.

UTILISATIONS: On utilise cette plante en isolé, en association dans les massifs, en groupe et en haie libre. Intéressante par son port gracieux et sa floraison.

Tamarix ramosissima 'Summer Glow' - (***Tamarix ramosissima*** 'Rubra')
TAMARIX SUMMER GLOW
Summer Glow Tamarix

ZQ: A- / B- / C- / D- / E- / F / G
ZC: 5

DESCRIPTION: H: 2 m   L: 1,75 m
Arbuste buissonnant au port gracieux. Tiges rouge brun.
Petites feuilles caduques, fines, bleu vert.
Petites fleurs rose pourpre foncé en panicules souples, au début de juillet. Les boutons sont pourpres.
Racines peu nombreuses.
Croissance rapide.

EXIGENCES: D: Bonne.

UTILISATIONS: On utilise cette plante en isolé, en association dans les massifs, en groupe et en haie libre. Intéressante par son port gracieux et sa floraison.

Vaccinium angustifolium
AIRELLE À FEUILLES ÉTROITES - Bleuets
Lowbush Blueberry

ZQ: A / B / C / D / E / F / G
ZC: 2

DESCRIPTION: H: 0,60 m   L: 0,60 m
Arbuste au port globulaire. Rameaux, plus ou moins tordus, verdâtres, puis grisâtres.
Feuilles elliptiques, simples, lustrées, vertes, devenant rouge pourpre à l'automne.
Fleurs blanches en forme de clochettes, au printemps.
Fruits, sous forme de baies comestibles, bleues puis noires.
Racines drageonnantes.
Croissance lente.

EXIGENCES: E: Préfère la mi-ombre.
S: Demande un sol acide, plutôt tourbeux.
H: Les terrains humides lui conviennent bien.
R: Très bonne rusticité.
P: Transplantation facile.
T: Inutile.
D: Assez bonne.

UTILISATIONS: Plante intéressante par sa floraison, ses fruits et la couleur automnale de son feuillage. Utilisée pour la naturalisation, comme couvre-sol dans les endroits semi-ombragés et pour attirer les petits animaux et les oiseaux.

Vaccinium corymbosum
BLEUET EN CORYMBE
Highbush Blueberry

ZQ: A / B / C / D / E / F / G
ZC: 4

DESCRIPTION: H: 2 m   L: 2 m
Arbuste érigé, au port globulaire. Branches érigées; écorce gris brun.
Feuilles caduques, simples, lancéolées. Les jeunes pousses rougeâtres deviennent vert foncé en été, et prennent une teinte jaune orangé à pourpre à l'automne.
Fleurs en petites clochettes réunies en grappes pendantes. Floraison blanche à rosâtre au printemps.
Fruits, sous forme de baies bleu foncé, comestibles, et attirant les oiseaux.
Racines drageonnantes.
Croissance lente.

EXIGENCES: E: Croît aussi bien au plein soleil qu'à la mi-ombre.
S: Préfère un sol acide.
H: Peu exigeant.
R: Bonne rusticité.
P: Transplantation facile.
T: Peu utilisée.
D: Bonne disponibilité. Nombreux cultivars cultivés pour les fruits.

UTILISATIONS: Plante intéressante pour ses fleurs et ses fruits, on l'utilise en association et pour attirer les oiseaux.

Vaccinium myrtilloides

AIRELLE FAUSSE MYRTILLE - Bleuets
Sour-top Blueberry

ZQ: A / B / C / D / E / F / G
ZC: 2

DESCRIPTION: H: 0,50 m   L: 1 m
Arbuste bas, irrégulier. Branches nombreuses.
Feuilles caduques, oblongues, étroites, entières, pointues au bout.
Fleurs en forme de clochettes, réunies en grappes, blanc verdâtre.
Fruits sous forme de baies bleues puis noires, comestibles.
Racines drageonnantes.
Croissance lente.

EXIGENCES: E: Plein soleil et mi-ombre lui conviennent parfaitement.
S: Les anfractuosités des roches où l'on retrouve un sol humifère et acide, lui sont favorables.
H: Demande un sol humide.
R: Bonne.
P: Transplantation facile.
T: Inutile.
D: Plus ou moins bonne.

UTILISATIONS: Plante intéressante par ses fleurs et ses fruits; on l'utilise surtout en association et pour attirer les oiseaux.

Photo : Jardin botanique de Montréal

454

Vaccinium vitis-idaea

AIRELLE ROUGE - Vigne du mont Ida
Lowberry - Cowberry - Foxberry

ZQ: A / B / C / D / E / F / G
ZC: 1

DESCRIPTION:
H: 0,20 m   L: 0,50 m
Arbuste nain et rampant. Tiges arrondies et rigides.
Feuillage vert clair brillant composé de feuilles coriaces, obovales.
Fleurs blanches ou rosées, regroupées en courtes grappes terminales.
Fruits sous forme de baies rouge foncé, comestibles.
Racines traçantes.
Croissance lente.

EXIGENCES:
E: Préfère la mi-ombre, mais supporte l'ombre.
S: Requiert un sol sableux, humifère et acide.
H: La terre doit toujours être fraîche.
R: Très bonne rusticité.
P: Transplantation facile.
T: Totalement inutile.
D: Plutôt rare.

UTILISATIONS: Plante que l'on utilise comme couvre-sol, ainsi que dans les rocailles et les endroits tourbeux. Intéressante par son feuillage et par ses fruits.

Viburnum acerifolium
VIORNE À FEUILLES D'ÉRABLE
Mapleleaf Viburnum

ZQ: A / B / C / D / E / F / G
ZC: 3

DESCRIPTION: H: 2 m   L: 2 m
Arbuste au port globulaire. Branches érigées; écorce pourpre à gris brun.
Feuilles caduques, simples, à trois lobes, ressemblant à une feuille d'érable. Feuillage, vert en été, devenant rouge pourpre à l'automne.
Fleurs blanches réunies en corymbes, en juin.
Fruits sous forme de baies bleues, puis noires.
Fruits comestibles, attirant les oiseaux et les petits animaux.
Racines traçantes.
Croissance lente.

EXIGENCES: E: Croît aussi bien au plein soleil qu'à l'ombre.
S: Préfère les endroits rocheux, plutôt acides.
H: Demande un sol frais et bien drainé.
R: Bonne.
P: Transplantation facile.
T: Peu utilisée.
D: Rare.

UTILISATIONS: Plante intéressante par ses feuilles, sa floraison et sa fructification. On l'utilise en isolé, en association, en groupe, pour la naturalisation ou pour attirer les oiseaux.

Viburnum alnifolia

VIORNE À FEUILLE D'AULNE - Bois d'orignal
Hobblebush Viburnum - Mooseberry

ZQ: A / B / C / D / E / F / G
ZC: 3

DESCRIPTION: H: 2 m   L: 2 m
Arbuste au port ovoïde. Branches érigées dont les rameaux sont plus ou moins arqués.
Feuilles caduques, simples, ovales, larges, dentées. Feuillage vert, prenant une belle teinte pourpre à l'automne.
Petites fleurs, réunies en corymbes larges, blanches, en mai.
Fruits, en baies bleues puis noires, comestibles, attirant les oiseaux.
Racines traçantes.
Croissance moyenne.

EXIGENCES: E: Croît aussi bien au plein soleil qu'à l'ombre.
S: Demande un sol acide.
H: Préfère un sol frais.
R: Bonne rusticité.
P: Transplantation facile.
T: Inutile.
D: Plus ou moins bonne.

UTILISATIONS: On utilise cette plante en association, en groupe, pour la naturalisation ou pour attirer les oiseaux. Son intérêt réside dans sa floraison, sa fructification et la couleur de son feuillage automnal.

Viburnum x *carlcephalum*

VIORNE CARLCEPHALUM
Fragrant Snowball

ZQ: A / B / C / D / E / F / G
ZC: 5b

DESCRIPTION: H: 1,25 m   L: 1,25 m
Arbuste au port rond, irrégulier.
Feuilles ovales, larges, pointues, lustrées, vert bleuté, devenant rougeâtres à l'automne.
Petites fleurs, réunies en grappes larges, roses en boutons, blanc pur à l'éclosion. Floraison plus ou moins abondante, odorante, au printemps.
Fruits bleu noir.
Racines traçantes.
Croissance lente.

EXIGENCES: E: Préfère le plein soleil, mais supporte une ombre légère.
S: Une bonne terre à jardin lui convient parfaitement.
H: Affectionne les sols frais car il redoute la sécheresse.
R: Peu rustique. Planter en situation abritée.
P: Transplantation facile.
T: Tailler après la floraison, si nécessaire.
D: Bonne.

UTILISATIONS: Cette plante, intéressante par ses fleurs et son parfum, s'utilise principalement en association dans les massifs.

Viburnum cassinoides

VIORNE CASSINOÏDES
Whiterod Viburnum

ZQ: A / B / C / D / E / F / G
ZC: 2

DESCRIPTION: H: 1,50 m   L: 1,20 m
Arbuste au port érigé, étroit, devenant plus large avec l'âge.
Feuilles caduques, simples, elliptiques, larges, pointues au bout, vert foncé. Le feuillage prend une belle teinte rouge orange à pourpre à l'automne.
Fruits d'abord verts, puis roses, puis bleus, avant de devenir noirs.
Racines traçantes.
Croissance moyenne à lente.

EXIGENCES: E: Croît aussi bien au plein soleil, à la mi-ombre qu'à l'ombre.
S: Peu exigeant.
H: Préfère les endroits humides, mais supporte les endroits secs.
R: Très bonne rusticité.
P: Transplantation facile.
T: Peu utile.
D: Plus ou moins bonne.

UTILISATIONS: Plante intéressante par ses fruits magnifiques, on l'utilise en isolé, en association et dans tous les jardins d'oiseaux.

Viburnum dentatum
VIORNE DENTÉE
Arrowwood Viburnum

ZQ: C- / D- / E- / F / G
ZC: 3

DESCRIPTION: H: 2,5 m   L: 3 m
Arbuste de forme globulaire, large. Branches érigées, devenant arquées avec l'âge.
Feuilles caduques, simples, ovales, larges, lustrées, vertes, devenant pourpres à l'automne.
Petites fleurs blanches, réunies en corymbes plats, fin mai début juin.
Fruits sous forme de baies bleues puis noires.
Croissance moyenne.

EXIGENCES: E: Croît indifféremment au plein soleil et à la mi-ombre.
S: Peu exigeant.
H: Préfère un sol frais, bien drainé.
R: Bonne rusticité.
P: Transplantation facile.
T: Tailler après la floraison.
D: Bonne.

UTILISATIONS: Plante intéressante par sa floraison et sa fructification, on l'utilise en association, en groupe, pour établir des écrans et dans les jardins d'oiseaux.

Viburnum x ***juddii***

VIORNE DE JUDD
Judd Viburnum

ZQ: G
ZC: 5b

DESCRIPTION: H: 1,50 m   L: 1,50 m
Arbuste au port arrondi, plutôt régulier.
Feuilles caduques, simples, oblongues, pointues au bout.
Boutons floraux roses, suivis de fleurs blanches en mai.
Floraison odorante.
Fruits noirs.
Croissance lente.

EXIGENCES: E: Plein soleil et mi-ombre lui sont favorables.
S: Peu exigeant.
H: Préfère un sol frais.
R: Peu rustique, il faut le planter en situation abritée.
P: Transplantation en pot.
T: Tailler après floraison.
D: Plus ou moins bonne.

UTILISATIONS: Plante intéressante par sa floraison, on l'utilise en isolé ou en association.

Viburnum lantana

VIORNE COMMUNE - Viorne flexible
Wayfaringtree Viburnum

ZQ: A / B / C / D / E / F / G
ZC: 2b

DESCRIPTION: H: 4 m   L: 3 m
Arbuste buissonnant aux branches robustes, droites et flexibles. Rameaux arqués, grisâtres, tomenteux.
Feuilles caduques, opposées, ovales, épaisses, pointues, vert foncé dessus, gris cotonneux dessous. Feuillage rouge à l'automne.
Fleurs blanches, parfumées, réunies en corymbes, en mai-juin.
Fruits sous forme de baies rouge écarlate devenant noires à maturité, en août-septembre.
Racines drageonnantes.
Croissance rapide.

EXIGENCES: E: Supporte aussi bien le soleil que la mi-ombre.
S: Préfère les sols calcaires, profonds.
H: Affectionne les sols humides, mais résiste à la sécheresse.
R: Très rustique.
P: Transplantation facile.
T: Tailler après la floraison.
D: Bonne.

UTILISATIONS: Plante s'adaptant facilement aux conditions difficiles, elle est intéressante par ses fleurs et ses fruits. On l'utilise en association, comme écran, ou pour attirer les oiseaux.

Viburnum lantana 'Mohican'
VIORNE MOHICAN
Mohican Viburnum

ZQ: A / B / C / D / E / F / G
ZC: 2b

DESCRIPTION: H: 2 m   L: 2,50 m
Arbuste buissonnant au port plus compact que l'espèce.
Feuilles caduques, ovales, vert foncé.
Fleurs blanc crème, parfumées, réunies en corymbes, en mai-juin.
Fruits persistants, sous forme de baies rouge orange, dès juillet.
Croissance rapide.

EXIGENCES: E: Supporte aussi bien le plein soleil que la mi-ombre.
S: Préfère les sols calcaires, profonds.
H: Affectionne les sols humides, mais résiste à la sécheresse.
R: Bonne rusticité.
P: Transplantation facile.
T: Tailler après la floraison.
D: Bonne.

UTILISATIONS: Plante intéressante par ses fleurs et ses fruits. On l'utilise en isolé, en association, ou pour attirer les oiseaux.

Viburnum lentago
>ALISIER
>Nannyberry - Sheepberry

ZQ: A / B / C / D / E / F / G
ZC: 2

DESCRIPTION: H: 5 m   L: 4 m
Gros arbuste ou petit arbre au port arrondi.
Feuilles caduques, luisantes, vertes, tournant au rouge pourpre à l'automne.
Fleurs blanches, paraissant blanc crème foncé à cause des étamines jaunes; réunies en ombelles, en juin.
Fruits, sous forme de baies d'abord vertes, puis jaunes ou rouges et finalement noir bleuâtre.
Racines drageonnantes.
Croissance rapide.

EXIGENCES: E: Croît aussi bien au plein soleil qu'à l'ombre.
S: Préfère les sols riches, légèrement calcaires et profonds.
H: Demande un sol humide, mais bien drainé.
R: Bonne rusticité. Supporte la pollution.
T: Taille légère au printemps, avant les feuilles.
P: Transplantation facile.
D: Bonne.

UTILISATIONS: Plante s'adaptant facilement à diverses situations, on l'utilise pour sa floraison et sa fructification. Elle peut être plantée en isolé, en association, pour être naturalisée ou pour former des écrans.

Viburnum opulus

VIORNE OBIER
European Cranberrybush Viburnum

ZQ: A / B / C / D / E / F / G
ZC: 3

DESCRIPTION: H: 4 m   L: 4 m
Gros arbuste au port arrondi. Branches érigées, puis arquées; écorce gris brun.
Feuilles caduques, simples, ovales, larges, à 3 lobes pointus, grossièrement dentées. Feuillage vert foncé, devenant rougeâtre à pourpre à l'automne.
Fleurs petites, en cymes composées plates celles à l'extérieur étant grandes et stériles, alors que celles du centre sont fertiles et peu décoratives.
Fruits sous forme de baies rouge clair.
Racines drageonnantes.
Croissance moyenne.

EXIGENCES: E: Une ombre partielle ou le plein soleil lui sont favorables.
S: Peu exigeant, il préfère cependant un sol fertile.
H: Supporte les zones très humides.
R: Bonne rusticité. Plante sensible aux maladies.
P: Transplantation facile.
T: Supporte la taille, qui doit être légère pour préserver les fruits. Tailler après la floraison.
D: Bonne.

UTILISATIONS: Plante intéressante par sa floraison et sa fructification; utilisée en association, en groupe, pour former des écrans et pour attirer les oiseaux.

Viburnum opulus 'Compactum'
VIORNE OBIER COMPACTE
Compact European Cranberrybush Viburnum

ZQ: A / B / C / D / E / F / G
ZC: 2b

DESCRIPTION: H: 1,75 m   L: 1,75 m
Arbuste érigé, au port compact et dense.
Feuilles caduques, simples, petites, ovales, vert tendre,
devenant rouges à l'automne.
Fleurs petites, blanches, réunies en cymes plates.
Fruits sous forme de baies rouges, en août.
Racines drageonnantes.
Croissance lente.

EXIGENCES: D: Bonne.

UTILISATIONS: Plante intéressante par sa forme, ses fleurs et ses fruits,
on l'utilise dans les petits jardins, en association ou
pour attirer les oiseaux.

Viburnum opulus 'Nanum'
VIORNE OBIER NAINE
Hedge Viburnum

ZQ: A / B / C / D / E / F / G
ZC: 2b

DESCRIPTION: H: 0,60 m   L: 0,80 m
Arbuste nain, très compact formant un monticule régulier.
Feuilles caduques, petites, arrondies, à 3 ou 5 lobes, vert clair dessus, gris vert dessous. Le feuillage devient rouge à l'automne.
Fleurs et fruits très rares.
Racines nombreuses, mais reprise plus ou moins facile.
Croissance très lente.

EXIGENCES: D: Excellente.

UTILISATIONS: Plante intéressante par sa forme, elle est idéale pour former des bordures ou des haies basses, dans les rocailles ou en association dans les premiers rangs des massifs.

Viburnum opulus 'Roseum' - (*Viburnum opulus* 'Sterile')
BOULE DE NEIGE - Viorne Boule de Neige
European Snowball

ZQ: A / B / C / D / E / F / G
ZC: 2b

DESCRIPTION: H: 4 m   L: 3 m
Arbuste buissonnant au port érigé, de forme arrondie.
Feuilles caduques, simples, arrondies, à 3 ou 5 lobes,
vert clair dessus, gris vert dessous. À l'automne, le
feuillage prend une belle teinte rougeâtre.
Fleurs stériles, réunies en cymes sphériques. Les fleurs,
blanc vert au début deviennent blanc pur à l'épanouis-
sement, et légèrement rosées quand elles se fanent.
Pas de fruits.
Croissance moyenne.

EXIGENCES: D: Excellente.

UTILISATIONS: Plante intéressante par sa floraison, on l'utilise en isolé,
comme écran ou en association.

Viburnum opulus 'Xanthocarpum'
VIORNE OBIER À FRUITS JAUNES
Yellow-fruited European Cranberrybush Viburnum

ZQ: A / B / C / D / E / F / G
ZC: 2b

DESCRIPTION: H: 3 m   L: 2 m
Arbuste au port arrondi, large.
Feuilles caduques, vert clair.
Fleurs blanches.
Fruits très abondants, jaune doré, persistant longtemps.
Croissance moyenne.

EXIGENCES: D: Plus ou moins bonne.

UTILISATIONS: Plante intéressante par ses fruits, on l'utilise en association, en groupe et pour attirer les oiseaux.

Viburnum plicatum

VIBURNUM PLICATUM
Doublefile Viburnum

ZQ: F- / G
ZC: 5b

DESCRIPTION: H: 2 m   L: 2,50 m
Arbuste au port arrondi, plat sur le dessus. Branches érigées portant des rameaux ressemblant à un squelette de poisson.
Feuilles simples, largement ovales, pointues au bout, grossièrement dentées, vert foncé.
Fleurs blanches, non odorantes, réunies en cymes composées plates, les fleurs stériles étant situées à l'extérieur, alors que les fleurs fertiles se trouvent au centre.
Fruits en drupes, d'abord rouges puis noirs.
Racines fibreuses, fines et nombreuses.
Croissance lente à moyenne.

EXIGENCES: E: Préfère une ombre légère, mais peut aussi croître au plein soleil ou à la mi-ombre.
S: Peu exigeant.
H: Demande un sol frais, bien drainé.
R: Plus ou moins rustique, il doit être planté en situation abritée.
P: Transplanter en pot.
T: Tailler immédiatement après la floraison.
D: Bonne.

UTILISATIONS: Plante intéressante par ses fleurs, ses fruits et sa forme originale, on l'utilise en isolé, en association ou en groupe. Les fruits attirent les oiseaux.

Viburnum plicatum 'Mariesii'
VIORNE DE MARIES
Maries Doublefile Viburnum

ZQ: F- / G
ZC: 5b

DESCRIPTION: H: 1,50 m L: 1,50 m
Arbuste compact, aux branches étalées, presque hori-
zontales.
Feuilles caduques, simples, vert clair, devenant rouge
pourpre à l'automne.
Grandes fleurs blanches, réunies en cymes plates, se
dégageant du feuillage.
Fruits abondants en drupes, d'abord rouges puis noirs.
Racines fibreuses, fines et nombreuses.
Croissance lente.

EXIGENCES: D: Bonne.

UTILISATIONS: Plante intéressante par ses fleurs, ses fruits et sa forme.
Utilisation en isolé, en association ou en groupe.

471

Viburnum plicatum 'Summer Snowflake' C.O.P.F.
VIORNE SUMMER SNOWFLAKE
Summer Snowflake Doublefile Viburnum

ZQ: F- / G
ZC: 5b

DESCRIPTION: H: 1,50 m   L: 1,50 m
Arbuste au port arrondi, irrégulier.
Feuilles caduques, simples, vert clair, devenant rouge pourpre à l'automne.
Fleurs blanches, réunies en cymes plates. Floraison abondante, plus tardive que chez l'espèce et se prolongeant jusqu'en été.
Fruits abondants en drupes, d'abord rouges puis noires.
Racines fibreuses, fines et nombreuses.
Croissance lente.

EXIGENCES: D: Assez bonne.

UTILISATIONS: Plante intéressante par ses fleurs, on l'utilise en isolé, en association ou en groupe.

Viburnum prunifolium

VIORNE À FEUILLES DE PRUNIER
Blackhaw Viburnum - Northen Blackhaw

ZQ: A- / B- / C- / D- / E / F / G
ZC: 3

DESCRIPTION: H: 3 m   L: 2 m
Gros arbuste, au port ovoïde étroit. Branches dressées.
Feuilles simples, ovales, plus ou moins pointues au
bout, arrondies à la base, lustrées. Feuillage vert foncé
devenant rouge ou bronze à l'automne.
Fleurs blanches, réunies en cymes aplaties, en mai.
Fruits rouge clair devenant bleuâtres à maturité.
Racines fines et nombreuses.
Croissance lente.

EXIGENCES: E: Croît indifféremment au plein soleil et à l'ombre.
S: Supporte les sols calcaires.
H: Peu exigeant.
R: Bonne rusticité.
P: Transplantation facile.
T: Tailler légèrement après la floraison pour préserver
les fruits.
D: Rare dans les centres de jardin.

UTILISATIONS: Plante intéressante par sa floraison et ses fruits, on
l'utilise en groupe, en association et dans les jardins
d'oiseaux.

Viburnum x *rhytidophylloides*
VIBURNUM RHYTIDOPHYLLOÏDES
Lantanaphyllum Viburnum

ZQ: G
ZC: 4

DESCRIPTION: H: 3 m   L: 3 m
Arbuste au port arrondi.
Feuilles caduques, simples, largement ovales, rugueu-
ses, pointues au bout, arrondies à la base. Vert foncé
dessous, elles sont grises et tomenteuses dessous.
Fleurs blanc crème, réunies en cymes aplaties, au prin-
temps.
Fruits en drupes rougeâtres devenant noires.
Racines fines et nombreuses.
Croissance moyenne.

EXIGENCES: E: Soleil et ombre partielle lui conviennent.
S: Peu exigeant.
H: Peu exigeant.
R: Bonne.
P: Transplantation facile.
T: Tailler après la floraison.
D: Assez bonne.

UTILISATIONS: Plante que l'on utilise comme écran ou en association
pour sa floraison et pour sa forme.

Viburnum* x *rhytidophylloides 'Alleghany'
VIBURNUM ALLEGHANY
Alleghany Viburnum

ZQ: A / B / C / D / E / F / G
ZC: 5b

DESCRIPTION: H: 3 m   L: 3 m
Arbuste vigoureux, globulaire, dense.
Feuilles semi-persistantes, simples, rugueuses et coriaces, vert très foncé.
Fleurs nombreuses, blanc jaunâtre, réunies en cymes aplaties, au printemps.
Fruits rouge brillant, noirs à maturité.
Racines fines et nombreuses.
Croissance rapide.

EXIGENCES: E: Soleil et ombre partielle lui conviennent parfaitement.
S: Peu exigeant.
H: Peu exigeant.
R: Bonne.
P: Transplantation facile.
T: Tailler après la floraison.
D: Bonne.

UTILISATIONS: Plante que l'on utilise comme écran ou en association pour sa floraison, ses fruits et sa forme.

Viburnum sargentii

VIORNE DE SARGENT
Sargent Viburnum

ZQ: A / B / C / D / E / F / G
ZC: 3

DESCRIPTION: H: 3,50 m   L: 2 m
Arbuste au port arrondi, large.
Feuilles caduques, simples à trois lobes, grossièrement dentées. Feuillage vert, jaune rougeâtre à l'automne.
Fleurs blanches en cymes aplaties. Les fleurs extérieures sont stériles et s'ouvrent complètement alors que celles du centre sont fertiles.
Fruits, sous forme de baies rouges.
Racines fines et nombreuses.
Croissance moyenne à rapide.

EXIGENCES: E: Plein soleil ou ombre légère lui conviennent.
S: Peu exigeant.
H: Préfère les sols humides.
R: Bonne rusticité.
P: Transplantation facile.
T: Tailler légèrement après la floraison pour conserver les fruits.
D: Plutôt rare.

UTILISATIONS: Plante intéressante par sa floraison et ses fruits, on l'utilise comme écran, en groupe ou pour attirer les oiseaux.

Viburnum sargentii 'Onondaga'
VIORNE ONONDAGA
Onondaga Viburnum

ZQ: A / B / C / D / E / F / G
ZC: 3

DESCRIPTION: H: 2,50 m L: 2 m
Arbuste au port érigé, plus ou moins étroit, devenant plus large avec l'âge. Jeunes pousses marron foncé. Cette couleur persiste un peu tout au long de la saison. Feuilles caduques, simples à 3 lobes d'apparence veloutée, vertes.
Fleurs réunies en cymes aplaties, les fleurs en bordures étant blanches, petites et stériles, alors que celles du centre sont fertiles et roses. Floraison, fin mai, début juin.
Fruits rouges, peu nombreux.
Racines fines et nombreuses.
Croissance rapide.

EXIGENCES: E: Plein soleil ou ombre légère lui conviennent.
S: Peu exigeant.
H: Préfère les sols humides.
R: Bonne rusticité.
P: Transplantation facile.
T: Taille inutile.
D: Bonne.

UTILISATIONS: Plante intéressante par sa floraison, son feuillage et ses fruits, on l'utilise en isolé ou pour attirer les oiseaux.

Viburnum trilobum
PIMBINA - Viorne trilobée
American Cranberrybush Viburnum

ZQ: A / B / C / D / E / F / G
ZC: 2

DESCRIPTION: H: 4 m   L: 3 m

Arbuste érigé au port arrondi. Branches droites, légèrement arquées par la suite.

Feuilles caduques, arrondies, à 3 lobes, vert clair dessus, gris vert dessous. À l'automne, le feuillage prend
une belle teinte rouge pourpre.

Fleurs blanc vert devenant blanc pur, réunies en cymes,
à la fin du printemps.

Fruits nombreux, rouge écarlate, dès le mois de juillet,
comestibles, persistant tout l'hiver.

Racines traçantes.

Croissance moyenne.

EXIGENCES: E: Croît aussi bien au plein soleil qu'à la mi-ombre.
S: Préfère un sol fertile, plutôt lourd.
H: Demande un endroit humide.
R: Très bonne rusticité.
P: Transplantation facile.
T: Tailler légèrement après la floraison pour conserver
les fruits.
D: Bonne.

UTILISATIONS: Plante s'adaptant aux conditions les plus diverses, on la
recherche pour ses fleurs et pour ses fruits. Utilisation
en association et dans les jardins d'oiseaux.

Viburnum trilobum 'Compactum'
PIMBINA COMPACT - Viorne trilobée Compact
Dwarf American Cranberrybush Viburnum

ZQ: A / B / C / D / E / F / G
ZC: 2

DESCRIPTION: H: 1,50 m   L: 1 m
Arbuste nain, au port compact, dense. Branches plus arquées que chez l'espèce.
Feuilles caduques, arrondies, à 3 lobes, vert foncé.
Fleurs plutôt rares, à la fin du printemps.
Fruits rares.
Racines traçantes.
Croissance lente.

EXIGENCES: T: Taille inutile.
D: Bonne.

UTILISATIONS: Plante intéressante par sa forme, on l'utilise pour former des haies basses ou en association dans les massifs.

Viburnum trilobum 'Wentworth'

PIMBINA WENTWORTH - Viorne trilobée Wentworth
Wentworth American Cranberrybush Viburnum

ZQ: A / B / C / D / E / F / G
ZC: 2

DESCRIPTION: H: 2,50 m   L: 2,50 m
Arbuste au port ovoïde.
Feuilles caduques, arrondies, à 3 lobes, vert clair.
Grandes fleurs blanches, à la fin du printemps.
Fruits jaune rougeâtre à rouge vif.
Racines traçantes.
Croissance lente.

EXIGENCES: H: Supporte les sols humides.
D: Bonne.

UTILISATIONS: Plante intéressante par ses fleurs et ses fruits, on l'utilise en isolé ou en association dans les massifs.

Vitex negundo 'Heterophylla'
GATTILIER EN ARBRE
Chastetree

ZQ: G
ZC: 5b

DESCRIPTION: H: 2 m   L: 2,50 m
Arbuste au port lâche, irrégulier.
Feuilles composées de folioles elliptiques, découpées, dentées, vertes dessus, grisâtres dessous.
Fleurs lilas à bleu clair en panicules lâches, vers le mois de septembre.
Fruits sans intérêt.
Racines drageonnantes.
Croissance rapide.

EXIGENCES: E: Doit absolument être planté au plein soleil. Préfère les situations chaudes.
S: Demande un sol léger, plutôt sablonneux.
H: Affectionne les sols secs.
R: Peu rustique; planter en situation abritée.
P: Tranplanter absolument en pot.
T: Au début du printemps, rabattre les tiges car celles-ci gèlent en totalité.
D: Très rare dans les centres de jardin.

UTILISATIONS: Plante intéressante pour la couleur et l'époque de sa floraison, utilisée en isolé ou en association. Pour jardinier averti.

Weigela florida 'Purpurea' - (*Weigela florida* 'Purpurea Nana') -
(*Weigela florida* 'Foliis Purpureis')
WEIGELA POURPRE
Purple-leaf Weigela

ZQ: F- / G
ZC: 4

DESCRIPTION: H: 1,20 m   L: 1,20 m
Arbuste bas au port compact. Branches érigées, puis légèrement retombantes.
Feuilles ovales, oblongues, pointues au bout. Feuillage pourpre sombre.
Fleurs rose foncé, en mai-juin.
Racines fines et nombreuses.
Croissance lente.

EXIGENCES: E: Demande le plein soleil.
S: Peu exigeant.
H: Préfère un sol frais et bien drainé.
R: Rustique.
P: Transplantation facile.
T: Tailler après la floraison.
D: Plus ou moins bonne.

UTILISATIONS: Plante intéressante par ses fleurs et son feuillage, on l'utilise en isolé ou en association dans les massifs.

Weigela florida 'Variegata'
WEIGELA PANACHÉ
Variegated Weigela

ZQ: F- / G
ZC: 4b

DESCRIPTION: H: 1,75 m   L: 1,75 m
Arbuste buissonnant très ramifié, plus ou mo
Feuilles elliptiques, pointues au bout, bordée
crème.
Fleurs rose clair à rose foncé, en mai-juin. Pei
rir légèrement durant la saison.
Racines fines et nombreuses.
Croissance moyenne.

EXIGENCES: E: Demande le plein soleil.
S: Peu exigeant, mais préfère les sols fertiles.
H: Demande une situation fraîche.
R: Rustique.
P: Transplantation facile.
T: Tailler après la floraison.
D: Bonne.

UTILISATIONS: Plante intéressante par ses fleurs et son feuillage, on
l'utilise surtout en association dans les massifs.

Weigela florida 'Variegata Nana'
WEIGELA PANACHÉ NAIN
Dwarf Variegated Weigela

ZQ:	F- / G
ZC:	4b

DESCRIPTION: H: 1 m   L: 0,60 m
Arbuste buissonnant très ramifié, au port compact.
Feuilles elliptiques, pointues au bout, bordées de blanc crème.
Fleurs plutôt rares, rose clair à rose foncé, en mai-juin.
Racines fines et nombreuses.
Croissance moyenne.

EXIGENCES:
E: Demande le plein soleil.
S: Peu exigeant, mais préfère les sols fertiles.
H: Demande une situation fraîche.
R: Rustique.
P: Transplantation facile.
T: Tailler après la floraison.
D: Bonne.

UTILISATIONS: Plante intéressante par sa forme et son feuillage, on l'utilise en association dans les massifs et dans les rocailles.

484

Weigela florida venusta
WEIGELA GRACIEUX
Graceful Weigela

ZQ: F- / G
ZC: 4

DESCRIPTION: H: 1 m   L: 0,80 m
Arbuste buissonnant très ramifié, au port compact.
Feuilles petites, elliptiques à oblongues, vertes.
Fleurs très nombreuses, en grappes pendantes. Fleurs, en forme de longues clochettes roses à rose pourpre, apparaissant tôt au printemps.
Racines fines et nombreuses.
Croissance lente.

EXIGENCES: E: Doit absolument être planté au plein soleil.
S: Peu exigeant, mais préfère les sols fertiles.
H: Demande une situation fraîche.
R: Rustique.
P: Transplantation facile.
T: Tailler après la floraison.
D: Plus ou moins bonne.

UTILISATIONS: Plante intéressante par sa floraison, on l'utilise en association dans les massifs, en groupe et dans les rocailles.

Weigela x

WEIGELA HYBRIDES
Weigela hybrids

ZQ: Variable
ZC: de 3 à 5

DESCRIPTION: H: variable L: variable
Arbuste au port érigé dont les branches deviennent arquées avec l'âge.
Feuilles caduques, simples, obovales, larges, pointues au bout, arrondies à la base, vertes ou rougeâtres.
Fleurs en forme de clochettes, au calice plus ou moins long, variant du rose au rouge, voire au blanc selon les variétés horticoles. Floraison abondante, au printemps.
Fruits sans intérêt.
Racines fines et nombreuses.
Croissance moyenne à lente selon les cultivars.

EXIGENCES: E: Demande le plein soleil, mais supporte une ombre légère.
S: Peu exigeant.
H: Préfère les terrains bien drainés.
R: Variable.
P: Transplantation facile en pot.
T: Tailler après la floraison.
D: Variable.

UTILISATIONS: Plantes intéressantes par leurs fleurs ou la couleur de leur feuillage. Utilisation en isolé, en groupe, en association, dans les massifs, les rocailles et parfois comme couvre-sol.

Weigela x 'Abel Carriere'
WEIGELA ABEL CARRIERE
Abel Carriere Weigela

ZQ: E- / F- / G
ZC: 4b

DESCRIPTION: H: 2 m   L: 2,50 m
Arbuste au port large. Branches retombantes.
Feuillage vert foncé.
Fleurs rose carmin foncé de grande dimension.
Croissance moyenne.

EXIGENCES: D: Assez bonne.

UTILISATIONS: Utilisation en association, en isolé ou en groupe.

Weigela x 'Briant Rubidor'
WEIGELA BRIANT RUBIDOR
Briant Rubidor Weigela

ZQ: G
ZC: 5

DESCRIPTION: H: 1,80 m   L: 1,20 m
Arbuste au port érigé, dont les branches sont plus ou moins retombantes.
Feuilles jaune d'or au printemps, devenant jaunes ou marginées de jaune.
Fleurs rouges, en mai-juin.
Croissance moyenne à rapide.

EXIGENCES: E: Préfère les situations légèrement ombragées.
D: Bonne.

UTILISATIONS: Plante intéressante pour son feuillage et ses fleurs, on l'utilise en isolé ou en association.

Weigela x 'Bristol Ruby'
WEIGELA BRISTOL RUBY
Bristol Ruby' Weigela

ZQ: E- / F- / G
ZC: 4b

DESCRIPTION: H: 1,80 m   L: 1,20 m
Arbuste au port érigé, très légèrement retombant.
Rameaux brunâtres.
Feuilles vert foncé, ovales à elliptiques.
Fleurs rouge carmin. Une légère floraison se poursuit
durant tout l'été.
Croissance moyenne.

EXIGENCES: D: Excellente.

UTILISATIONS: Principalement en isolé et en association dans les massifs.

Weigela x 'Eva Rathke'
WEIGELA EVA RATHKE
Eva Rathke Weigela

ZQ: G
ZC: 5

DESCRIPTION: H: 1,50 m   L: 1,50 m
Arbuste au port compact, diffus.
Feuilles vertes.
Fleurs abondantes, rouges, de longue durée.
Croissance lente.

EXIGENCES: D: Plus ou moins bonne.

UTILISATIONS: Utilisation en isolé ou en association.

Weigela x 'Evita' C.O.P.F.
WEIGELA EVITA
Evita Weigela

ZQ: E- / F- / G
ZC: 4b

DESCRIPTION: H: 1 m   L: 1,50 m
Arbuste nain, au port arrondi, compact.
Feuillage vert.
Fleurs rouge foncé, abondantes.
Croissance lente.

EXIGENCES: D: Bonne.

UTILISATIONS: Plante à utiliser en groupe ou dans les rocailles.

Weigela x 'Java Red'
WEIGELA JAVA RED
Weigela

ZQ: A / B / C / D / E / F / G
ZC: 4

DESCRIPTION: H: 1,50 m   L: 1,50 m
Arbuste au port arrondi.
Feuillage pourpre bronzé.
Floraison rose, au printemps.
Croissance lente.

EXIGENCES: D: Bonne.

UTILISATIONS: Utilisation intéressante en groupe ou dans les rocailles.

'Eva Rathke'

'Evita'

'Java Red'

491

Weigela x 'Minuet' C.O.P.F.
WEIGELA MINUET
Minuet Weigela

ZQ: E- / F- / G
ZC: 3

DESCRIPTION: H: 0,70 m   L: 0,70 m
Arbuste nain au port compact.
Feuillage vert avec des reflets bronze clair. Jeunes pousses pourpres.
Fleurs roses à pourpres, légèrement odorantes. Floraison prolongée.
Croissance lente.

EXIGENCES: D: Bonne.

UTILISATIONS: Plante à utiliser en groupe ou dans les rocailles.

Weigela x 'Pink Princess'
WEIGELA PINK PRINCESS
Pink Princess Weigela

ZQ: E- / F- / G
ZC: 4

DESCRIPTION: H: 1,50 m   L: 1,50 m
Arbuste au port diffus, irrégulier.
Feuilles vertes brillantes. Nouvelles pousses, légèrement rougeâtres.
Fleurs rose brillant. Floraison abondante, se prolongeant en été.
Croissance moyenne.

EXIGENCES: D: Bonne.

UTILISATIONS: Plante utilisée en isolé, en association dans les massifs.

Weigela x 'Red Prince'
WEIGELA RED PRINCE
Red Prince Weigela

ZQ: E- / F- / G
ZC: 4

DESCRIPTION: H: 1,50 m   L: 1,50 m
Arbuste au port compact.
Feuilles vertes.
Fleurs rouges.
Croissance lente.

EXIGENCES: D: Bonne.

UTILISATIONS: Plante à utiliser dans les massifs et en isolé.

'Minuet'

'Pink Princess'

'Red Prince'

***Weigela* x 'Rumba' C.O.P.F.**
WEIGELA RUMBA
Rumba Weigela

ZQ: E- / F- / G
ZC: 4

DESCRIPTION: H: 1 m   L: 1,20 m
Arbuste de forme compacte.
Feuillage vert foncé.
Fleurs rose pourpre à rose foncé en abondance.
Croissance lente.

EXIGENCES: D: Plus ou moins bonne.

UTILISATIONS: Utilisation en groupe, en association, en isolé ou dans les rocailles.

***Weigela* x 'Samba' C.O.P.F**
WEIGELA SAMBA
Samba Weigela

ZQ: E- / F- / G
ZC: 4

DESCRIPTION: H: 1 m   L: 1 m
Arbuste de forme compacte.
Feuillage pourpre aux reflets verts.
Fleurs rouge pourpre.
Croissance lente.

EXIGENCES: D: Plus ou moins bonne.

UTILISATIONS: Plante à utiliser en groupe ou dans les rocailles.

***Weigela* x 'Victoria'**
WEIGELA VICTORIA
Victoria Weigela

ZQ: E- / F- / G
ZC: 4

DESCRIPTION: H: 1 m   L: 1 m
Arbuste nain au port compact.
Feuillage rouge bronzé, persistant tout l'été.
Fleurs rose foncé.
Croissance lente.

EXIGENCES: D: Bonne

UTILISATIONS: Utilisation en isolé, en groupe et en association.

'Rumba'

'Samba'

'Victoria'

Weigela middendorffiana
WEIGELA DE MIDDENDORFF
Middendorff Weigela

ZQ: E— / F / G
ZC: 4b

DESCRIPTION: H: 1,50   L: 1,50
Arbuste au port érigé dont les branches deviennent arquées avec l'âge. Écorce vert grisâtre.
Feuilles caduques, simples, ovales, dentées, vert clair, jaunes à l'automne.
Grandes fleurs jaunes en forme de clochettes, en mai.
Fruits sans intérêt.
Racines fines et nombreuses.
Croissance moyenne à lente.

EXIGENCES: E: Demande le plein soleil, mais supporte une ombre légère.
S: Peu exigeant.
H: Préfère les terrains bien drainés.
R: Peu rustique.
P: Transplantation facile.
T: Tailler après la floraison.
D: Plus ou moins bonne.

UTILISATIONS: Plante intéressante par la couleur de ses fleurs. Utilisation en association dans les massifs ou en groupe.

Xanthorhiza simplicissima
XANTHORHIZA À FEUILLES DE CÉLERI
Yellowroot

ZQ: E- / F- / G
ZC: 4

DESCRIPTION: H: 0,60 m   L: 1 m
Arbuste bas, au port compact. Branches nombreuses et rameaux courts.
Feuilles caduques, composées de 5 folioles, ovales, grossièrement dentées. Feuillage orange écarlate à l'automne.
Fleurs brun rouge réunies en panicules, au printemps.
Fruits attirant les oiseaux.
Racines très drageonnantes, jaune clair.
Croissance moyenne.

EXIGENCES: E: Ombre, mi-ombre ou plein soleil.
S: Peu exigeant, préfère cependant un sol plutôt acide.
H: Demande un sol humide.
R: Bonne.
P: Transplantation facile.
T: Inutile.
D: Rare en culture.

UTILISATIONS: Plante intéressante pour son adaptabilité aux conditions les plus diverses. Intéressante pour son feuillage automnal et ses fruits. Utilisation comme couvre-sol, en groupe ou dans les jardins d'oiseaux.

Yucca filamentosa

YUCCA FILAMENTEUX - Aiguille d'Adam
Adam's Needle

ZQ: A / B / C / D / E / F / G
ZC: 4

DESCRIPTION: H: 1 m   L: 1 m
Plante formée par une rosette de feuilles raides.
Feuilles persistantes, nombreuses, étroites, en forme de couteau, épineuses, plus ou moins glauques, et desquelles pendent des filaments blancs.
Fleurs blanchâtres, cireuses, un peu pendantes sur une hampe mesurant 1 à 1,50 mètre de hauteur. Floraison en juillet-août.
Fruits en capsules brunes.
Racines pivotantes profondes avec des rejets à la base.
Croissance lente.

EXIGENCES: E: Requiert absolument le plein soleil.
S: Demande un sol plutôt sableux et léger, se réchauffant vite au printemps.
H: Préfère les situations sèches, car il craint les excès d'humidité, surtout à la fin du printemps.
R: Rustique. Un couvert de neige lui est favorable.
P: Transplanter en pot car la reprise est difficile.
T: Supprimer la hampe florale après la floraison. Enlever les feuilles sèches qui peuvent apparaître.
D: Bonne.

UTILISATIONS: Plante intéressante par sa forme et ses fleurs. À utiliser en isolé, à cause de l'effet spectaculaire de sa floraison. Peut aussi être utilisée en groupe, dans les rocailles ou en association dans les massifs.

Yucca filamentosa 'Golden Sword
YUCCA FILAMENTEUX PANACHÉ
Golden Sword Yucca

ZQ: E- / F- / G
ZC: 4b

DESCRIPTION: H: 0,80 m   L: 0,60 m
Plante au feuillage en rosette, dont les feuilles, érigées au centre, retombent sur les côtés.
Feuilles persistantes, effilées, avec une bande jaune au centre.
Floraison en hampe florale d'environ 1,20 m de haut, portant des fleurs blanches, au printemps.
Pas de fruits observés.
Racines pivotantes profondes.
Croissance lente.

EXIGENCES: D: Assez bonne.

UTILISATIONS: Plante intéressante par sa forme et ses fleurs, on l'utilise en isolé ou dans les rocailles.

Yucca filamentosa 'Starburst
YUCCA FILAMENTEUX STARBURST
Starburst Yucca

ZQ: E- / F- / G
ZC: 4b

DESCRIPTION: H: 0,70 m   L: 0,50 m
Plante au feuillage en rosette, dont les feuilles sont érigées.
Feuilles persistantes, effilées, vertes, avec une bordure jaune crème, qui se colore parfois de rose.
Floraison en hampe florale d'environ 1,20 m de haut, portant des fleurs blanc ivoire, au printemps.
Pas de fruits observés.
Racines pivotantes profondes.
Croissance lente.

EXIGENCES: D: Plus ou moins bonne.

UTILISATIONS: Plante intéressante par sa forme et ses fleurs, on l'utilise en isolé ou dans les rocailles.

Yucca glauca

YUCCA BAÏONNETTE
Spanish Bayonet - Soapwort Yucca

ZQ: A / B / C / D / E / F / G
ZC: 3

DESCRIPTION: H: 0,80 m   L: 1 m
Arbuste sans tige, aux feuilles disposées en rosette.
Feuilles persistantes, vert glauque, très étroites et raides, bordées d'une fine ligne blanche.
Fleurs blanc verdâtre, sur une hampe florale, en juillet-août. Les fleurs ressemblent à des clochettes et sont légèrement pendantes.
Pas de fruits observés.
Racines pivotantes, légers rejets à la base.
Croissance lente.

EXIGENCES: E: Une exposition ensoleillée lui convient parfaitement.
S: Préfère les sols légers, sablonneux, se réchauffant vite.
H: Une terre bien drainée, sans excès d'humidité, lui convient bien.
R: Très bonne.
P: Tranplanter en pot de préférence.
T: Supprimer les feuilles séchées ainsi que la hampe florale après floraison.
D: Plus ou moins facile à se procurer.

UTILISATIONS: Plante intéressante par sa forme et sa floraison, on l'utilise en isolé, dans les massifs ou dans les rocailles.

Photo : Pépinière Sheridan

Zanthoxylum americanum

CLAVALIER D'AMÉRIQUE - Frêne épineux
Common Pricklyash

ZQ: E- / F- / G
ZC: 4

DESCRIPTION: H: 2,50 m L: 2,50 m
Arbuste au port ovoïde, irrégulier. Branches érigées, plus ou moins tordues, portant des épines.
Feuilles caduques, composées de 7 à 11 folioles, ovales, vertes, devenant jaunes à l'automne.
Fleurs très petites, réunies en grappes, vert jaunâtre, au printemps, avant les feuilles.
Fruits, sous forme de baies rouges, attirant les animaux.
Fruits et écorce ayant des propriétés médicinales.
Racines fibreuses, drageonnantes.
Croissance moyenne.

EXIGENCES: E: Demande le plein soleil.
S: Peu exigeant.
H: Aime les sols frais et bien drainés.
R: Bonne.
P: Transplantation facile.
T: Peu utilisée.
D: Rare.

UTILISATIONS: Plante intéressante par ses épines pour créer des haies défensives. Utilisée aussi pour la naturalisation et les jardins d'oiseaux.

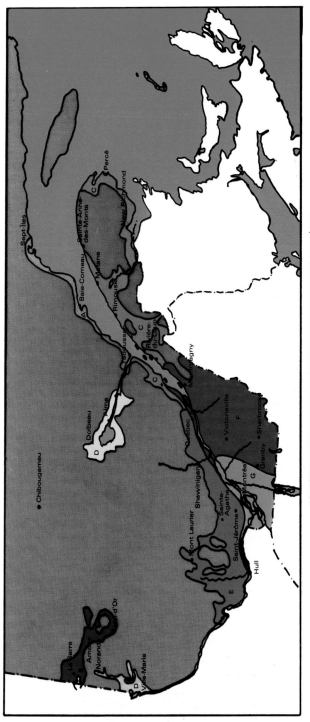

ZONES D'ADAPTATION POUR L'HORTICULTURE ORNEMENTALE AU QUÉBEC

LÉGENDE

A   zone de la Côte-Nord

B   zone de l'Abitibi

C   zone du Bas Saint-Laurent, Baie des Chaleurs, Charlevoix

D   zone du Saguenay-Lac Saint-Jean

D   zone du Témiscamingue

E   zone des Laurentides

F   zone de Québec et Cantons de l'Est

G   zone de Montréal-Outaouais

ÉCHELLE

40 20 0 20 40   80   120 160 200   300   400   500 km.

Dessinée d'après : Arbres et arbustes ornementaux pour le Québec, Ch:3, le zonage

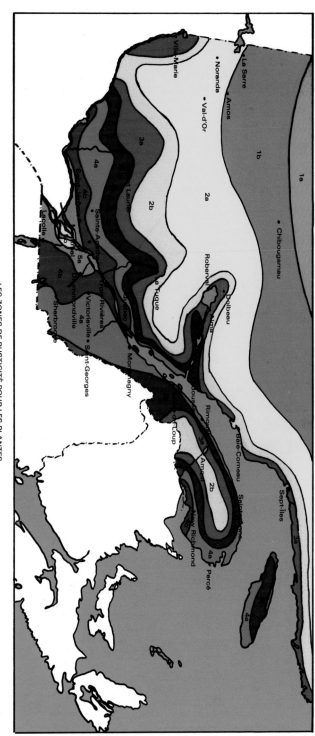

LES ZONES DE RUSTICITÉ POUR LES PLANTES
Établies pour tout le Canada

LÉGENDE

zone 1a
zone 1b
zone 2a
zone 2b

zone 5a
zone 5b

zone 3a
zone 3b
zone 4a
zone 4b

Dessinée d'après : Arbres et arbustes
ornementaux pour le Québec, Ch-4, l'inventaire

ÉCHELLE

40 20 0 20 40 80 120 160 200 300 400 500 km.

BIBLIOGRAPHIE

AFNOR (Association française de normalisation). *Normes des plantes de pépinières ornementales*, Paris, 1980.

Allain, Yves-Marie. *Les arbustes*, Larousse, Paris, 1988.

Bärtels, Andreas. *Dwarf Trees and Shrubs*, Timber Press, Portland, 1986.

Belot, André. *Dictionnaire des arbres et arbustes de jardin*, Bordas, Paris, 1978.

Bernard, H., Landry, J., Roy, L.-P. et Oemichen, F. *Arbres et arbustes ornementaux pour le Québec, l'inventaire et le zonage*, Éditeur officiel du Québec, Service des publications, 1980.

Bolliger, Erben, Grau et Heubl. *Les arbustes*, Solar, Paris, 1985.

Bourque, Pierre. *Utilisation des végétaux. Arbres et arbustes*, Jardin botanique de Montréal, Montréal.

Brickell, Christopher. *The Gardener's Encyclopedia of Plants & Flowers*, Dorling Kindersley, London, 1989.

Brockman, Zim, Merrilees. *Guide des arbres de l'Amérique du Nord*, Éditions Marcel Broquet, LaPrairie, 1982.

Brossard, René, Cuisance, Pierre. *Arbres et arbustes d'ornement des régions tempérées et méditerranéennes*, Technique et documentation, Lavoisier et J.B. Baillière, Paris, 1984, additif 1986.

Brosse, Jacques. *Arbustes d'Europe occidentale*, Bordas, Paris, 1979.

Buckley, A.R. *Trees and Shrubs of the Dominion Arboretum*, Agriculture Canada, 1980.

Davis, Brian. *The Gardener's Illustrated Encyclopedia of Trees & Shrubs*, Rodale Press, Emmaus, 1987.

Detriché, Charles. *Le Detriché*, Pépinière Charles Detriché, Angers, 1977.

Dion, André. *Les jardins d'oiseaux*, Brimar et Québec Agenda, Beauceville, 1988.

Dirr, Michael A. *Manual of Woody Landscape Plants*, Stipes Publishing Company, Champaign, Illinois, 1977.

Dirr, Michael A. *Photographic Manual of Woody Landscape*, Stipes Publishing Company, Champaign, Illinois.1978.

Divers auteurs. *Plantes de jardin,* Bordas, Paris, 1984.

Divers auteurs. *Végétaux d'ornement et fruitiers à la carte*, Horticolor, Lyon, 1982.

Dumont, Bertrand. Entretenir son aménagement paysager au Québec, Éditions versicolores inc, Québec, 1989.

Dumont, Bertrand. *Guide des végétaux d'ornement pour le Québec, tome I Les conifères et arbustes à feuillage persistant*, Éditions Broquet, LaPrairie, 1987.

Dumont, Bertrand. *Guide des végétaux d'ornement pour le Québec, tome II. Les arbres feuillus*, Éditions Broquet, LaPrairie, 1989.

Edinger, Philip. *Pruning Handbook*, Sunset Book, Lane Publishing Co., California, 1983.

Ferguson, Nicola. *Right Plant, Right Place*, Pan Books, London, 1986.

Fortin, Daniel et Famelart, Michel. *Arbres, arbustes et plantes herbacées du Québec*, Tomes 1 et 2, Éditions du Trécaré, 1989 et 1990.

Fournier, P. *Arbres, arbustes et fleurs de pleine terre*, tomes I, II, III et Atlas, Éditions Paul Lechevalier, Paris 1951-52.

Frederik, William H. jr. *100 Great Garden Plants*, Timber Press, Portland, 1975.

Frère Marie-Victorin. *Flore laurentienne*, Presses de l'Université de Montréal, 1964.

Gardiner, James M. *Magnolias*, The Globe Peqout Press, Chester, Connecticut, 1989.

Grisvard, Paul et collaborateurs. *Le bon jardinier*, tomes I et II, La Maison rustique, Paris, 1964.

Hariot, Paul. *Arbustes et arbrisseaux*, Paul Klinksieck, Paris, 1904.

Heriteau, Jacqueline. *The National Arboretum Book of Outstanding Garden Plants*, Simon and Schuster, New York, 1990.

Hessayon, D.G. *The Tree and Shrub Expert*, Britannica House, England, 1983.

Hightshoe, G.L. *Native Trees, Shrubs and Vines for Urban and Rural America*, Van Nostrand Reinhold, New York, 1988.

Hillier. *Hillier's Manual of Tree and Shrubs*, Van Nostrand Rheinhold Company, New York.

Hudak, Joseph. *Shrubs in the Landscape*, McGraw-Hill Book Company, New York, 1984.

Krussman, G. *Cultivated Broad-leaved Trees and Shrubs*, volumes I, II, III, Timber Press, 1984.

Lagacé, Fernand et Allen, Égide. *Le Québec forestier*, Éditions Broquet Inc., LaPrairie, 1991.

Lane, Peter. *L'alimentation des oiseaux*, Éditions Marcel Broquet, LaPrairie, 1987.

Lauriault, Jean. *Guide d'identification des arbres du Canada*, Éditions Marcel Broquet, LaPrairie, 1988.

Lunardi, Costanza. *Les arbustes*, Solar, Paris, 1988.

Martineau, René. *Insectes nuisibles des forêts de l'Est du Canada*, Éditions Marcel Broquet, LaPrairie, 1985.

Micheaux, Jean-Pierre. *Dictionnaire sélectif des arbres, des plantes et des fleurs*, Français-Anglais, Anglais-Français, Orphys, Paris, 1979.

Montagne, P. *La taille des arbres et arbustes d'ornement*, Rustica, Paris, 1984.

Mottet, S. et Ham J. *Arbres et arbustes d'ornement*, J.-B. Baillière et fils, Paris, 1968.

Nelson, William R. *Planting Design,: A Manual of Theory and Practice*, Stipes Publishing Company, Champaign, Illinois, 1979.

Newcomb, Lawrence. *Guide des fleurs sauvages de l'est de l'Amérique du Nord*, Éditions Marcel Broquet, LaPrairie, 1983.

Phillips, Roger, Rix, Martin. *Shrubs*, Random House, New York, 1989.

Proctor, Noble. *Oiseaux de jardin du Québec et de l'Amérique du Nord*, Les Éditions Québecor, Montréal, 1988.

Redher, Alfred. *Manual of Cultivated Trees and Shrubs*, volume 1, Dioscorides Press, Portland, 1940 (réimpression 1986).

Richard, Jean. *Fruits et petits fruits, production écologique*, Éditions Marcel Broquet, LaPrairie, 1987.

Sabuco, John J. *The Best of The Hardiest*, Plantsmen's Publications, Flossmoor, 1990.

Sherk, C.L., Buckley, A.R. *Arbustes ornementaux pour le Canada*, Agriculture Canada, Ottawa, 1972.

Smith, Jean et Parrot, Louis. *Arbres, arbustes, arbrisseaux du Québec*, Gouvernement du Québec, Québec, 1984.

Stearn, William T. *Botanical Latin*, David & Charles, North Pomfret (Vt), 1983.

Taylor's guide. *Shrubs*, Houghton Mifflin Company, Boston, 1987.

Testu, Charlotte. *Arbustes et arbrisseaux de nos jardins*, Maison rustique, Paris, 1972.

van de Laar. *Naamlijts van Houtige Gewassen*, Boomteelt Praktijkonderzoek, Boskopp, 1985.

Wiliams, Hugu. *The Hamlyn Guide to Plant Selection*, Hamlyn, London, 1988.

Zucker, Isabel. *Flowering Shrubs & Small Trees*, Grove Weidenfeld, New York, 1990.

REVUES CONSULTÉES

American Horticulturist
American Nurseryman
Arnoldia de Arnold Arboretum
Brooklyn Botanic Garden Record - Plants & Gardens
Jardins de France
Québec vert
La revue horticole

GLOSSAIRE

Acidophiles : Se dit des plantes qui préfèrent les sols acides pour se développer.

Acuminé: Dont le sommet se termine par une pointe.

Adventif : Organe naissant sur une partie de la plante qui, d'ordinaire, ne le porte pas.

Akène : Fruit sec.

Alignement : Se dit des arbres en rangée le long des rues.

Amendement : Substance que l'on incorpore au sol dans le but d'en modifier les qualités. Il ne faut pas confondre avec l'engrais qui, lui, a un rôle de nutrition.

Arbrisseau : Plante ligneuse atteignant de 1 à 3 mètres.

Arbuste : Plante ligneuse de dimension moyenne, soit moins de 7 mètres.

Aromatique : Qui dégage un parfum.

Ascendant : Couché à la base, puis redressé.

Baie : Fruit charnu, entouré d'un tissu plus ou moins mou.

Branche : Division d'un tronc. Porte généralement des rameaux.

Buissonnant : Se dit d'un arbrisseau ou d'un arbuste touffu dès la base.

Caduque : Se dit d'une partie végétale qui tombe rapidement après avoir rempli sa fonction (fleur, feuille).

Calcifuge : Qui ne peut pousser dans un sol calcaire.

Capsule : Fruit sec s'ouvrant en plusieurs valves.

Cépée : Ensemble de branches qui se développent sur la souche d'un arbre taillé près du sol.

Charnu : Fruit dont la ou les graines sont enfermées à l'intérieur d'un tissu plus ou moins mou.

Chaton : Ensemble de fleurs réunies en épis flexibles et pendants.

Cime : Ensemble des branches supérieures portées par le tronc d'un arbre.

Clone : Groupe de plantes identiques, issues par multiplication végétative d'un sujet unique.

Colonnaire : Qui a l'aspect d'une colonne.

Compact : Qui forme une masse épaisse, dense et serrée.

Composées : Feuilles composées de plusieurs parties qui peuvent se séparer les unes des autres sans déchirement.

Cône : Fruit de forme conique, composé d'écailles sous lesquelles sont insérées les graines.

Conique : En forme de cône.

Corymbe : Ensemble de fleurs disposées en un bouquet arrondi formant une espèce de parasol.

Couronne : Synonyme de cime.

Couvre-sol : Se dit des plantes rampantes ou tapissantes.

Craquelé : Couvert de fentes, de fissures.

Crénelée : Feuille aux bords garnis de dents larges et arrondies.

Cylindrique : En forme de cylindre.

Cyme: Synonyme de grappe.

Dentée, Dentelée : Feuille dont les bords sont garnis de dents.

Denticulé : Finement denté.

Dimorphe : Qui a deux formes différentes.

Dioïque: Plantes dont une porte des fleurs mâles alors que l'autre porte des fleurs femelles.

Divergents : Qui se dirigent dans des sens différents.

Drageonner : Produire des tiges adventives sur une racine.

Drupe : Fruit charnu renfermant un noyau à une seule graine (ex.: la cerise).

Duveteux : Recouvert de duvet, couvert de petits poils fins et soyeux.

Écailleux : Formé d'écailles ou ayant l'aspect et la consistance d'une écaille.

Ellipse : Ovale allongé.

Elliptique : Ayant la forme d'une ellipse.

Épine : Pointe dure et aigüe rencontrée le plus souvent sur le bois.

Érigé : En horticulture, c'est un synonyme de dressé; le contraire d'étalé.

Étalé : Se dit généralement d'une plante qui est plus large que haute; le contraire de dressé.

Étamine : Organe mâle de certaines plantes, renfermé dans une enveloppe florale.

Exfolier : Se séparer par lames minces et superficielles. En général, ce sont des parties mortes qui se détachent du tronc ou des branches.

Fasciculé : Disposé en faisceau.

Fertile : Qualité d'un sol qui produit en abondance.

Filiforme : Fin et allongé comme un fil.

Flèche : Partie terminale de la tige d'un arbre.

Foliole : Petite feuille que l'on retrouve chez les feuilles composées.

Fructification : Désigne l'importance et la quantité des fruits produits.

Gélivures : Blessures provoquées par le gel sur le tronc et l'écorce des arbres. Peut aussi s'appliquer aux branches.

Gercées : Se dit des écorces portant de petites crevasses.

Glabre : Dépourvu de poils.

Glauque : Bleuâtre qui rappelle l'eau de mer.

Globulaire, Globuleux : A peu près rond ou sphérique.

Gourmand : Pousse très vigoureuse qui se développe au détriment de la plante.

Gousse : Fruit sec, allongé, renfermant des graines et s'ouvrant en deux parties (ex. : le pois).

Greffe : Préparation par laquelle on soude deux végétaux. Habituellement, un pour ses racines, l'autre pour ses caractéristiques décoratives.

Hampe (florale) : Axe simple et nu, souvent droit et ferme, supportant des fleurs.

Humifère : Se dit d'un sol qui contient beaucoup de déchets végétaux et animaux en décomposition.

Humus : Terre formée par la décomposition de végétaux.

Indigène : Qui est naturel au pays.

Inerme : Dépourvu d'épines.

Inflorescence : Manière dont les fleurs sont placées sur la plante (ex. : en épi, en grappe, en cyme).

Lancéolé : En forme de fer de lance étroit et en pointe aux deux extrémités.

Linéaire : Long, étroit, dont les bords sont parallèles entre eux dans leur longueur.

Lobe, Lobée : Partie arrondie d'un organe, comprise entre deux sinus.

Marcottage : Se dit d'une branche qui, encore reliée à la plante, s'enracine lorsqu'elle est en contact avec le sol.

Matière organique : Ensemble des déchets végétaux et animaux en décomposition.

Morphologie : Étude de la forme et de la structure des être vivants.

Naines : Se dit des plantes basses ayant un développement souvent lent.

Naturalisation : En aménagement paysager, il s'agit de l'implantation des plantes cultivées dans un milieu naturel.

Nervures : Lignes généralement saillantes sur les feuilles.

Oblong : Bien plus long que large, et arrondi aux deux bouts.

Obovale : En ovale renversé, la partie la plus large étant en haut de la feuille.

Ombelle : Inflorescence en bouquet arrondi, formant un parasol.

Ovale : Qui a la forme d'un oeuf.

Ovoïde : Qui se rapproche de l'ovale.

Palmée : Feuille dont les divisions ressemblent à des doigts, mais qui sont réunies à un centre commun.

Panache : Qui ressemble à un assemblage de plumes.

Panachées : Feuilles ou fleurs nuancées de plusieurs couleurs.

Panicule : Grappe composée, compacte, de forme pyramidale.

Pédoncule : Petite tige qui supporte la fleur.

Persistant: Se dit d'une plante dont les feuilles restent sur les rameaux, durant toute l'année.

Pétiole : Petite tige qui supporte la feuille.

pH ou Potentiel Hydrogène : Désigne le degré d'acidité ou d'alcalinité active d'un milieu (ici le sol) : 0 à 7 sol acide; 7 sol neutre; 7 à 14 sol alcalin ou basique.

Pincer : Couper l'extrémité des jeunes pousses pour favoriser le développement des autres branches.

Pivotante : Se dit d'une racine qui s'enfonce verticalement dans le sol.

Pleureur : Se dit de l'arbre dont l'ensemble des branches retombent vers le sol, à la manière d'une pluie.

Plumet : Petit bouquet de plumes (synonyme de panache).

Plumeux : Garni de poils disposés comme les barbes d'une plume.

Prostré : Étalé, couché sur le sol.

Pruiné : Couvert d'un enduit cireux, glauque et fragile.

Pubescent: Recouvert d'un léger duvet de poils fins.

Pyramidal : Forme d'un arbre à base large et à extrémité supérieure pointue.

Rabattage: Action de supprimer les branches ou les gros rameaux d'une plante dans le but de provoquer l'émission de nouvelles pousses.

Racème : Synonyme de grappe.

Radial : Disposé suivant un rayon.

Radiculaire : Qui tient de la racine.

Rameaux : Ramification d'une branche.

Rameux : Qui a beaucoup de branches.

Ramure : Ensemble des branches et des rameaux d'une plante.

Recurvé : Courbé vers l'intérieur.

Rejet : Jeune pousse qui naît sur les racines.

Résine : Substance visqueuse produite par certains végétaux, notamment les conifères.

Rhizome : Tige souterrraine émettant des racines et des rameaux aériens.

Rosette : Ensemble de feuilles étalées en cercle et très rapprochées les unes des autres.

Samare : Fruit sec en forme d'ailes.

Semi-naine: Se dit d'une plante dont la taille se situe entre les plantes naines et les plantes érigées.

Semi-persistantes : Feuilles qui sont soit persistantes, soit caduques, suivant le climat.

Simple : Feuille faite d'un seul morceau.

Tomenteux : Recouvert d'un recouvrement laineux dense et fin.

Torsadée : Tige ou feuille plus ou moins tordue et enroulée en spirale.

Traçantes: Se dit des plantes qui émettent des racines situées dans les premiers centimètres de terre.

Trilobée : Feuille à trois lobes.

Tronquée : Feuile dont l'extrémité est comme coupée transversalement.

INDEX

Quelques titres des Éditions Broquet

Oiseaux :
L'alimentation des oiseaux
Familles d'oiseaux
Guide des oiseaux (Robbins)
Guide d'identification des oiseaux (NGS)
Les oiseaux de l'est Amérique du Nord (Peterson)
Les oiseaux du Canada (Godfrey)
L' observation des oiseaux
Petits Peterson, Oiseaux

Horticulture :
Bonsaï Penjing
L'art du Bonsaï
Les plus beaux Bonsaïs du monde
Le calendrier horticole
La culture hydroponique
Fruits et petits fruits
Guide des plantes d'appartement
Guide des végétaux d'ornement T.1
Guide des végétaux d'ornement T.2
Passion de cactus
Pelouses et jardins sans produits chimiques
Taille des arbres fruitiers

Arbres et fleurs sauvages :
Guide des arbres de l'Amérique du Nord
Guide d'identification des arbres du Canada
Guide des fleurs sauvages (Newcomb)
Petits Peterson, Fleurs sauvages

Autres :
Champignons vénéneux et nocifs
Dictionnaire des sciences de l'environnement
Guide des insectes (Peterson)
Les insectes nuisibles
Les insectes nuisibles des forêts
Papillons et chenilles du Québec
Petits Peterson, Insectes
Petits Peterson, Mammifères
Le Québec forestier

Imprimé à Hong Kong